전후 일본 건축

전후 일본 건축　　　조현정

마티 패전과 고도성장, 버블과 재난에
일본 건축은 어떻게 대응했을까

[일러두기]

- 외국어 고유명사 표기는 국립국어원의 표기 용례를 따랐으나, 일부 표기는 많이
  사용되는 이름으로 표기했다.
- 원어명은 가급적 본문이 아니라 찾아보기에 병기했다.
- 단행본과 정기간행물은 『 』, 기사와 논문, 영화와 티브이 프로그램은 「 」, 전시는 《 》,
  작품 및 프로젝트는 〈 〉로 묶었다.

들어가는 글.
일본 건축에서 '전후'란 무엇인가?

동시대 일본 건축가들의 약진이 눈부시다. 이소자키 아라타, 안도 다다오, 이토 도요 등 일본 건축가들의 이름은 현대건축을 소개하는 책자에 빠지지 않고 등장한다. 이들은 '일본 건축가'라는 별도의 수식어 없이도 국제 건축계의 주요 인물이자 스타로 대접받는다. 이 책을 출간하는 2021년을 기준으로 일본이 '건축의 노벨상'으로 불리는 프리츠커 상의 최다 수상국이라는 사실도 의미심장하다. 프리츠커 상은 1979년 하야트 재단이 건축문화에 중요한 기여를 한 생존 작가를 치하하기 위해 창설한 권위 있는 상이다. 1987년 단게 겐조를 시작으로 마키 후미히코(1993), 안도 다다오(1995), 세지마 가즈요와 니시자와 류에(2010), 이토 도요(2013), 반 시게루(2014), 이소자키 아라타(2019)에 이르기까지 총 여덟 명의 일본 건축가가 이 상을 받았다. 물론 프리츠커 상 최다 수상국이라는 타이틀이 곧바로 일본 건축의 성공을 의미하는 것은 아니지만, 그 국제적 위상과 영향력을 가늠하기에 충분하다.

　　그럼에도 불구하고 국내에서 일본 현대건축을 체계적으로 조망하는 책을 찾아보기란 쉽지 않다. 일본의 유명 건축가들의 작품집이나 자전적 에세이가 몇 편 번역되었을 뿐이다. 일본 현대건축에 대한 연구의 상대적 부족은 단순한 우연이 아니라, 여전히 존재하는 일본 건축의 그림자를 부정하고자 하는 한국 건축계의 후기 식민주의적 욕망의 발로로서 볼 수 있다. 우리는 식민지 시기 동안 일본을 통해 서구의 근대건축을 도입했고, 일본 건축의 영향은 해방 후에도 과거로부터 이어진 건축학제와 인적, 기술적 측면에서 지속되었다. 물론 해방 이후 일본 건축은 한국 건축가들에게 유일하고 배타적인 모델의 지위에서 여러 참조할 만한 외국 사례 중 하나로 전락했지만, 꽤 오랫동안 가장 쉽게 접근할 수 있는 영향력 있는 참조 대상이었다는 점은 부정할 수 없다. 이런 상황에서 일본 건축에 대한 비판적 논의의 부재는 한국 건축사 연구에서 맹점으로 작용하고 있다.

그러나 점차 상황은 바뀌고 있다. 터부에 얽매이지 않는 젊은 세대를 중심으로 한일 건축 문화의 교류 및 영향 관계에 대한 관심이 높아지면서, 일본 건축을 체계적으로 알고 싶다는 지적 욕구도 커지고 있다. 이 책은 이러한 요구에 대한 응답으로 일본 건축을 우리 건축을 비추는 거울로 다루고자 한다. 필자는 1945년부터 현재까지 일본 건축의 전개를 단게 겐조, 메타볼리즘, 이소자키 아라타, 이토 도요, 구마 겐고 등 일본을 대표하는 건축가들의 작가론을 중심으로 서술했다. 그러나 스타 건축가에 대한 일화적 접근이나 대표작에 대한 단편적인 소개에 그치는 식이 아닌, 이들을 중심으로 일본 건축의 쟁점과 과제, 사회적 역할이 사회, 정치, 경제, 문화, 지성사의 큰 흐름 속에서 어떻게 전개되는가를 살펴보고자 했다.

이를 위해 '근/현대'라는 일반적인 시대 구분 대신, '전후'(戰後)라는 논쟁적인 개념을 도입한다. 일본사에서 '전후'라는 개념은 단순히 1945년 이후를 지칭하는 시간적 의미로만 한정되는 것이 아니라, 전전(戰前)의 군국주의와 차별된 민주주의, 평화주의, 경제성장을 특징으로 한 일종의 가치 공간을 일컫는다.[1]

역사학자 캐롤 글럭이 "긴 전후"(long postwar)라고 표현했듯이, 일본 사회는 오랫동안 패전과 냉전 질서가 만들어낸 조건 속에 놓여 있었다.[2] 1945년 8월, 일왕 히로히토가 무조건 항복을 선언하며 일본의 전후는 시작되었지만 전후가 종료된 시점은 자명하지 않다. 1956년 일본 정부는 경제백서를 통해 "더 이상 전후가 아니다"(もはや戰後ではない)라고 선언하며 전후 부흥이 완료되었음을 알렸다. 그러나 정부의 공식 선언이 자동적으로 전후의 종언을 의미하는 것은 아니었다. 오히려 1960년대의 고도성장이 이루어진 후에야 비로소 일본이 전쟁의 기억과 트라우마에서 벗어나 '전후'가 일단락되었다고 보는 견해가 지배적이다. 1990년대 들어 전후 종언론은 다시금 강하게 불거졌다. 쇼와(昭和) 천황(1901-89)의 죽음을 시작으로, 냉전 종식과 장기 불황 등 '전후'를 지탱하던 정치, 경제, 국제 관계의 축이 붕괴하면서, 이제야 비로소 일본의 '전후'가 완전히 종식되었다는 목소리가 높아진 것이다. 일본의 '전후'와 관련된 논의에서 또 하나의 중요한 분기점을 제공한 사건은 2011년 3월 도호쿠 지방을 강타한 대재난이다. 가공할 만한 지진과 쓰나미, 원전 사고가 초래한 삼중의 재난은 다시금 전쟁의 기억을 소환했고, '전후'를 대체할 새로운 패러다임

[1] 일본의 전후(또는 탈전후)에 관한 논의로는 다음의 책을 참조할 것. 조관자 엮음, 『탈전후 일본의 사상과 감성』(박문사, 2017); 권혁태, 『일본 전후의 붕괴: 서브컬처, 소비사회 그리고 세대』(제이앤씨, 2013); 나카무라 마사노리, 『일본 전후사 1945-2005』, 유재연·이종욱 옮김 (논형, 2006); 고영란, 『전후라는 이데올로기』, 김미정 옮김 (현실문화, 2013); 요시미 순야, 『포스트 전후 사회』, 최종길 옮김 (어문학사, 2013).

[2] Carol Gluck, "The "Long Postwar": Japan and Germany in Common and in Contrast," in *Legacies and Ambiguities*, edited by Ernestine Schlant and Thomas Rimer (Washington D.C. and Baltimore: The Woodrow Wilson Center Press and Johns Hopkins University Press, 1991), pp. 63-81.

으로서 '재후'(災後)의 도래가 논의되었다. '전쟁'과 '전후', 그리고 '탈(脫)전후'의 개념은 일본 사회의 특수성을 잘 드러내는 일종의 메타포이자 이데올로기로서 역할한다. 이는 단순히 시대 구분을 넘어 일본 사회의 정치, 경제, 국제 관계의 변화를 보여줄 뿐 아니라, 당대의 생활양식과 감수성, 무엇보다도 일본인의 마음을 조망할 수 있게 한다는 점에서 건축사 서술에 중요한 틀거리를 제공한다.

이 책은 필자의 박사 논문 *Competing Futures: War Narratives in Postwar Japanese Architecture 1945-1970*(『경합하는 미래들: 전후 일본 건축의 전쟁 내러티브, 1945-1970』, 2011)에서 출발했다. 논문에서는 제2차 세계대전으로 인한 도시의 대량 파괴와 냉전의 갈등이 전후 일본 건축가들의 도시적 상상에 어떤 영향을 끼쳤는가를 다루었다. '전후'라는 특수한 가치 공간에서 일본 건축가들이 폐허가 된 도시의 물리적인 재건을 넘어, 제국주의 과거와 전쟁 기억, 계속되는 냉전의 불안과 싸우며 일본 건축의 새로운 정체성을 정립해가는 과정에 주목한 것이다. 이 접근은 현대 일본 건축사의 전개를 폐허 위에 최첨단의 세계 도시를 건설한 성공과 승리의 단선적인 내러티브로만 서술하려는 기존의 연구와 차별된다.

물론 이는 필자 혼자만의 관점이라기보다는 전쟁 트라우마를 전후 일본의 독특한 가치관과 감수성의 주요한 구성 요소로 보는 2000년대를 전후한 일본학 연구의 동향 속에서 있다. 예를 들어 미술사학자 사와라기 노이는 『일본. 현대. 미술』(1998), 『만박과 전쟁』(2005) 등의 저서에서 전후 일본 미술사의 전개를 억눌려 있던 전쟁 기억의 회귀라는 관점에서 재서술했다.[3] 사와라기는 전후 사회가 망각한 전쟁 기억이 애니메이션이나 망가 같은 서브컬처를 통해 왜곡된 방식으로 표현되었고, 이는 서브컬처적 요소를 차용한 슈퍼플랫 미술의 도상으로 이어졌다고 주장한다. 비슷한 관점으로 역사학자 이가라시 요시쿠니는 영화, 문학, 대중문화에 나타난 몸의 재현에 초점을 맞추어, 일본 문화사를 전쟁 트라우마를 극복하려는 일련의 정신분석학적 과정으로 서술했다.[4] 건축 분야에서는 건축가이자 건축사학자 야쓰카 하지메가 『사상으로서 일본근대건축』(2006)에서 "새 출발"(starting over)이라는 지배 담론 속에서 터부시됐던 전전과 전후 건축의 연속성에 대한 논의의 포문을 열었다.[5] 이렇듯 트라우마를 역사 서술과 문화 생산의 중요한 원동력으로 보는 방법론은 홀로코스트를 둘러싼 다양한 학술적, 예술적 논의로부터 촉발된 것이다. 1980-90년대 들어 홀로코스트 희생자들의 증언을 토대로 한 과거사 서술이 본격화되면서 기억의 정치학과 트라우마의 재현에 대한 비판적인 논의가 등장했고, 이런 경향이 일본학 연구에도 도입되었다.[6]

　　　　박사 논문을 책으로 엮는 작업이 10년 정도 미뤄지면서, 논문에서 다룬 시기를 확장해 1970년대 이후의 건축에 대한 논의를 추가할 수 있었다. 1970-80년대의 모더니즘 비판과 포스트모더니즘 건축의 등장, 1990년대 이후의 소주택 붐, 2011년

[3]　椹木野衣, 『日本·現代·美術』(東京: 新潮社, 1998); 椹木野衣, 『戦争と万博』(東京: 美術出版社, 2005).

[4]　Yoshikuni Igarashi, *Bodies of Memory: Narratives of War in Postwar Japanese Culture, 1945-1970* (Princeton: Princeton University Press, 2000).

[5]　八束はじめ, 『思想としての日本近代建築』(東京: 岩波書店, 2005).

[6]　Andreas Huyssen, *Twilight Memories: Marking Time in a Culture of Amnesia* (New York: Psychology Press, 1995).

도호쿠 대지진 이후의 일본 건축에 대한 논의가 그것이다. 비록 1970년을 전후해 일본의 '전후'가 일단락된 것으로 논의되지만, 그럼에도 '전후'라는 시기 구분은 여전히 일본 건축을 보는 유용한 틀이다. 더 이상 전쟁을 실질적인 체험으로 기억하지 않게 된 이후에도 '전쟁'과 '전후'에 대한 담론은 주기적으로 소환되며 일본 사회에서 영향력을 발휘했기 때문이다. 흥미롭게도, '전후'가 갖는 역사적 의미와 효과는 '전후'가 종료되었다는 선언과 함께 더욱 선명해진 듯 보인다.

1945년 이후 일본의 주요 건축가와 건축물, 건축 담론을 역사적으로 추적하는 이 책은 건축 전공자를 일차 독자로 삼는다. 그러나 일본 미술이나 문화, 사상, 근현대사 일반에 관심이 있는 독자들도 충분히 흥미롭게 읽을 수 있을 것이다. 필자는 일본 건축의 흐름을 일본의 문화, 예술, 지성사의 넓은 흐름 속에 자리매김하며, 건축사의 주요 사건들을 인접 분야인 미술사의 주요 장면들과 나란히 펼쳐놓고 비교 분석하는 데 주력했다. 건축과 미술 분야에서 동시에 진행된 1950년대 전통논쟁에 관한 논의나 1960년대 반(反)예술 운동과 이소자키 아라타의 교류와 협업, 메타볼리즘 운동의 간학제적 면모 등을 강조하고자 했다.

✼

이 책은 일본사의 일반적인 시대 구분을 따라 1950년대 전후 재건기부터 1960년대의 고도 성장기, 1970년대 오일쇼크로 인한 침체기와 1980년대 경제 호황기, 이후 1990년대부터의 장기 불황기를 대표하는 건축가들에 대한 작가론을 개진한다. 전후 재건기의 '국가 건축가' 단게 겐조, 고도 성장기의 대표 주자인 메타볼리즘 그룹, 1970년대 이후 포스트모던 경향을 보여주는 이소자키 아라타와 이토 도요, 1990년대 이후의 탈전후 건축의 비전을 대변하는 구마 겐고, SANAA, 아틀리에 바우와우가 이들에 해당한다. 이 구성은 일본 건축가에 대한 세대론적 접근을 보여준다. 패전에서 전후 재건, 경제성장과 불황이라는 급격한 사회변동을 단기간에 겪은 일본사 서술에서 세대론적 접근은 유의미한 분석 수단이다. 각 세대가 공유하는 집단적인 경험과 공통 기억이 특정한 주체성을 형성하기 때문이다. 1913년생인 단게 겐조(1913-2005)가 전후 건축가 1세대를 대표한다면, 기쿠타케 기요노리(1928-2011), 마키 후미히코(b. 1928), 구로카와 기쇼(1934-2007) 등 메타볼리즘 건축운동의 멤버들과 이소자키 아라타(b. 1931) 등 1920년대 말부터 1930년대 초반에 출생한 건축가들이 2세대에 해당한다. 이들은 학생 시절 전쟁을 겪었기 때문에 윗세대와는 달리 전쟁 책임이라는 문제로부터는 비교적 자유롭지만, 사춘기 시절 목격한 국토의 파괴와 폐허의 장면이 이후 건축가로서의 활동에 중대한 영향을 끼쳤다. 3세대 건축가로는 전후 민주주의 교육의 최초 수혜자에 해당하는 1940년대 초반 출생인 안도 다다오(b. 1941)와 이토 도요(b. 1941) 등을 꼽을 수 있다. 그 뒤를 이어 전쟁을 직접 겪지 않은 세대인 구마 겐고(b. 1954), 반 시게루(b. 1957), 세지마 가즈요(b. 1956) 등 1950년대 생들이 4세대, 마지막으로 1960년대 이후 출생한 아틀리에 바우와우, 니시자와 류에(b. 1966), 후지모토 소우(b. 1971) 등이 5세대 건축가에 해당한다.

　　1장과 2장에서는 전후 일본의 '국가 건축가'로 불리는 단게를 중심으로 1950년대 전후 재건기 건축의 쟁점을 살핀다. 이 장에서는 히로시마 평화공원(1954), 구도쿄도청사(1957), 가가와현청사(1958) 등 재건기의 대표적인 공공 프로젝트를 중심으로 단계가 전전(戰前)과 차별된 전후 일본 건축의 정체성을 정립하는 과정을 다룬다. 단계의 공공건축이 전후 일본 건축계의 중요한 화두인 전통논쟁과 국제주의 모더니즘, 예술의 종합론이 경합하며 전개되는 무대였다면, 비저너리 건축인 〈도쿄계획〉(1961)은 개별 건물의 설계자를 넘어, 도시와 국토개발의 비전을 제시하는 국가 설계자로서 단계의 면모를 보여준다.

3장과 4장은 메타볼리즘 건축운동과 오사카 만국박람회를 중심으로 건축가들이 외상적인 과거와 대면하며 상상했던 미래도시의 비전을 논의한다. 1960년대 일본 건축계에 유행했던 미래도시는 흔히 알려진 것처럼 고도 성장기의 낙관론이 투영된 테크노 유토피아로만 수렴될 수 없는 복잡한 스펙트럼을 갖는다. 메타볼리즘 건축운동에 내재된 종말론적(apocalyptic) 상상력을 드러내, 건축가들이 근과거의 전쟁 기억과 현재진행형인 냉전의 불안을 대면하는 방식을 들여다 보았다. 또 이들이 활약한 오사카 만국박람회를 정보화사회를 위한 새로운 건축적, 도시적 모델을 제안하려는 시도로서 논의했다.

5장과 6장에서는 이소자키 아라타와 이토 도요를 중심으로 '전후'라는 시대감각이 희박해지고 국가에 대한 건축 직능의 책무가 약화된 1970년대 이후부터 1990년대 초반까지의 건축의 쟁점을 다룬다. 이소자키와 이토의 건축론과 디자인에 대한 비교분석을 통해 국가와 긴밀히 밀착되어 전개된 전후 모더니즘을 넘어서려는 다양한 시도를 살펴보고, 일본 건축에서 포스트모더니즘의 전개를 논의한다. 세대적으로 보면 이소자키는 메타볼리즘 멤버들과 동일하지만, 이 장에서는 2세대와 3세대 건축가의 교량으로서의 면모에 초점을 맞추었다.

7장에서는 특정 작가의 작가론이 아니라, 주택 설계라는 특수한 장르에 초점을 맞추어 탈전후 일본건축의 쟁점을 역사적으로 논의한다. 1990년대 들어, 냉전 종식과 함께 '전후'의 종언이 다시금 일본사회 전역에서 활발하게 논의되었는데 건축계도 예외는 아니었다. 이 장에서는 SANAA, 야마모토 리켄, 아틀리에 바우와우 등이 설계한 주택을 '탈전후' 건축의 비전을 대변하는 작업으로서 다룬다. '탈전후'라는 시대감각은 2011년 도호쿠 지방을 강타한 대재난으로 더욱 가속화되었고, 이에 건축가들은 더 적극적인 사회적 역할을 요구받게 되었다.

8장은 전 세계를 휩쓴 코로나바이러스감염증-19로 불발된 2020년 도쿄 올림픽의 주경기장 설계를 둘러싼 논쟁에 대한 단상이다. 구마 겐고의 신국립경기장은 민족주의의 발흥 속에서 일본 건축이 다시 '일본'이라는 대타자와 결합하는 양상을 다룬다.

이 책을 위해 일부는 새로 집필했고 일부는 기존에 발표한 논문을 책의 모양새가 되게끔 수정, 보완했다. 이 기회를 빌려 논문을 발표할 귀중한 기회를 준 『근현대미술사학』, 『일본비평』, 『미술사학보』, 『서양미술사학회 논문집』, *Journal of Architecture*, *Architectural Research Quarterly*, *Journal of Architectural Education*, *Review of Japanese Culture and Society* 등 국내외 학회지에 감사드린다. 원고를 쓰는 과정만큼이나 도판 저작권을 구하는 과정이 지난했다. 책에 실린 사진들을 흔쾌히 제공해 준 이소자키 아라타 아틀리에, 이토 도요 건축 사무실, 단게 겐조 건축 사무실, NPO 니시야마 우조 기념 문고, 야마모토 리켄 건축 사무실, GK Design Group, SANAA, 도쿄대학 오쓰키 도시오 교수, 아트 타워 미토 현대미술센터에게 감사 인사를 전한다.

　　일본 건축사 권위자인 조너선 레이놀즈 교수와 야쓰카 하지메 교수의 지지와 조언이 없었다면 이 분야를 공부할 엄두조차 내지 못했을 것이다. 특별한 감사 인사를 전한다. 토머스 대니얼 교수 덕분에 교토대학에서 집필에 전념할 귀한 시간을 가질 수 있었다. 책을 내는 과정에서 건축사와 출판 두 분야 모두에서 탁월한 전문성을 가진 도서출판 마티의 박정현 편집장님을 만난 것은 더할 나위 없는 행운이었다.

　　마지막으로 공부한다는 핑계로 늘 시간에 인색한 필자를 인내해주고 지지해준 부모님과 시어머님, 이 책의 출간을 누구보다도 기뻐해 줄 고모, 엄마가 '집'이 아니라 괴물을 공부했으면 좋겠다는 우리 꼬마, 그리고 이 책의 출발부터 마지막까지 모든 순간을 함께 해준 신정훈에게 고마움을 전한다.

1장. 단게 겐조,
'전후' 일본의 국가 건축가

국가 건축가의 등장

2005년, 92세를 일기로 타계한 단게 겐조를 회고하며, 제자인 이소자키 아라타는 단게를 일본의 '국가 건축가'로 규정했다.[1] '국가 건축가'라는 표현은 히로시마 평화공원(1954)을 시작으로, 구 도쿄도청사(1957), 요요기 올림픽 경기장(1964), 오사카 만국박람회장(1970), 그리고 신도쿄도청사(1991)에 이르기까지 일본의 대표적인 공공건축 프로젝트를 도맡아 설계한 단게의 이력에 잘 어울린다. 그러나 국가 건축가로서 단게의 역할은 일본이라는 국가를 표상하는 대표적인 기념비 건축을 설계한 것에만 국한되지 않는다. 그는 전통의 현대적 의미를 고민함으로써 일본 건축의 정체성을 화두로 삼았고, 건축을 넘어 도시의 제반 인프라를 제안했으며, 나아가 일본이라는 국가가 나아갈 비전을 제시하고자 했다. 도쿄대학 단게 연구실이 발표한 일련의 도시계획과 국토계획은 개별 건물의 설계자를 넘어 전후 일본의 설계자로서 단게의 면모를 보여준다.[2]

여기서 '국가 건축가'라는 명함 앞에 '전후'라는 수식어

[1] Arata Isozaki, "Requiem for the Real Tange Kenzō," *Japan Echo* (August 2005): 56.

〈도쿄계획〉을 설명하고 있는 단게 겐조

를 보탠다면 단계가 갖는 역사적 의의는 더욱 명료해진다. 일본의 '전후'는 단순히 1945년 이후의 특정 시기만을 의미하는 것이 아니라, 전전과 차별된 평화주의, 민주주의, 경제성장을 지향하는 일종의 가치 공간을 의미한다.[3] 이 가치 공간에서 일본 건축은 군국주의 프로파간다로 기능했던 과거와 결별해 새 시대에 맞는 건축의 새로운 정체성을 정립해야만 했다. 특권층의 전유물이었던 건축을 어떻게 전후 사회의 주역인 민중에게 돌려줄 것인가? 천황제와 봉건제로 얼룩진 일본 전통의 의미를 어떤 방식으로 전후 일본의 건축문화 창달을 위해 재정의할 것인가? 건축과 도시 계획을 통해 민주주의와 경제성장이라는 전후의 이상에 어떻게 기여할 것인가?

단게는 이러한 질문들과 정면 대결하며 '국제적이면서 동시에 일본적인' 또는 '근대적이면서 동시에 전통적인'으로 정의되는 전후 일본의 새로운 건축 양식을 제안했다. 이는 건축계 전체로 보면 전후 건축의 적법한 정체성을 추구하는 과정이었고, 단게 개인으로서는 군국주의 정권에 협력한 자신의 불명예스러운 과거를 넘어서는 과정이기도 했다. 단게를 전후 일본의 국가 건축가로 부른다면, 이는 그가 패전에서 번영에 이르는 전후의 공식 내러티브를 건축적으로 표상했을 뿐 아니라, 동시에 가까운 과거의 불편한 기억과 마주하며 일본 건축의 심리적이고 상징적인 재건을 꾀했기 때문일 것이다.

[2] 건축사학자 도요카와 사이가쿠는 단게를 단순히 건축가가 아니라 전후 일본의 "구상자"(構想者)로 평가했다. 豊川斎赫, 『丹下健三: 戦後日本の構想者』 (東京: 岩波新書, 2016).

[3] 권혁태, 『일본 전후의 붕괴』 (제이앤씨, 2013), p. 17.

전쟁 시기의 단게

전후 일본을 대표하는 건축가라는 명성에도 불구하고, 단게의 경력은 1945년 이전으로 거슬러 올라간다. 1913년 오사카에서 태어난 그는 히로시마 고등학교를 거쳐 1935년 도쿄 제국대학 건축학부에 진학했다. 대학 졸업 이후에는 파리에서 르 코르뷔지에에게 사사했던 마에카와 구니오(1905-1986) 사무실에서 수련 기간을 거치기도 했다. 1941년 대학원 과정에 진학한 단게는 군국주의 정부가 주도한 국민주택 설계 공모(1941), 대동아건설충령신역계획 설계 공모(1942), 일본-태국 문화회관 설계 공모(1943)에서 잇달아 입선하며 건축계에 혜성처럼 등장했다.

　　　이 중 대동아건설충령신역계획에 도입된 건축적, 도시계획적 요소들은 이후 단게의 작업에 되풀이해 등장하기에 눈여겨볼 필요가 있다. 이 프로젝트는 "대동아 건설의 영웅적이고 숭고한 지향을 표현"하기 위해 군부가 주도한 전시(戰時)의 대표적인 프로파간다이다. 전국적인 현상 공모에서 1등을 차지한 단게의 디자인은 도쿄에서 후지산을 도로축을 따라 연결하고, 그 사이에 행정지구, 문화지구, 그리고 대동아를 위한 성역을 세울 것을 제안한다. 일본의 영산인 후지산 자락에 건립된 성역에는 미켈란젤로의 캄피톨리오 광장을 모델로 한 광장이 설치되고 그 한복판에 신사 건축을 연상시키는 본전 건물이 자리한다.[4] 본전 건물은 위압적인 박공지붕과 가쓰오기(鰹木)라고 불리는 아홉 개의 돌출된 지붕 장식을 특징으로 하는데, 이는 일본 신사를 대표하

[4]　『건축잡지』 1942년 12월호는 대동아 건설 기념 프로젝트에 대한 특집으로 구성되었다. 『建築雜誌』(1942, 12).

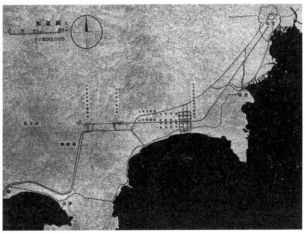

단게 겐조, 대동아건설충령신역계획, 1942

단게 겐조, 대동아건설충령신역계획, 배치도, 1942

는 이세 신궁(伊勢神宮)에서 온 것이다.

대동아건설충령신역계획을 비롯한 단게의 초기 디자인
은 일본 전통 건축의 모티브를 적극 도입한 것을 특징으로 한다.
이러한 경향은 서구 모더니즘의 공세로부터 일본 건축의 정체성
을 찾기 위한 노력의 일환으로 당시 건축계에 유행했던 '일본 취
미' 감수성 속에서 이해할 수 있다. '일본 취미'는 모더니즘 공법과
재료로 지은 건물에 전통적인 목조 건축의 지붕 형태를 얹은 일
종의 혼성양식인 제관양식(帝冠樣式)으로 구현되었다.[5] 1930년
대 들어 대유행한 제관양식이 도입된 대표적인 예로 현재 국립
박물관으로 쓰이는 와타나베 진(1887-1973)의 도쿄제실박물관
(1931)을 들 수 있다. 도쿄제실박물관은 근대적인 콘크리트 건물
에 암적색 기와를 얹은 박공지붕을 올리고 입면에는 목조 건물
을 연상시키는 난간 문양과 세부 장식을 도입함으로써 일본적인
분위기를 강조했다.

1940년대 들어 일본이 서양과 본격적인 전쟁 국면에 접
어들면서 서구 모더니즘은 덜 일본적이고, 따라서 덜 애국적인
양식으로 치부되었다. 1942년 『건축잡지』가 주관한 식민지 건축
양식에 관한 설문 조사는 당시의 고양된 민족주의적 분위기를
잘 보여준다. 설문에 참여한 단게의 답변은 문화 국수주의의 혐
의를 짙게 드러낸다.

[5] "일본 취미"에 대한 논의로는 다음의 글을 참조할 것. Jonathan M. Reynolds,
Maekawa Kunio and the Emergence of Japanese Modernist Architecture (Berkeley,
Los Angeles, and London: University of California Press, 2001), pp. 74-134;
Jacqueline Eve Kestenbaum, *Modernism and Tradition in Japanese Architectural
Ideology, 1931-1955*, PhD diss. Colombia University, 1996; 김기수, 「1940年代 日本建
築에 나타난 "日本的 表現"에 관한 考察」, 『大韓建築學會論文集計劃系』 14/6 (1998, 6): 95-
103.

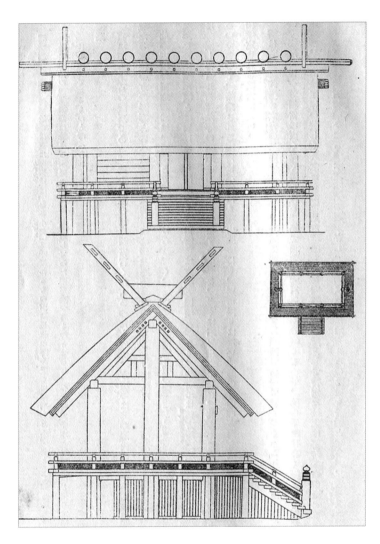

이세 신궁 드로잉

우리는 앵글로 아메리카 문화와 기존의 동남아시아 문화 양자 모두를 무시해야만 한다. 앙코르와트를 경배하는 것은 아마추어라는 증거이다. 우리는 일본 민족의 전통과 미래에 대한 흔들리지 않는 확신으로부터 출발해야 한다. 건축가는 대동아 공영권의 주춧돌이 될 위대하고 숙명적인 프로젝트에 기여할 수 있는 일본의 새로운 건축 양식을 창조해야 할 의무가 있다.[6]

일본 민족과 전통문화의 우월함에 대한 단게의 신념은 일본 역사와 정체성, 고전의 재건을 열정적으로 내세운 일본 낭만파 문인들의 문장을 떠올리게 한다.[7] 실제로 단게는 일본 낭만파 운동의 리더이자 시인 야스다 요주로로부터 많은 영향을 받았고,[8] 도쿄대학 건축과 선배이자 낭만파 일원인 다치하라 미치조와 일본의 전통, 역사에 대한 견해를 긴밀하게 나누기도 했다. 다치하라는 단게에게 보낸 편지에서 중국과의 전투에서 일본군이 승리한 것에 대한 벅찬 감동과 흥분을 격정적인 문장으로 노래했다.[9]

비록 단게의 1940년대 초반 디자인은 단 한 개도 실현되지 못했지만, 단게의 전쟁 시기 활동은 전후 건축계에서 '뜨거운 감자'일 수밖에 없었다. 일본 건축사 서술에서 전쟁 시기는 일반적으로 건축의 공백기 또는 암흑기로 규정되었고, 이 시기 유행

---

[6]   丹下健三, 「大東亜共栄圏における会員の要望」, 『建築雑誌』 (1942, 9): 744.

[7]   일본 낭만파에 대한 연구로는 다음의 책을 참조할 것. Kevin Michael Doak, *Dreams of Difference: The Japanese Romantic School and the Crisis of Modernity* (Berkeley, CA: University of California Press, 1994).

[8]   丹下健三, 「コンペの時代」, 『建築雑誌』 (1985, 1): 24-25.

[9]   丹下健三, 藤森照信, 『丹下健三』 (東京: 新建築社, 2002), p. 110.

했던 제관양식은 군국주의 정권의 강요에 의한 것으로만 여겨졌
다. 이런 맥락에서 단게의 1940년대 건축에 대한 논의는 의도적
으로 회피되었다. 예외적으로 1963년부터 2년간『건축』에 연재
된 나카 마사미의 논문이 단게의 전전/전후 작업의 연속성을 지
적하며 건축가들의 전쟁 책임 문제를 제기했다. 그러나 그의 논문
은 단게와 그의 제자들이 주도권을 쥐고 있던 당시의 주류 건축
계에서 거의 주목받지 못했다.[10] 1945년 이전 단게의 활동에 대
한 영향력 있는 연구는 1980년대 들어서야 비로소 비평가 이노
우에 쇼이치에 의해 발표되었다.[11] 이노우에는 제관양식을 군국
주의 정부가 강요한 돌연변이 양식이 아니라, 서구 모더니즘의 지
배를 극복하기 위한 건축가들의 자발적인 노력으로 높이 평가하
고 이를 포스트모더니즘의 선례로 자리매김하기까지 했다.[12] 그
의 주장은 한편으로는 전쟁 시기의 파시스트 건축을 옹호하는
반동적인 시도로 비판되었지만, 다른 한편으로는 전후 건축을 전
전과의 단절이 아니라 '연속성'에 방점을 두고 서술할 수 있게 하
는 출발점을 제공했다.[13] 그러나 단절이냐 연속이냐에 대한 본
원적이고 이분법적인 논의보다 중요한 것은, 단게가 자신의 형성

[10] 나카 마사미가 사사키 히로시라는 필명으로『건축』(建築)에 14회에 걸쳐
게재했던 논문들이 中真己,『現代建築家の思想: 丹下健三序論』(東京: 近代建築社, 1970)로
출간되었다.

[11] 이노우에 쇼이치가 발표한 일련의 논문은 1987년 출간되었고 1995년 결론을
보강한 재판이 출판되었다. 井上章一,『アート・キッチユ・ジヤパネスク: 大東亜のポストモ
ダン』(東京: 成都社 ,1987); 井上章一,『戦時下日本の建築家: アート・キッチユ・ジヤパネスク』
(東京: 朝日新聞社, 1995).

[12] 대표적인 좌파 건축가 니시야마 우조와 역시 좌파 계열의 건축사가
후노 슈우지가 이노우에의 주장을 강도 높게 비판했다. 布野修
司,「国家とポストモダニズム建築」,『建築文化』, (1984, 5): 18; 西山夘三,
「特集:失われた昭和10年代を読んで」,『国際建築』(1985, 3): 38.

와타나베 진, 제실박물관, 도쿄, 1931

기에 해당하는 전쟁 시기 동안 확립한 건축 언어를 때로는 배제하기도 하고 때로는 재도입하기도 하면서 전후 일본 건축의 적법한 양식을 확립해가는 과정이다.

히로시마 평화공원, 전후 건축의 출발

단게의 '전후'는 히로시마와 함께 시작되었다. 히로시마는 일본의 비극과 재건을 의미하는 상징적인 도시인 동시에, 단게 개인으로서는 고교 시절을 보낸 추억의 장소였다. 피폭으로 풀 한 포기도 자라지 않으리라 여겨졌던 오염되고 위험한 도시 히로시마에서의 재건 활동은 희생적이고 영웅적인 행위로 받아들여졌고, 이는 군국주의 정부에 협력한 단게의 활동에 일정 정도 면죄부를 주는 역할을 했다. 1946년 도쿄대학 건축과 조교수로 갓 부임한 단게는 부흥위원회의 요청으로 히로시마의 피해 규모 조사 및 도시 재건계획에 착수했다. 기능주의에 의거해 상업, 산업, 주거, 녹색 등 일곱 개로 토지 이용을 분리한 단게의 제안은 히로시마 부흥계획(1947)에 상당 부분 반영되었다.[14] 1948년, 단게는 바티

[13]   단게의 전전/전후 디자인 연속성을 강조한 최근 연구 성과로는 Kestenbaum, *Modernism and Tradition in Japanese Architectural Ideology, 1931-1955*; 丹下健三, 藤森照信,『丹下健三』; Hajime Yatsuka, "The 1960 Tokyo Bay Project of Kenzō Tange," in *Cities in Transition*, edited by Arie Graafland and Deborah Hauptmann (Rotterdam: 101 Publishers, 2001), pp.182-184.

[14]   단게가 작성한 히로시마 재건안에 대해서는 다음을 참조할 것. Carola Hein, "Visionary Plans and Planners: Japanese Traditions and Western Influences," in *Japanese Capitals in Historical Perspectives*, edited by Nicolas Fiévé and Paul Waley (London: Routledge, 2003), pp. 327-331.

칸의 후원으로 진행된 히로시마 평화기념 성당 공모에도 참여했다. "현대적이고 일본적이며 종교적인 동시에 기념비적"일 것을 요구한 평화기념 성당의 공모에 총 177개의 디자인이 출품되었고, 단게의 디자인은 2등을 수상했다. 카톨릭계는 종교적인 색채를 제대로 낸 작품이 없다는 이유로, 당선작을 내는 대신 심사위원을 맡았던 원로 무라노 도고(1891-1984)에게 성당의 설계를 맡겼다.[15]

　　1949년 단게는 미군정하에서 시행된 히로시마 평화공원 조성을 위한 설계 공모에서 1등을 차지함으로써, 비로소 전후 일본을 대표하는 국가 건축가 반열에 올라서게 된다. 평화공원 조성의 배후에는 히로시마를 세계 평화의 메카로 만들기 위해 발효된 '히로시마 평화도시 조성 법안'이 있었다. 1949년 8월, 당시 히로시마 시장이었던 하마이 신조는 이 법안을 통과시키면서 "히로시마를 피폭으로 신음하는 파괴와 폐허의 상징에서 세계 평화를 위한 영구적인 기념비로 바꾸겠다"라는 의지를 강력하게 피력했다.[16] 원폭이 초래한 비극적 상황을 세계 평화라는 미사여구로 대체하고, 히로시마를 평화의 성지로 내세우는 것은 미일 양국의 이해관계와 절묘하게 부합했다. 미국은 원폭을 투하한 윤리적인 책임에서 벗어날 수 있었고, 일본은 제국주의 침략 전쟁의 가해자에서 원폭의 무고한 피해자로 탈바꿈함으로써 이웃 아시아 국가들에 대한 전쟁 책임을 회피할 수 있었다.[17]

　　1949년 5월, 『건축잡지』를 통해 평화공원 설계를 위한

[15]　논란 속에서 진행된 평화성당 프로젝트에 대한 연구는 다음을 참조할 것. 石丸紀興,『世界平和記念聖堂』(東京: 相模書房, 1988); 丹下健三·藤森照信,『丹下健三』, pp. 130-137.

[16]　「広島計画,1946-1953」,『新建築』(1954, 1): 12-17.

요강이 공식 발표되었다.[18] 건물이 주위 환경과 어울려야 한다는 점 외에 특정한 건축 양식은 지정되지 않았고, 대신 강당, 전시공간, 종탑, 사무실 등 다양한 부대시설을 포함하는 종합적인 문화시설이어야 한다는 항목이 포함되었다. 단게 팀의 디자인은 같은 해 7월에 열린 심사에서 총 132개의 응모작이 참여한 가운데 1등을 차지했다. 전쟁 직후 히로시마 재건계획에 참여했던 경험 때문에 단게의 디자인은 평화공원을 도시 전체와 연동하여 디자인하는 데 유리했다. 실제로 단게 안은 공원과 도시 전체가 종합적인 조화를 이루었다는 점과 함께, 엄격한 축선 배치에 기초했다는 점에서 높은 점수를 받았다.[19]

당선안은 100미터 폭의 평화대로를 동서축으로 하고, 이와 직교하는 남북축에 기념공원의 주요 시설인 원폭 돔, 위령비, 그리고 평화관, 전시관, 국제회의장이 공중다리로 이어진 건물군이 차례로 배열된다. 남북축의 꼭짓점에 해당하는 원폭 돔은 단게가 직접 설계한 건물이 아니라, 1915년 히로시마 상공회로 지어진 돔형 건물이다. 전쟁 당시, 피폭으로 심하게 훼손된 이 건물의 처리를 놓고 건축계는 물론 일본 사회에서 보존이나 파괴냐에 대한 광범위한 논란이 있었다. 단게의 선택은 반파된 원폭

---

[17]　히로시마를 중심으로 한 전후 일본의 역사 서술에 대해서는 다음을 참조할 것. John W. Dower, "Three Narratives of Our Humanity," in *History Wars: the Enola Gay and Other Battles for the American Past*, edited by Edward Tabor Linenthal and Tom Engelhardt (New York: Henri Holt, 1996), 63-96; John W. Dower, "The Bombed: Hiroshimas and Nagasakis in Japanese Memory," *Diplomatic History* 19:2 (Spring 1995), 275-295; James J. Orr, *The Victim as Hero* (Honolulu: University of Hawaii Press, 2001).

[18]　『建築雜誌』(1949, 5): 32.

[19]　岸田日出刀,「広島平和記念公園および記念館競技設計当選図案審査評」,『建築雜誌』(1949, 12): 37-38.

돔을 역사적 비극을 환기하는 상징적인 장치로 삼는 한편, 평면 계획의 중요한 요소로 활용하는 지극히 효율적이고 경제적인 방안이었다.

단게는 평화도시 조성 취지에 맞게 이 공원이 죽음을 애도하는 곳이라기보다는 "평화를 위한 공장"으로 기능하기를 원했다.[20] 당시 단게의 조수였던 도쿄대학의 오타니 사치오 (1924-2013)는 평화공원 조성 프로젝트를 "망자를 애도하는 과거 지향적이고 퇴행적인 행위가 아니라, 평화를 기념하는 미래 지향적이고 진취적인 활동"이라고 규정했다.[21] 원폭 돔에서 아치탑, 평화기념관 건물군으로 이어지는 축선 배치는 파괴에서 부흥으로 이루는 전후사의 연대기적 진행과 상통한다. 여기서 흥미로운 점은 관람객들이 미래에서 과거로 거슬러 올라가게끔 동선이 짜였다는 점이다. 평화대로를 통해 공원에 입장한 관람객들은 일본의 평화와 부흥, 낙관적인 미래를 상징하는 최신의 모더니즘 건축군을 통과해 남북축을 따라 평화광장, 위령비를 지나, 이윽고 외상적인 과거의 상징인 원폭 돔에 이르는 순으로 이동하게 된다. 공중다리로 연결된 평화기념관 건물군은 공원 전체를 대표하는 얼굴인 동시에, 공원 내부로 들어가는 입구이자, 동시에 공원 전체를 조망할 수 있게 하는 프레임의 역할을 한다. 모더니즘 건축의 필로티가 만들어낸 프레임을 통해 포착된 원폭 돔의 광경은 원폭이 현재의 비극이 아니라, 이미 지나간 과거의 화석화된 장면이라는 점을 웅변적으로 보여준다. 역사학자 리사 요네야마가

[20]　丹下健三,「広島平和記念公園および記念館競技設計当選図案」,『建築雑誌』 (1949, 10): 42.

[21]　大谷幸夫,「戦時モダニズム建築の軌跡, 丹下健三の時代 01」,『新建築』 (1998, 1): 86.

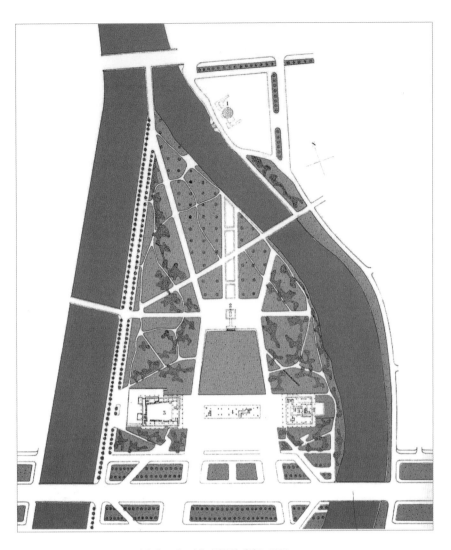

단게 겐조, 히로시마 평화공원 배치도, 1950

"미래에 대한 강박"이라고 정의한 전후 일본 사회의 열망을 공간적으로 구현한 것이다.[22]

원폭 돔과 평화기념관 건물군 사이에는 피폭자를 위로하는 위령비가 자리한다. 위령비 디자인을 둘러싼 논란은 평화공원 프로젝트의 정치적 성격을 단적으로 드러냈다. 원래 단게의 당선안에 등장했던 위령비는 폭 120미터, 높이 60미터의 거대한 아치형 탑이었다. 그러나 탑의 형태가 핀란드 출신의 건축가 에로 사리넨(1910-1961)의 〈제퍼슨 영토 확장 기념비〉(1948)의 모방이라는 지적이 제기되며 수정이 요구되었다. 이에 단게는 위령비 디자인을 당시 일본에 체류 중이던 세계적인 일본계 미국인 조각가 이사무 노구치(1904-1988)에게 새롭게 의뢰했다. 노구치의 디자인은 장방형 플랫폼과 성소 역할을 하는 두 구조물이 마주 보는 형태로 이루어져 있다. 상승적인 느낌을 주는 단게의 기념비적인 아치형 탑과 달리 노구치는 성소에 지하 공간을 만들고 피폭자의 이름을 새긴 대리석 함을 안치시켰다. 그의 성소 디자인은 당시 노구치를 매료시켰던 선사시대 일본의 토기 유물, 특히 하니와(埴輪)라고 불리는 무덤 장식물로부터 강한 영향을 받은 것으로 알려졌다. 단게는 노구치의 안을 마음에 들어 했지만, 건축위원회 측은 의견이 달랐다. 노구치의 미국 국적이 문제였다. 원폭을 떨어뜨린 나라의 국민이 원폭 희생자를 위한 기념물을 짓는다는 것 자체가 부적절하다는 이유였다.[23] 결국 위령비 디자인은 다시 단게에게 돌아왔고, 그는 지하 공간을 제외하고는 노구

[22]   Lisa Yoneyama, *Hiroshima Traces: Time, Space, and the Dialectics of Memory* (Berkeley, CA: University of California Press, 1999), p. 5.

[23]   岸田日出刀, 「広島の日」, 『緑』(東京: 相模書房, 1958), p. 85.

단게 겐조, 히로시마 평화공원 모형 사진

위령비 사이로 보이는 원폭돔.

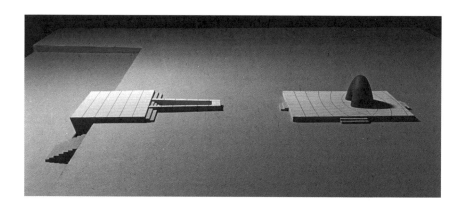

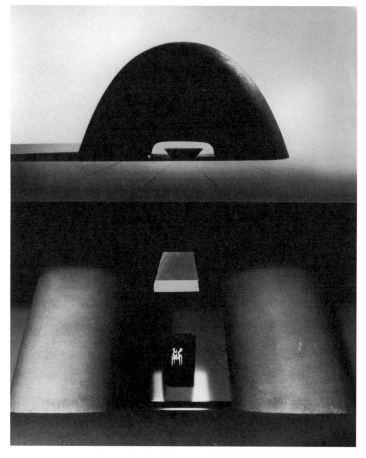

이사무 노구치, 위령비 모형, 1951

치 안을 기본으로 원래의 아치형 탑을 수정, 축소해 현재의 조형
물을 완성했다.

국제주의 모더니즘 vs. 일본 전통

단게의 평화공원 설계에서 가장 눈에 띄는 특징으로 전쟁 시기
억압되었던 국제주의 모더니즘 양식의 전격적인 귀환을 들 수 있
다. 평화공원을 대표하는 얼굴에 해당하는 평화기념관, 전시관,
국제회의장은 모두 평평한 지붕에 불필요한 장식을 최대한 배제
한 국제주의 모더니즘 양식의 건물로서 르 코르뷔지에의 대표적
인 어휘인 필로티와 루버를 도입하고 있다. 고교 시절부터 르 코
르뷔지에를 동경했던 단게는 르 코르뷔지에의 제자인 마에카와
구니오 사무소에서 실무를 익히는 한편, 또 다른 제자인 사카쿠
라 준조 사무실에도 출입하며 유럽 모더니즘 건축을 접한 바 있
다. 1939년 『현대건축』에 발표한 글 「미켈란젤로에 대한 헌사: 르
코르뷔지에론의 서설로서」에서는 르네상스의 거장 미켈란젤로에
견주어 르 코르뷔지에의 문명사적, 예술사적 의의를 논하기도 했
다.[24] 단게가 르 코르뷔지에 건축에 일찍부터 심취해 있었다는
점을 고려해본다면, 1940년대 초반 그의 건축이 모더니즘에서 멀
어져 전통을 내세운 제관양식을 띤 것은 그의 이력 전반에서 볼
때 매우 예외적으로 보이기까지 한다. 이렇듯 전후 건축의 출발점

[24] 丹下健三, 「Michelangelo頌-Le Corbusie論への序説として-」, 『現代建築』
(1939, 12); Tange Kenzō, "A Eulogy to Michelangelo: A Preliminary Study of Le
Corbusier," trans. by Robin Thomson, *Art in Translation* 4: 4 (2012): 339.

단게 겐조, 히로시마 평화공원 본관, 히로시마, 1950

에 해당하는 평화공원 설계에 르 코르뷔지에 풍의 국제주의 모더
니즘 양식을 전략적으로 도입함으로써, 자신의 전쟁 시기 건축과
의 단절을 선언하고 전후 일본의 공식 건축가로 새 출발을 도모
할 수 있었다.

　　역사적이고 지역주의적인 요소를 배제한 모더니즘의 승
리는 단게의 평화공원뿐만 아니라 전후 재건기 일본 건축의 전반
적인 특징으로 볼 수 있다.[25] 단순히 건축 양식의 문제를 넘어,
모더니즘은 역사학자 빅터 코쉬만이 "회환의 공동체"라고 묘사
한 전후의 지식풍경, 즉 군국주의 과거에 대한 죄의식과 패전으
로 인한 피해의식이 겹쳐 만들어낸 반성적이고 비판적인 역사의
식을 반영한다.[26] 국제주의 모더니즘의 채택이 근과거에 범람했
던 배타적 민족주의, 국수주의, 패권주의와 차별된 보편적인 휴머
니즘, 민주주의, 평화에 대한 전후 사회의 열망에 의해 추동되었
기 때문이다.[27]

　　1947년, 저명한 건축 평론가 하마구치 류이치(1916-
1995)가 발표한 『휴머니즘 건축: 일본 근대건축의 반성과 전개』
는 모더니즘의 정당성과 헤게모니를 공고화하는 데 결정적인 역
할을 했다.[28] 단게의 도쿄제국대학 건축과 동급생이기도 한 하

[25]　Cherie Wendelken, "Aesthetics and Reconstruction: Japanese Architectural
Culture in the 1950s," in *Rebuilding Urban Japan After 1945*, edited by Carola Hein
and Jeffry M. Diefendorf (New York: Palgrave Macmillan, 2002), pp. 192-94.

[26]　Victor Koschmann, "Intellectuals and Politics," in *Postwar Japan as History*,
edited by Andrew Gordon (Berkeley, CA: California University Press, 1993), pp.
396-403.

[27]　전후의 지식풍경에 대한 연구는 丸山眞男,「近代日本の知識人」,『後衛の位置から: 現
代政治の思想と行動』(東京: 未来社, 1982).

[28]　浜口隆一,『ヒューマニズムの建築 日本近代建築の反省と展望』(東京: 雄鶏社, 1947).

마구치는 모더니즘 건축을 일체의 배타적 민족주의를 거부하는 '국제주의 건축'이자, 지배계급의 이해가 아니라 민중을 위해 기능하는 '휴머니즘 건축'으로 규정했다. 이런 관점에서 볼 때, 메이지 시대부터 전쟁에 이르기까지 일본의 근대건축은 모더니즘의 정도(定道)를 탈선한 것이다. 진정한 모더니즘의 회복을 강력하게 촉구한 하마구치의 주장은 파시스트 정권을 위한 기념비 건립 사업에 참여했던 단게에 대한 비판으로 읽을 수 있다.

하마구치의 논리는 1947년 결성된 급진적인 건축 단체 신일본건축가집단(NAU) 활동에 이론적 토대를 제공했다.[29] 당시 미 점령군은 위로부터의 민주주의 개혁을 단행하며 좌파 진영에게 한시적인 관용을 베풀었다. 이러한 맥락 속에서 NAU는 "인민(人民)을 위한 건축"을 전면에 내세우며 최소주택 보급, 공장 및 노동조합 시설물 건설 등을 통해 특권층이 독점해온 건축을 민중에게 돌려주고자 했다.[30] NAU에 잠시 가담했던 단게는 이들의 급진적인 사회주의 노선에 동조하지는 않았지만, 전쟁 청산에 대한 시대적 요청 속에서 국제주의, 휴머니즘과 결부된 모더니즘의 어휘를 전략적으로 수용하는 데 열의를 보였다. 그러나 국제주의 모더니즘에 대한 단게의 입장은 하마구치나 NAU와는 달리 다소 유보적이었다.

1953년, 『국제건축』이 주관한 심포지엄 '국제성, 풍토성,

[29] 단게와 신일본건축가집단(NAU)의 관계에 대해서는 다음을 참조할 것. 中真己, 『現代建築家の思想 : 丹下健三序論』, pp. 92-95.

[30] 전후 일본 건축계에서 활발하게 전개된 새로운 주체성에 대한 논의로는 다음을 참조할 것. Reynolds, *Maekawa Kunio and the Emergence of Japanese Modernist Architecture*, pp. 135-140; Kestenbaum, *Modernism and Tradition in Japanese Architectural Ideology, 1931-1955*, pp. 264-272.

국민성: 현대건축의 조형에 관하여'는 당시 건축계의 주된 화두인 '민족주의 대 국제주의' 경합 양상을 잘 보여준다.[31] 이 심포지엄에는 단게를 포함해 당대 건축계의 실력자였던 요시다 이소야 (1894-1974), 사카쿠라 준조, 마에카와 구니오가 토론자로 참여했다. 1930년대부터 변함없이 모더니즘의 수호자를 자처해왔던 마에카와가 과거 국수주의 담론과 결부되었던 전통 양식의 부상을 강하게 경계한 반면, 단게는 요시다, 사카쿠라와 함께 일본 건축의 정체성과 독자성을 강조하는 입장을 표명했다. 단게는 획일화된 모더니즘 양식의 무비판적 수용을 경계하며, 국제주의 양식으로 지어진 건물을 정신성을 결여한 백색의 "위생도기"라고 조롱하기까지 했다.[32]

      단게는 일본의 지역적 특수성, 즉 고유의 풍토와 전통, 물적, 경제적, 기술적 상황을 반영할 건축이야말로 진정한 모더니즘 건축이라고 주장했다. 여기서 주목할 만한 것은 패전 직후 금기시되었던 전통과 일본성에 대한 논의가 재등장했다는 점이다. 이 시기는 전후 재건이 일단락되고, 7년 동안 지속되었던 미군정이 1952년을 기점으로 종료되면서 민족주의 정서가 강력하게 부상하던 때였다. 이러한 분위기는 히로시마 평화공원을 둘러싼 논의에도 일정 정도 반영되었다. 1954년 1월, 준공을 목전에 둔 평화공원 특집호로 꾸며진『신건축』은 국제주의 모더니즘 양식의 히로시마 평화공원을 일본 전통과 결부시키려는 노력을 보여준다.[33] 현대적인 필로티 구조물의 기원을 일본 황실

[31]   前川国男, 坂倉準三, 吉田五十八, 丹下健三,「国際性, 風土性, 国民性: 現代建築の造形をめぐて」,『國際建築』(1953, 3): 3-13.

[32]   같은 글, p. 4.

이세 신궁, 미에현

의 보물 창고인 쇼소인(正倉院)이나 가쓰라 이궁(桂離宮) 같은 전통적인 고상식 목조 건물에서 찾기 시작한 것이다. 단게 자신은 특집호에 실린 글을 통해 "폐허 위에 우뚝 솟은 강인한 콘크리트 구조물"로 만들기 위해 단순하면서도 강력한 어떤 "프로토타입"(prototype)이 필요했으며, 이를 찾는 과정에서 떠오른 이미지가 바로 이세 신궁이었다고 설명했다.[34] 그는 전통 건축과의 단순한 형태상의 유사성을 강조하거나 특정 모티브를 기계적으로 차용하는 데 그치지 않고, 추상화되고 개념적인 차원에서 전통을 참조하고자 했다.

　　전후 일본을 표상하는 기념비 건물을 설계하는 데 있어서 단게가 일본 건축의 원형으로 여겨지는 이세 신궁의 권위를 빌리고자 한 것은 그다지 놀라운 일은 아니다. 그러나 이세 신궁으로 대표되는 일본 전통을 전후 건축의 상징인 히로시마 평화공원에 도입하는 것은 손쉬운 '선택'의 문제가 아니었다. 당시 『신건축』의 편집장이자 이후 메타볼리즘 건축운동의 이론적 기수로 활약하게 되는 건축 평론가 가와조에 노보루는 전통 건축의 모티브를 전후 건축에 도입할 때 봉착하게 되는 어려움을 다음과 같이 설명했다.

　　　　이세는 일본의 위대하고 오랜 문화유산인 동시에 천황
　　　　제와 제국주의 일본의 상징이기도 하다. 단게는 이세가
　　　　상기시키는 제국주의 유산에 저항해야 했으며, 동시에

[33] 「広島計画, 1946-1953」, 『新建築』 (1954, 1): 12-15.

[34] 같은 글.

이세로 대표되는 일본의 기상을 표현해야 했다.[35]

여기서 문제는 어떻게 일본 전통의 함의를 한때 그것과 긴밀하게 결부되었던 천황제와 제국주의와 분리시켜 전후 일본 건축의 새로운 정체성을 구축하는 데 기여할 수 있도록 재정의할 것인가였다. 가와조에가 "이세의 딜레마"라고 부른 이 난제는 전후 일본 전통논쟁을 관통하는 질문이다.

전통논쟁과 조몬론

전통논쟁이란 1950년대 중반 문화, 예술 전반에서 진행된 일본의 전통과 정체성에 대한 일련의 논의를 지칭한다. 패전 직후 일본의 전통문화는 제국주의와 군국주의의 잔재로 여겨져 억압되었다. 미군정 시기에 전통예능인 노(能)와 가부키(歌舞伎)의 상연이 제한되었고, 건축의 제관양식 역시 문제적인 것으로 여겨졌다. 그러나 1952년 미군정이 종료되고 일본의 새로운 정체성을 정립해야 한다는 요청이 등장하면서 전통논쟁이 추동되었다. 전통논쟁의 참여자들은 일본적인 것의 실체가 존재하는가에 관한 본질적인 문제에서부터, 전후 일본이 계승해야 할 정당한 전통이 있는가, 있다면 이를 어떻게 계승할 것인가에 관한 전략적인 문제에 이르기까지 다각도에서 논의를 개진했다.

전통논쟁의 전개에서 특히 주목할 점은 천황제와 봉건

[35]   川添登, 『建築1: 川添登評論集第1巻』(東京: 産業能率短期大学出版部, 1976), p. 10.

제가 등장하기 이전의 선사시대인 조몬(繩文)에 대한 비상한 관심이다. 1952년 2월, 미술잡지『미즈에』에 발표된 전위 미술가 오카모토 다로의「4차원과의 대화: 조몬토기론」은 조몬을 전통논쟁의 화두로 제시한 기념비적인 글이다.[36] 이 글은 오카모토가 1951년 가을 도쿄국립박물관에 전시된 조몬 시대의 토기 유물을 본 충격적인 경험에서 시작한다.

> 격렬하게 추격하고, 서로 포개지면서 하강하고 회전하는 융선문, 집요하게 죄어드는 긴장감, 그러면서도 순수하고 투명한 신경의 날카로움. 특히 난숙한 중기 문화의 기괴함에는 숨이 조여 올 정도였다. 언제나 예술의 본질이 초자연적인 기괴함에 있다고 주장하며 불쾌감을 강조해온 나조차도 무심코 비명을 지를 법한 무시무시함이다.[37]

조몬 중기의 화염문 토기를 격정적인 수사를 동원해 묘사한 이 문장은 기존의 미감과는 완전히 다른 조몬에 대한 오카모토의 경탄과 경외감을 잘 드러낸다. 그는 역동적인 생명감으로 가득한, 기괴하고 불쾌하기까지 한 조몬의 원시성에서 일본의 문화와 예술, 나아가 현대 문명이 봉착한 교착상태를 타개할 돌파구를 찾았다.

[36]　岡本太郎,「四次元との対話-縄文土器論」,『みづえ』(1952, 2): 3-18; 오카모토의 이 유명한 논문은 조너선 레이놀즈가 영문으로 번역하고 서문을 추가했다. Okamoto Tarō, "On Jōmon Ceramics," trans. by Jonathan M. Reynolds, *Art in Translation*, 1:1 (2009): 49-60.

[37]　岡本太郎,「四次元との対話-縄文土器論」, p. 3.

■□ 자신의 작업 앞에서 포즈를 취한 오카모토 다로

□■ 조몬토기

1930년 파리로 건너간 오카모토는 10년간을 유럽 문화의 최전선에서 활동하며 피카소를 포함해 당대 최고의 예술가들과 교분을 쌓았고, 피트 몬드리안, 로베르 들로네, 바실리 칸딘스키 등이 참여한 〈추상-창조〉 그룹의 최연소 회원으로 활동하기도 했다. 그런 오카모토에게 전후 일본 미술계는 아마도 유럽의 최신 모더니즘 경향을 소개하는 역할을 기대했을 것이다. 그러나 놀랍게도 그가 일본 예술계에 내놓은 것은 반미학적인 일본의 조몬 전통이었다. 조몬에 대한 오카모토의 관심은 소르본 대학 시절 은사인 마르셀 모스로부터 배웠던 민속학 연구, 그리고 원시주의에 매료된 조르주 바타유나 앙드레 브레통 같은 초현실주의자들과의 교류에 의해 촉발된 것으로 볼 수 있다.

조몬에 대한 논의는 근대국가 일본의 정체성을 구축하기 위해 해명해야 할 핵심적인 문제들, 즉 일본이 언제 시작되었으며, 일본인은 누구인가 하는 국가의 기원에 대한 근본적인 문제들과 직결된다.[38] 조몬 시기에 대한 오카모토의 이해는 기본적으로 기존의 역사학적, 고고학적 연구 성과에 기대고 있다. 조몬이라는 용어가 처음 사용된 것은 1878년 도쿄제국대학 동물학과 교수인 에드워드 모스가 오모리 패총(大森貝塚)에서 발굴한 밧줄 문양의 토기를 조몬이라 명명하면서부터다. 그러나 오카모토의 조몬론은 과학적 엄밀함과 학술적인 객관성보다는, 예술가로서의 직관과 주관성에 의거한 미학 범주로 설정되었다고 보아

---

[38] 일본인의 기원에 대한 고고학적 논의로는 다음을 참조할 것. Katayama Kazumichi, "The Japanese as an Asia Pacific Population," in *Multicultural Japan*, edited by Donald Denoon et al (Cambridge: Cambridge University Press, 1996), pp. 19-30.

야 한다. 그는 기원전 1만 년부터 300년 사이의 수렵·채집 사회인 조몬 시대를 뒤이어 등장한 기원전 300년부터 기원후 300년까지의 농경 사회인 야요이(弥生) 시대와 대조시킨다. 조몬 시대가 계급사회 성립 이전 인간과 자연의 직접적인 투쟁 속에서 탄생한 역동적인 에너지를 보여준다면, 야요이 시대는 지배계층의 조화롭고 세련된 미학을 특징으로 한다. 조몬과 야요이라는 이질적인 두 문명의 대립을 강조한 것은 오카모토의 대극주의(對極主義)적 예술론, 즉 서로 모순되는 두 요소의 대립과 폭발을 창조의 원동력으로 보는 관점에서 이해할 수 있다.[39] 오카모토는 모순으로 가득 찬 황폐한 원폭 시대를 살아가기 위해서는 필요한 것은 야요이 시대가 등장한 이후 사라져버린 조몬의 원초적이고 강인하며 근원적인 생명력이라고 역설했다.[40]

　　　　전후의 특수한 정치적인 조건 속에서 조몬과 야요이의 이분법은 미학적인 개념을 넘어 계급투쟁의 관점으로 확장되었다. 귀족적인 야요이의 지배로부터 민중적인 조몬을 해방시키는 것은 전쟁 책임에서 자유로운 민중을 전후 민주주의 사회의 새로운 주역이자 전통 창조와 계승의 주체로 세우는 일과 동일시되었다. 즉, 조몬론은 일본 전통의 정당성을 권위적인 봉건 체제가 아닌 피지배층에게서 찾는다는 점에서 전후의 급진적인 민중 담론의 영향을 보여준다. 그러나 건축사학자 조너선 레이놀즈가 지적했듯이, 전통논쟁과 민중론의 만남은 계급투쟁의 주체인 '민중'을 역사와 전통을 공유한 일본 '민족'으로 치환시킴으로써, 패전 직

[39]　椹木野依, 『黒い陽太と赤いカニ― 岡本太郎と日本』 (東京: 中央公論新社, 2003), pp. 59-60.

[40]　岡本太郎, 「四次元との対話-縄文土器論」, pp. 16-18.

후의 민중 담론이 가졌던 정치적 급진성을 약화시키는 결과를 초
래하기도 했다.[41]

그럼에도 불구하고 오카모토의 조몬론은 그동안 일본
을 세계적으로 대표해온 엘리트 계층의 고급문화, 즉 불교와 신
토(神道)의 장구한 흐름에서 나온 전통의 권위를 부정하는 대담
한 사유로 볼 수 있다. 야요이적인 것에 대한 오카모토의 비판은
서구의 오리엔탈리즘을 만족시키는 섬세하고 지나치게 장식적인
예술에 대한 비판이기도 하다. 일반적으로 일본 전통을 대표하는
"섬약하고, 평면적이며, 정서주의적이고, 형식주의적"인 미감은
야요이적 계보를 따르는 것으로 여겨졌다.[42] 오카모토는 서구의
시선을 지나치게 의식해 전통을 "골동품화"시키는 전통주의자들
을 비판하고, 조몬적인 것을 회복함으로써 왜곡된 전통 의식을
타개하고자 했다.[43] 즉, 조몬이 환기시키는 강렬한 원시성과 활
력은 전쟁과 미군정을 거치며 침체된 일본 사회를 쇄신하고 새로
운 예술 창작을 가능케 할 동력으로 받아들여진 것이다.

1950년대 중반부터 1960년대까지 오카모토의 이력은
현대사회에 남아 있는 조몬적인 것의 흔적을 찾는 여정으로 요약
할 수 있다. 그는 일본의 잃어버린 기원인 조몬을 찾아 일본의 변
방인 도호쿠 지방에서 오키나와로, 한국으로, 그리고 마침내 태
평양 건너 멕시코로 향했다. 1964년, 1977년 두 차례에 걸친 오
카모토의 한국행은 마치 조선에서 일본의 순수한 과거를 찾으려

[41]   Reynolds, *Maekawa Kunio and the Emergence of Japanese Modernist Architecture*, pp. 214-15.

[42]   岡本太郎,「四次元との対話-縄文土器論」, p. 10.

[43]   오카모토 다로,『오늘의 예술』(1954), 김영주 옮김 (눌와, 2005), p. 281.

했던 식민지 시대의 민예운동을 답습하는 듯하다. 특히 1964년 11월, 당시 한국일보 사장 장기영의 초청으로 성사된 오카모토의 방한은 아직 한일국교가 정상화되지 않은 상황에서 상당히 이례적인 것이었다. 반일 정서를 고려해 지방을 여행할 때는 공공장소에서 절대 일본어를 사용하지 말라는 권고를 받았을 정도였다.[44]

한국 여행에서 오카모토는 장승이나 솟대, 탈춤 같은 민속예술이 뿜어내는 소박하지만 강렬한 생명력, 규격화되지 않은 자유분방한 미에 매료되었다. 대칭미를 특징으로 하는 일본과는 대조적인, 비대칭적이고 역동적인 한국의 민속 전통에서 그는 광활한 북유라시아 대륙을 활보하던 사라진 고대 스키타이 문명의 흔적을 떠올렸다. 오카모토에게 한국은 "현대 일본이 상실한 본래의 투명한 생명감"을 간직한 곳이자, 일본이 아직 아시아 대륙과 분리되기 이전의 조몬적 기원에 가까이 있는 곳이다.[45]

> 메이지 이후 근대 국가주의라는 관념이 모든 것에 우선해서 그런지는 모르겠으나, '일본'이라는 틀을 너무 인식한 나머지 문화마저 의심 없이 그 틀 속으로 한정시켰다. 그러나 정말 그런 것일까. 나는 뭔가 나 자신의 뿌리가 유라시아 대륙과 연결된 것 같은 기분이 번뜩 들었다. 즉, 망각된 생명감을 움켜잡지 않고는 일본문화의 실체, 나아가 자기 자신을 판단하는 것이 불가능하다는 생각이 들었다. 그 연결 고리가 바로 조선반도이다.[46]

[44]　平井敏晴,『岡本太郎が愛した韓国』(東京: 河出書房新社, 2004), pp. 108-114.

[45]　같은 책, p. 27.

[46]　같은 책, pp. 34-35.

■□　오카모토 다로, 한국 솟대. 『오카모토가 사랑했던 한국』에 수록

□■　『오카모토가 사랑했던 한국』 (2004) 표지

범(凡)유라시아적 기원에 대한 오카모토의 환상은 일견 대동아
공영권의 논리를 답습하는 것처럼 보이기도 한다. 그러나 전시 일
본의 제국주의자들과 달리 오카모토는 일본이라는 경계를 넘어,
무한히 확장된 공간 속에서 비(非)위계적이고 보편적인 조몬의 원
시성을 추구한다. 고립된 섬나라 일본의 문화는 오키나와를 거
쳐 남쪽의 태평양 군도로 확장되기도 하고, 한국을 거쳐 북방의
유라시아 대륙으로 확장되거나, 바다 건너 멕시코 인디언의 문명
과도 접속한다. 그 확장된 공간적 기원 속에서 일본이라는 민족
국가의 틀은 무의미해진다. 국가라는 틀에 갇히지 않고 국경선을
횡단해 세계 전통을 창출하려는 오카모토에게 조몬적인 것은 일
본과 그 식민지에 한정된 것이 아니라, 보다 근원적인 인간의 뿌
리로서 보편적인 성격을 갖는다. 이런 의미에서 오카모토의 사유
는 식민주의적이라기보다는 세계주의적이다.

　　　　오카모토의 조몬론이 가장 큰 반향을 일으킨 분야는 다
름 아닌 건축계였다. 1950년대 중반 건축가들은 『신건축』의 지면
을 중심으로 활발하게 전통논쟁을 전개했다. 1956년 8월, 시라이
세이이치(1905-1983)는 『신건축』에 발표한 사진 에세이 「조몬적
인 것」에서 조몬에 대한 열망을 서민 주거인 민가에 대한 관심으
로 확장해간다.[47] 시라이는 17세기에 지어진 무사 계층을 위한
에가와 주택을 조몬의 후예로 꼽았다. 마치 원시시대의 수혈주거
인 양 지면에 바싹 붙은 에가와 주택은 교토나 나라의 세련되고
날렵한 고상식 귀족 주택이 결여한 조몬적인 활력을 간직하고 있
다. 건축 사진가 이시모토 야스히로의 흑백 사진은 건물의 초가

---

[47]　白井晟一, 「縄文的なるもの―江川氏旧韮山館について」, 『新建築』 (1956, 8): 4-7.

54

『신건축』 1956년 8월호 표지.
표지 사진으로 이시모토 야스히로의 민가 사진이 쓰였다

지붕을 마치 망망한 대지에서 억새가 흔들리는 것처럼 포착하는 한편, 나무 기둥과 자갈 바닥의 거친 질감이 부각되도록 음영 대조를 극대화했다. 이를 통해 오랜 세월 자연과의 투쟁을 견뎌온 이 민가 건축에 흐르는 어둡고 강력한 조몬적인 귀기(鬼氣)를 인상적으로 포착했다.

시라이는 1928년부터 1933년까지 베를린 대학에서 카를 야스퍼스에게 철학을 공부한 특이한 이력의 소유자답게 조몬과 야요이의 이분법을 니체 식의 디오니소스와 아폴론의 변증법적인 투쟁으로 이해했다. 오카모토와 마찬가지로 시라이도 일본 건축의 지배적인 형식이 된 야요이 계보의 엘리트 건축을 비판하고, 이를 극복할 수 있는 대안으로 조몬의 회복을 주장했다. 시라이는 "조몬-수혈주거-민가"로 이어지는 민중적인 계보와 "야요이적-고상식-엘리트 주거"로 전개되는 귀족적인 계보라는 이분법 속에서 자연스럽게 민가의 손을 들어주었다.

민가는 1954년 개정된 문화재보호법에 따라 절이나 신사, 귀족의 고급 주택과 함께 국가 지정 문화재에 포함되면서 대대적인 연구·조사와 보존, 대중적 관심의 대상이 되었다. 민가 열풍은 건축 사진가 후타가와 유키오가 발표한 열 권짜리 전집 『일본의 민가』에서 절정에 이르렀다. 1955년부터 전국 각지를 돌며 촬영한 민가 사진 수백 장을 수록한 이 사진집은 1959년 마이니치 출판상을 수상하며 큰 반향을 일으켰다. 와세다 대학 건축과 출신으로 건축잡지 『GA』(Global Architecture)의 설립자이기도 한 후타가와를 매료시킨 것은 험한 자연환경과 당당히 맞서며 적응해나가는 도서 산간의 지방색 강한 민가이다. 후타가와의 민가 사진이 보여주는 특징, 즉 재료의 거친 질감을 강조하고 자연의 일부처럼 나직하게 자리한 민가를 영웅적으로 포착하는 방식은 에가와 주택을 묘사한 이시모토의 사진과 다르지 않다. 후타가와와 함께 전국의 민가를 답사한 건축사학자 이토 데이지는 민중의 지혜가 반영된 소박하고 자연스러운 민가야말로 "중국적 영향이 남아 있는 불교 건축이나 서양의 영향을 받은 근대건축과는 달리, 일본 건축 본연의 아름다움"이 남아 있는 건축이자, "일본 문화의 순수한 정수"를 보여주는 건축이라고 강조했다.[48]

'일본적이면서 모던한'
: 이세 신궁과 가쓰라 이궁의 교훈

1950년대 중반, 단게 역시 조몬론에 매료되어 있었다. 1956년 6월 『신건축』에 발표한 글 「근대건축의 창조와 일본의 전통」에서 단게는 '생명적인 것'으로서의 조몬과 '미적인 것'으로서의 야요이를 대조시키고, 조몬과 야요이의 변증법을 통해 일본 건축사의 흐름을 설명했다.[49] 오카모토와 마찬가지로, 단게 역시 유약하고 순응적이며 폐쇄적인 야요이의 한계를 극복하기 위해 조몬의 회복을 강조했다. 그러나 조몬의 원시적 생명력을 배타적으로 강조한 오카모토와 달리, 단게는 조몬 이후에 도래한 농경문화인 야요이의 조형미와 질서를 배척하지 않았다.[50] 전후 일본을 대표할 건축 양식을 고민했던 단게가 건물의 형태를 부여하고 구축하는 힘인 야요이적인 것을 전적으로 배제하기는 어려웠을 것이

[48]   二川幸夫, 伊藤 ていじ, 『日本の民家』(1959) (東京: A.D.A.Edita, 1980), p. 10.
[49]   丹下健三, 「近代建築の創造と日本建築の伝統」, 『新建築』(1956, 6): 31-37.

가쓰라 이궁, 17세기, 가쓰라

다. 그는 민중과의 밀착이나 동일시만을 강조해서는 새로운 창조가 불가능하다고 보았다. 건축가는 특유의 구상력을 발휘해 민중으로 하여금 자신의 욕망과 사회의 모순을 인식하게 하는 역할을 담당해야 한다고 주장했다.[51]

이런 맥락에서 민가에 대한 단게의 관심은 상당히 제한적이었다. 대신 단게는 흔히 야요이계로 범주화되는 일본의 고건축에서 조몬적인 요소를 복원하는 전략을 택했고, 점차 조몬과 야요이라는 두 대립적인 요소의 공존과 통합을 강조하는 방향으로 선회했다. 시라이가 민가를 조몬의 적법한 계승으로 강조했다면, 단게는 이세 신궁과 가쓰라 이궁으로 대표되는 일본 건축의 고전을 조몬과 야요이가 통합된 예로 재평가하고 그 현대적 의미를 찾는 데 몰두했다.

여기서 문제는 이세 신궁과 가쓰라 이궁은 둘 다 일본의 천황제와 밀접한 건축이라는 점이다. 미에현에 위치한 이세 신궁은 일본 황실의 조상인 태양신 아마테라스를 모시는 황실 직속의 신사이고, 교토 외곽에 자리한 가쓰라 이궁은 17세기에 건립된 황실의 별장이다. 그렇다면 단게는 왜 수많은 고건축 중에서 논쟁의 여지가 있는 이 두 건축을 택했을까? 여기에는 '이세의 딜

[50] 전통 논쟁에서 단게의 역할에 대한 논의로는 다음을 참조할 것. Jonathan M. Reynolds, "Ise Shrine and a Modernist Construction of Japanese Tradition," *Art Bulletin*, LXXXIII: 2 (June 2001): 316-341; Wendelken, "Aesthetics and Reconstruction: Japanese Architectural Culture in the 1950s," pp. 199-204; 조현정, 「일본 "전후 건축"의 성립: 단게 겐조의 히로시마 평화 공원(1949-1954)」, 『시대의 눈』 (학고재, 2011), pp. 199-224; Yasushi Zenno, "Finding Mononoke at Ise Shrine: Kenzō Tange's Search for Proto-Japanese Architecture," *Round 01 Jewels: Selected Writings on Modern Architecture from Asia*, eds. Yasushi Zenno and Jagan Shah (Osaka: Acetate 010, 2006), pp. 104-117.

[51] 丹下健三, 「近代建築の創造と日本建築の伝統」, pp. 31-37.

레마'를 정면 돌파해야 한다는 의도뿐 아니라, 서구라는 타자의 시선에 대한 고려도 중요하게 작동했을 것이다. 이세 신궁과 가쓰라 이궁에 대한 관심은 단게만의 것은 아니었다. 두 건축이 일본 건축의 정전의 지위에 오른 데는 브루노 타우트나 발터 그로피우스 같은 영향력 있는 서구 모더니스트들의 '발견'이 중요한 역할을 했다. 1933년부터 1936년까지 나치를 피해 일본에 체류했던 타우트는 화려한 불교 사찰이나 쇼군(將軍)을 위한 건축이 아니라, 장식이 절제되고 단순한 형식미를 특징으로 하는 이세 신궁과 가쓰라 이궁에서 서구 모더니즘 미학의 정수를 발견하고 이들을 중심으로 일본 건축의 계보를 작성했다. 이러한 입장은 바우하우스 초대 교장이자 하버드 대학 디자인 학부 학장을 역임했던 발터 그로피우스에게 그대로 계승되었다. 1954년 방일한 그로피우스는 단게 부부와 함께 일본 전역의 고건축을 답사하고, 특히 가쓰라 이궁이 보여주는 "시간을 초월한 근대성"에 찬사를 아끼지 않았다.[52]

      1960년대 들어 단게는 이세 신궁과 가쓰라 이궁에 관한 두 권의 호화로운 사진집을 영문과 일문으로 출간함으로써 전통 논쟁의 성과를 일본 안팎에 널리 알렸다.[53] 편집자로서 단게는

[52] 전후 건축계의 가쓰라 붐과 그로피우스의 역할에 대해서는 다음을 참조할 것. Yasufumi Nakamori, *Katsura: Picturing Modernism in Japanese Architecture Photographed by Ishimoto Yasuhiro* (New Haven and London: Yale University Press, 2010), pp. 11-58.

[53] Tange Kenzō et al, *Katsura: Tradition and Creation in Japanese Architecture* (New Haven: Yale University Press, 1960); Tange Kenzō et al, *Ise: Prototype of Japanese Architecture*, trans. Eric Klestadt and John Bester (Cambridge, MA: The MIT Press, 1965). MIT 출판부에서 나온 이세 신궁에 대한 영문 책은 1962년 아사히신문사에서 일어로 출간된 것을 영역하고 컬러 도판을 보강해서 재출간한 것이다.

두 가지 측면에 주안점을 두었다. 첫째, 천황제와 긴밀하게 결부된 두 고건축을 조몬과 야요이적 요소가 조화된 예로 제시하는 것이다. 이세 신궁과 가쓰라 이궁의 구조물 자체는 야요이 계열로 분류되는 고상식 목조 건물이다. 그러나 이세 신궁의 성역에 놓인 거석 및 거목 숭배의 애니미즘적 기원과 가쓰라 이궁 정원을 이루는 거친 표면의 기암과 비대칭적인 돌 배치가 보여주는 야생성을 부각하는 방식으로 이들의 조몬적 원류를 강조했다.

둘째, 이세 신궁과 가쓰라 이궁을 '일본적이면서 동시에 모던한' 디자인의 원류로 제시하는 것이다. 이는 건축 사진가 와타나베 요시오와 이시모토 야스히로가 포착한 두 고건축의 사진 재현에서 잘 드러난다. 사진집에 수록된 이들의 사진은 두 건물을 서구 모더니즘과 조응하는 기하학적 추상 형태로 포착했다. 특히 기둥과 보의 수평선과 수직선을 통해 직조되는 가쓰라 이궁 쇼인(書院)의 입면은 몬드리안 패턴에 비견될 만하다. 와타나베와 이시모토는 모더니스트의 관점에서 피사체를 취사선택하고, 건물의 일부를 클로즈업하거나 불필요한 부분을 전략적으로 삭제했다. 단게도 이 두 고건축이 갖는 모던한 속성을 더욱 부각시키는 방향으로 사진가들이 찍은 이미지를 골라내고, 병치하고, 잘라냈다.[54]

단게는 건축의 재현 수단으로서 사진이 가진 힘을 누구보다도 잘 간파한 인물이다. 단게의 건물을 오랫동안 촬영했던 건축 사진가 무라이 오사무의 회고에 따르면, 단게는 자신의 건물이 어느 지점에서 촬영해야 가장 극적인 효과를 거둘 수 있는가

[54]   Yasufumi Nakamori, *Katsura: Picturing Modernism in Japanese Architecture Photographed by Ishimoto Yasuhiro*, pp. 36-37.

를 알아채는 동물적인 감각을 지녔다고 한다.[55] 실제로 건축잡
지를 통해 유통되는 포토제닉한 단게의 건물 사진은 그가 국제적
인 명성을 얻는 데 절대적이라고 해도 좋을 만큼 중요한 역할을
했다. '일본적이면서 동시에 모던한' 또는 '전통적이면서 동시대적'
은 단게가 일본 전통을 이해하는 관점일 뿐 아니라, 그가 전후 일
본 건축의 정체성을 구축하기 위해 택한 전략이다. 이 전략은 건
축 평론가 로빈 보이드가 '뉴 재팬 스타일'(New Japan Style)이
라고 칭한 단게의 구도쿄도청사, 가가와현청사 같은 전후 대표적
인 관공서 건축에서 잘 나타난다.[56]

구도쿄도청사와 가가와현청사
: 전후 민주주의의 기념비

1950년대 중반 단게는 평론가, 예술가가 함께 전통논쟁에 참여
하는 한편, 전쟁으로 파괴된 관공서를 재건하는 일로 바쁜 나날
을 보내고 있었다. 이 시기 설계한 구도쿄도청사와 가가와현청사
는 전후 고층 관공서 건물의 전형을 제시한 건물로 평가받는다.
이들은 중앙에 각종 설비를 집중시킨 강화된 코어 시스템을 도
입해 내부 공간의 활용을 극대화하는 한편, 당시 유행했던 브루
탈리즘의 영향 속에서 별도의 마감재 없이 노출 콘크리트를 그대

---

[55] 東京都庭園美術館,『建築の記憶-写真と建築の近現代』(東京:東京都庭園美術館, 2008),
p. 331.

[56] Robin Boyd, *New Directions in Japanese Architecture* (New York: George
Braziller, 1968).

▪ 단게 겐조, 가가와현청사, 다카마쓰, 1958

▫ 단게 겐조, 가가와현청사 목구조를 모티프로 삼은 처마부 상세, 다카마쓰, 1958

로 드러냈다.[57] 그러나 단게는 모더니즘의 국제주의 언어를 그대로 따르는 대신, 전통논쟁의 성과에 힘입어 '일본적이면서 동시에 모던한' 디자인을 추구했다. 먼저 노출 콘크리트를 마감 없이 드러낸 거친 표면 처리는 조몬적인 것의 현대적 계승으로 강조되었고,[58] 기둥과 보로 이루어진 콘크리트 라멘(rahmen) 구조는 목조 건축의 가구식 구조의 연장으로 여겨졌다. 또한 전통 목조 건축의 공간 분할 체계인 기와리(木割り) 시스템을 입면 디자인에 활용한 것이 특징적이다. 구도쿄도청사가 르 코르뷔지에 건축의 특징인 격자형 차양 시스템 브리즈 솔레이(brise-soleil)를 반복적으로 도입해 리듬감과 통일감 있는 입면을 직조했다면, 가가와현청사는 목조 건축의 부재인 공포(栱包)를 추상화시켜 장식적인 모티브로 활용했다.

단게는 전후 재건과 민주주의를 상징하는 이들 건물의 공공건축으로서의 상징성과 조형성을 극대화하는 데 심혈을 기울였다. 먼저 다카마쓰에 위치한 가가와현청사를 보면, 강렬한 원색의 색면 패턴과 반복적인 돌출 장식이 삭막한 노출 콘크리트 건물에 활기와 리듬감을 준다. 옥상에는 시민을 위한 공공장소로 노란 패브릭이 설치된 옥상 카페가 마련되었고, 건물 남측에는 일본식으로 꾸며진 야외 정원이 배치되었다. 인공 연못을 중심으로 꾸며진 정원은 사적인 관조와 명상을 위한 전통적인 일본식 정원보다는 사람들이 모이는 공적인 광장으로서의 역할이 강

[57]   Reyner Banham, *The New Brutalism: Ethic or Aesthetic* (New York: Reinhold Publishing, 1966).

[58]   브루탈리즘과 조몬과의 유사성에 대한 논의로는 Zenno, "Finding Mononoke at Ise Shrine: Kenzō Tange's Search for Proto-Japanese Architecture," pp. 104-117.

이노쿠마 겐이치로, 〈화경청적〉, 가가와현청사 벽화, 다카마쓰, 1958

단게 겐조, 구도쿄도청사, 도쿄, 1957

조되었다.[59] 건물 로비에 놓인 모던한 가구는 단게 연구실의 가미야 코지와 일본적 모던 디자인을 유행시킨 디자이너 겐모치 이사무가 분담했다. 무엇보다도 가가와현청사의 조형성을 진작하는 데 결정적인 역할을 한 것은 프랑스 유학파 미술가 이노쿠마 겐이치로(1902-1993)가 건물 로비 코어에 설치한 대형 세라믹 벽화다. 가가와현 출신의 이노쿠마는 단게를 현청사의 설계자로 추천하는 등 이 프로젝트에 시작 단계부터 깊이 관여해왔다.[60] 벽화 제목인 〈화경청적〉(和敬淸寂)은 "화목하고, 존중하며, 맑고, 조용하다"는 전통 다도(茶道)의 요체를 담고 있어서 1950년대 일본 예술계의 주요 화두인 전통에 대한 관심을 반영한다. 동시에 해, 달, 구름, 물결 같은 자연의 모티브를 추상화한 이노쿠마의 도안적인 타일 부조는 그가 파리에서 사사한 앙리 마티스의 종이 오리기 작업을 떠올리게 한다.

구도쿄도청사에서도 여러 분야의 예술가들의 협업이 이루어졌다. 역시 가미야 고지가 청사 로비에 놓일 가구들을 디자인했고, 르 코르뷔지에와 오랫동안 협업해온 프랑스 디자이너 샤를로트 페리앙이 도지사 사무실에 놓인 책장 디자인을 맡았다. 자갈로 마감된 정원에는 건물을 비추는 야간 조명등을 설치한 조각상이 배치되었고, 건물 로비에는 오카모토 다로가 제작한 총 일곱 점의 타일 부조가 11면의 벽에 걸쳐 설치되었다. 〈해의 벽〉, 〈달의 벽〉, 〈건설〉, 〈적〉, 〈청〉, 〈황〉, 〈녹〉을 주제로 한 이 벽화 연작

[59] 神谷宏治,「香川県庁舎について」,『新建築』(1959, 1).

[60] 단게와 이노쿠마의 협업 과정에 대한 연구로는 다음을 참조할 것.
香川県立ミュージアム,『丹下建造: 伝統と創造-瀬戸内から世界へ』(東京: 美術出版社, 2013),
pp. 118-209.

은 프랑스의 권위 있는 건축잡지『아르키텍튀르 도주르디』(*Architecture d'Aujourd'hui*)에서 1959년 제1회 국제건축회화 대상을 수상하며, 예술의 종합(synthesis of art)을 구현한 대표적인 사례로 받아들여졌다. 건물과 조화를 이루는 이노쿠마의 도안적인 벽화와 비교해볼 때, 사각의 프레임을 뚫고 나가려는 듯한 오카모토의 카오스적인 이미지는 노출 콘크리트 벽의 기하학적인 추상 공간과 팽팽하게 대결한다. 오카모토는『신건축』의 지면을 통해 "건축에 종속된 장식이 아닌 본질적인 벽화"를 추구하고자 하는 자신의 열망을 다음과 같이 피력했다.[61]

> 건축과 예술의 본질적인 협력은 건축의 그 투명하고 견고한 차가움에 대해 열기를 머금은 인간적인 것, 비합리적 신비함, 전율적인 정열을 대결시키는 것이며, 건축의 물러설 수 없는 목적성에 대해 예술의 무(無)목적성을 대결시키는 것이다. 이것이 두 극이 되어 긴장하고 대항한다. 이 위기를 극복하는 동안 강인한 인간의 전체성이 생성된다.

즉, 오카모토에게 "본질적인 벽화"란 건축과 조화롭게 공존하는 것이라기보다는 도시 공간의 시각적, 공간적 점유권을 두고 건축과 치열하게 경쟁하는 관계에 있는 것이다. 합리적인 모더니즘 건축과 생명력으로 충만한 벽화의 대결은 다름 아닌 세련되고 귀족적인 야요이와 원시적이고 민중적인 조몬의 충돌이기도 하다.

---

[61]   岡本太郎,『新建築』(1958, 6); http://taro100.jp/#/machi에서 재인용.

오코모토 다로, 〈해의 벽〉, 구도쿄도청사 현관홀에 설치, 1957

    건축을 중심으로 여러 장르의 예술을 통합하려는 단게
의 야심은 일찍이 1949년 발표한 두 편의 글 「건축, 회화, 조각:
기술주의에서 인간의 건축으로」와 「건축, 조각, 회화의 통일에 대
하여」에서 분명하게 드러난다.[62] 여기서 단게는 르네상스 이래
분화된 건축과 회화, 조각의 재통합을 통해 기술 지상주의로 치
우친 서구 모더니즘 건축을 교정하고, 보다 인간적인 건축을 추
구해야 한다고 주장했다. 이 글이 발표된 1949년은 제국미술전람
회에 대항해 결성된 미술 단체인 신제작파협회(1936년 결성)가
건축부를 신설한 해이기도 했다. 신제작파협회의 창립멤버인 이
노쿠마는 현실과 유리된 액자 속의 엘리트 미술을 거부하고, 건
축과의 협업을 통해 예술이 일상으로 나아가야 한다며 건축부
창립의 취지를 밝혔다.[63] 단게는 다른 일곱 명의 건축가와 함께
신제작파 전시에 참여해 도면과 사진, 건축 모형 등을 전시하는
한편 전시장 디자인을 맡았다.[64]
    아직 분야별 전문화와 분화가 심화되지 않았던 전후 재
건기의 공백기에 단게는 일본 문화예술계의 유명 인사이자 구심
점이었고, 예술가들의 후원자였다. 그는 예술가들과 긴밀하게 협
업하며 전통논쟁을 발전시켰고, 자신의 건물 벽면을 이들에게 아
낌없이 내어주었다. 종합예술가로서 단게의 면모는 부국강병을

---

[62]   丹下健三, 「建築 彫刻 絵画の統一について」, 『新建築』(1949, 9): 372-373, 380; 丹下
健三, 「建築, 絵画, 彫刻: 技術主義から人間の建築へ」, 『東京大学学生新聞』(1949년 6月 8日).

[63]   「新制作派協会 建築部を創立」, 『新建築』(1949, 2): 64. 단게와 신제작파 활동에
관한 연구로는 다음을 참조할 것. Sarah Teasley, "Tange Kenzō and Industrial
Design in Postwar Japan," in Kenzō Tange: Architecture for the World, edited by Seug
Kuan and Yukio Lippit (Zürich: Lars Müller Publishers, 2012), pp. 157-176.

[64]   신제작파협회 건축부에는 단게를 포함해 마에카와 구니오, 야마구치 분조,
다니구치 요시로, 요시무라 준조, 오카다 데쓰로, 이케베 기요시가 포함되어 있다.

위한 '기술'의 하나로 서구의 근대건축을 도입했던 일본 근대건축의 계보 속에서 특별한 위상을 차지한다. 물론 건축이 갖는 예술로서의 성격을 강조한 선구자들이 없었던 것은 아니지만, 일본 건축계의 주류는 철저히 건축을 기술이자 공학으로 간주했다. 간토 대지진(1923)을 비롯해 주기적으로 일본 열도를 강타한 자연재해는 기술과 공학으로서의 건축론에 힘을 실어주었다. 도쿄제국대학 교수이자 내진설계의 권위자 사노 리키는 건축의 미가 구조적 합리성에 있다고 강조했고, 이를 바탕으로 건축과의 학제를 철저히 공학 중심으로 편성했다. 이러한 경향은 전후의 도쿄대학에도 이어졌다.

　　　이러한 맥락을 고려해볼 때, 기술로서의 건축과 예술로서의 건축의 간극을 메우고자 한 단게의 독특한 행보는 전후 국제 건축계의 특수한 조건 속에서 논의될 수 있다. 양차 대전이 가져온 대량 살상과 파괴가 기능주의 일변도의 모더니즘 노선에 대한 회의를 가져온 것이다. 건축이 갖는 치유와 상징의 힘을 회복해야 한다는 목소리가 높아지는 흐름 속에서, 건축가 호세 루이 세르트, 미술가 페르낭 레제, 건축사학자 지그프리트 기디온은 공동으로 「기념비성의 아홉 가지 쟁점」(1943)을 발표했다.[65] 이들은 파시스트 치하에서 프로파간다로 악용되었던 건축의 '기념비성'을 단순히 폐기하는 것이 아니라, 이를 쇄신함으로써 근대 도시가 결여한 상징적 구심점을 다시 세울 것을 촉구했다. 공동체를 위한 새로운 기념비성을 달성할 수 있는 방법으로 화가, 조각가, 건축가, 조경가, 도시계획가 간의 대규모 협업이 제시되었다.

[65]　José Luis Sert, Fernand Léger, Sigfried Giedion, "Nine Points on Monumentality," in *Architecture Culture 1943-1968: A Documentary Anthology*, edited by Joan Ockman (New York: Rozzoli, 1993), pp. 27-30.

1940년대 후반부터 건축을 중심으로 한 여러 분야 예술의 종합은 근대건축국제회의(Congrès Internationaux d'Architecture Moderne, 이하 CIAM)를 통해 국제 건축계의 화두로 부상했다. 1951년 '도시의 중심'(Heart of the City)을 테마로 개최된 CIAM 회의는 예술가들의 전방위적인 협업을 통해 광장과 기념비가 들어선 활기 넘치는 인간적인 도심을 회복할 것을 호소했다. 예술의 종합을 향한 열망은 유럽은 물론 남미와 일본을 거쳐, 한국 건축계에도 상륙했다. 일본과 유럽 건축의 최신 동향에 밝았던 김중업과 김수근이 여기서 주도적인 역할을 담당했다. 김중업의 프랑스대사관(1961, 유강렬, 윤명로, 김종학 벽화), 김수근의 오양빌딩(1964, 정규 벽화), 세운상가(1967, 김영주 벽화) 등은 건축을 중심으로 예술의 종합을 시도한 선구적인 사례로 꼽을 수 있다.

2장.   도쿄대학 단게 연구실, 전후 일본의 설계자들

도쿄대학 단게 연구실과 〈도쿄계획〉

전후 일본의 국가 건축가로서 단게의 역할은 예술의 후원자를 자처하며 일본이라는 국가를 상징하는 기념비 건축을 만드는 데 국한되지 않았다. 그는 개별 건축물의 설계자였을 뿐아니라, 도쿄대학 건축과라는 엘리트 집단의 수장으로서 도시의 인프라를 구축하고 국토개발의 비전을 제시하는 역할까지 수행했다. 단게 개인을 넘어 단게 연구실이라는 '군상'(群像)의 차원에서 전후 일본이라는 국가 자체를 설계하는 싱크탱크 역할을 담당한 것이다.[1]

　　　일찍부터 단게는 전후 일본에서 건축이라는 전문 직능이 복무해야 할 목표는 휴머니즘이나 민주주의 이상에 앞서, 국가 경제의 번영에 기여하는 것이라는 신념을 가졌다. 이러한 입장은 1948년 발표된 글 「건설을 둘러싼 문제들」에서 잘 나타난다.[2] 여기서 단게는 일본 사회의 긴급한 과제를 경제 안정으로 규정하고, 도시 기간시설을 재정비함으로써 국가 생산력 향상에 일조해야 한다고 강조했다. 그는 대공황 시기에 등장한 미국의 뉴

[1]　豊川斎赫,『群像としての丹下研究室-戦後日本建築・都市史のメインストリーム-』(東京: オーム社, 2012).

[2]　丹下健三,「建設をめぐる諸問題」,『建築雑誌』(1948, 1): 2-10.

딜 정책을 자본주의 시스템 내에서 성공한 정부 주도 계획 경제의 범례로 꼽으며, 체계적인 국토 관리를 통한 '계획'의 정치를 옹호했다.

풍요로운 사회에 대한 장밋빛 비전은 전화와 폐허를 경험했던 단게 세대 일본인들에게 주술과도 같은 힘이 있었다. 특히 단게 개인에게는 전후 복구와 국가 경제에 일조하는 것이야말로 군국주의 정권에 협력한 자신의 문제적인 전력에 면죄부를 줄 수 있는 길이기도 했다. 단게는 건축과 도시계획에 대한 전문적 지식을 동원해 경제성장이라는 국가적 목표를 향해 전력 질주했다. 종전 직후부터 국가재건위원회 멤버로서 도쿄와 히로시마를 비롯한 도시 재건 사업에 참여한 것을 시작으로, 1950년대에는 기획원 산하 경제안전본부를 통해 도시계획과 국토 인프라 구축과 관련된 각종 정부 용역 보고서를 도맡았다.[3] 도쿄대학 단게 연구소는 이소자키 아라타, 구로카와 기쇼, 마키 후미히코 등 건축 설계에 재능 있는 건축가들이 모여드는 건축가들의 사관학교였을 뿐 아니라, 통산성, 건설성, 경제기획청, 국토계획처 등 정부 기관에서 도시정책과 국토계획의 실무를 담당하게 될 고급관료들의 양성소이기도 했다.

실제로 단게 연구실은 감상적인 휴머니즘적 접근보다 도시 내에서 벌어지는 다양한 움직임과 활동에 관한 실증적인 조사와 분석을 강조했다. 1958년 단게 연구실에 진학한 한국인 유학생 강병기의 회고에 따르면, 단게는 학생들에게 설계 대신 줄곧 복잡한 경제와 사회과학 공부만 시켰다고 한다.[4] 그의 석박사

[3] 丹下健三, 藤森照信,『丹下健三』(東京: 新建築社 ,2002), pp. 118-127 참조.

[4] 강병기,『삶의 문화와 도시』(보성각, 1993), pp. 439-442.

단게 겐조, 〈도쿄계획〉 1960, 1961

학위 논문 역시 도쿄의 통근 및 인구이동을 실증적인 방법으로 분석한 연구이다.[5] 강병기는 한국 건축계에 선진적인 도시계획 방법론을 도입한 도시계획가 1세대로서 도쿄대학 재학 당시 같은 단게 연구실의 박춘명, 다카야마 에이카 연구실의 김수근, 그리고 니혼 대학에서 구조를 전공한 정종태, 정경과 함께 남산 국회의사당(1959) 공모에 당선되기도 했다.

1961년 3월, 『신건축』 특집으로 단게 연구실의 핵심 멤버인 이소자키 아라타, 구로카와 기쇼, 가미야 고지, 그리고 강병기가 참여한 〈도쿄계획: 그 구조개혁의 제안〉(이하 도쿄계획)이 발표되었다.[6] 〈도쿄계획〉은 발표 직후부터 1960년대 메가스트럭처(도시의 다양한 기능을 한데 수용하는 거대구조물) 운동의 대표적인 예로 꼽히며 일본은 물론 국제적으로 큰 반향을 일으켰다.[7] 한국 건축계에서도 비상한 주목을 받았다. 이 작업은 일본 유학파 건축가 김수근이 선보인 〈세운상가〉(1967)나 〈여의도계획〉(1969) 같은 도시계획 프로젝트의 중요한 참조 대상이었다.[8] 실제로 도쿄대학 단게 연구실은 김수근이 한국종합기술개발공

[5] 강병기의 도쿄대학 석박사 논문은 모두 도시에서의 이동성에 관한 실증적인 연구이다. 康炳基, 『自動車交通量と市街地容積率の相関』(東京大学 碩士論文, 1960); 康炳基, 『巨大都市の人口移動と通勤流動の構造解析及び予測に関する研究』(東京大学 博士論文, 1970).

[6] 丹下健三, 「東京計画-1960:その構造改革の提案」, 『新建築』(1961, 3): 79-120. 영문판에서는 강병기의 이름이 일본식 음독 규칙에 따라 Heiki Koh로 표기되었다.

[7] Reyner Banham, *Megastructure: Urban Futures of the Recent Past* (London: Thames and Hudson, 1976).

[8] 정인하, 「여의도 도시계획에 관한 연구」, 『대한건축학회 논문집』 12: 2 (1996, 2): 123-135; 안창모, 「전후 한국현대건축에 미친 미국과 일본 건축의 영향: 미국에서 연수한 김정수와 일본에서 유학한 김수근을 중심으로」, 『한국산학기술학회논문지』 (2011,12): 5974-5983; 조현정, 「여의도 마스터플랜, 자동차 시대의 도시와 미래주의 서사」, 『아키토피아의 실험』 (마티, 2015), pp. 125-139.

사(KECC)를 이끌며 건축과 도시 분야의 인재를 모아 팀을 꾸리고 도시적 스케일의 국가 프로젝트를 진행하는 데 있어서 중요한 모델이 되었다.

〈도쿄계획〉이 발표된 시점은 안보투쟁의 극렬한 정치적 갈등이 잠정적으로 종료되고 경제성장이 본격화되던 전환기였다. 일본의 고도성장기는 전문적인 국가관료의 강력한 리더십 아래에서 이룩된 '엘리트 관료의 시대'였다.[9] 정부는 물질적 풍요를 원하는 국민의 자발적인 동의를 이끌어내며 5개년 경제계획을 포함한 다양한 케인즈주의 계획(Keynesian plan)을 실행했다.[10] 이케다 내각의 소득배증계획(1960)과 거의 동시에 진행된 〈도쿄계획〉은 정부기관이나 기업의 의뢰가 아닌 자발적인 연구 프로젝트로 시작했지만, 정부가 추진한 성장 우선 정책과 후기 산업화사회로의 전환을 뒷받침하기 위한 도시 인프라를 구축하는 것을 골자로 한다.

〈도쿄계획〉의 실체는 각종 도표와 통계자료가 빽빽하게 실린 총 41쪽에 이르는 도시계획 보고서이다. 전반부에서는 현재 도쿄가 처한 상황을 "혼란과 마비의 상태"로 진단하고 후반부에서는 이에 대한 해결책을 제시한다.[11] 단게 팀의 분석에 따르면, 일본의 산업구조는 점차 1차 산업과 제조업 위주에서 3차 산업 중심으로 전환되고 있고, 이에 따라 인구 천만 이상 대도시의 '중

[9]   Gary D. Allinson, "The Structure and Transformation of Conservative Rule," in *Postwar Japan as History*, edited by Andrew Gordon (Berkeley, CA: University of California Press, 1993), pp. 123-144.

[10]   이케다 내각의 소득배증계획에 관해서는 다음을 참조할 것. M. Fujioka, "Appraisal of Japan's Plan to Double Income," *Staff Papers*, 10:1 (March 1963):150-185.

[11]   丹下健三, 「東京計画-1960: その構造改革の提案」, p. 81.

추도시'(中樞都市)로서의 역할이 커지고 있었다. 그러나 도쿄는 이 역할을 유연하게 수행할 만한 구조와 시스템을 갖고 있지 못하기 때문에 무질서한 팽창과 혼란을 겪는다고 보았다. 이러한 상태를 타개하기 위해 인구 5백만 명을 새로 수용할 수 있는 거대한 인공대지를 부유식 구조물과 매립을 통해 도쿄만 위에 건설하는 방안을 제안했다. 도쿄만 매립지인 하루미를 출발점으로 축선을 따라 해상 50미터 높이(지상 40미터)의 메가스트럭처가 설치되고, 여기에 순서대로 역과 공항, 행정지구 및 사무지구가 들어선다는 구상이다.

　　　　사실 도쿄의 과잉 밀집을 해결하기 위해 도쿄만을 개발한다는 구상은 단게 혼자만의 것은 아니었다.[12] 1957년 미술가 오카모토 다로는 휴식이라는 뜻을 가진 '이코이'(いこい)라는 이름의 인공 섬을 도쿄만 위에 만들 것을 제안했다. 주황과 녹색을 주조로 한 그의 단순하지만 강렬한 스케치는 레저 시설과 미술관, 공연장이 들어선 상상 속의 섬 이코이의 장밋빛 비전을 보여준다.[13] 이 구상을 공식 발표하는 자리에 함께하기도 했던 단게는 오카모토의 이코이 섬 제안에 큰 관심을 보였다.[14] 오카

[12]　1950년대 말부터 진행된 도쿄만 개발 계획에 대해서는 다음을 참조할 것. Seng Kuan, "Land as an Architectural Idea in Modern Japan," in *Architecturalizing Asia: Mapping a Continent Through History*, edited by Vimalin Rujivacharakul, H. Hazel Hahn, Ken Tadashi Oshima (Honolulu: University of Hawaii Press, 2013), pp. 189-203; Raffaele Pernice, "The Transformation of Tokyo during the 1950s and Early 1960s: Projects Between City Planning and Urban Utopia," *Journal of Asian Architecture and Building Engineering* (November 2006): 253-259; Raffaele Pernice, "The Issue of Tokyo Bay's Reclaimed Lands as the Origin of Urban Utopias in Modern Japanese Architecture," *Architectural Institute of Japan* (March 2007): 259-266; Rem Koolhaas et al, *Project Japan: Metabolism Talks* (Cologne: Taschen, 2011), pp. 266-293.

오카모토 다로, 이코이 섬 구상도, 1957

모토는 예술가의 자유로운 상상력을 발휘하며 도시를 하나의 거대한 예술작품으로 간주했다. 반면 이듬해인 1958년 발표된 가노 히사아키라의 〈네오 도쿄계획〉은 정부 산하 전력중앙연구소의 의뢰로 이루어진 관료 주도의 도쿄만 개발 계획이다.[15] 일본 주택공사의 전임 사장이자 이후 지바시 시장을 역임하기도 한 가노의 안은 지바 근교의 산을 폭파해 그 흙으로 도쿄만 동쪽 지역에 매립지를 조성하고, 이곳을 주거, 상업, 녹지, 그리고 신공항 부지로 활용한다는 계획이다. 1960년을 전후해 붐을 이룬 도쿄만 개발에 대한 비전은 이후 1980년대 버블 경기의 호황 속에서 '세계 제1 도시 도쿄'를 목표로 진행된 도쿄 임해 부도심 개발 프로젝트를 통해 부분적으로 현실화되기에 이른다. 도쿄만에 거대 레저, 관광 시설을 구축하는 오다이바 텔레포트 타운이나 요코하마 미나토 21계획 등이 그 예이다.[16]

도시 모빌리티를 위한 제언

〈도쿄계획〉의 진정한 의의는 도시의 기능을 일부 이전할 해양 인

[13] 오카모토는 단게, 테시가하라 소후, 아베 코보, 이토카와 히데오, 이시카와 사토시와 이코이 섬 계획에 관해 논의하고 이를 『소고』에 발표했다. 岡本太郎, 丹下健三, 勅使河原蒼風, 安部広房, 糸川英夫, 石川允, 「ぼくらの都市計画」, 『総合』 (1957, 6): 234-243.

[14] 丹下健三, 藤森照信, 『丹下健三』, p. 343.

[15] 加納久朗, 「三界に住いあり」, 『中央公論』 (1958, 3): 237-243.

[16] Zhongjie Lin, "From Megastructure to Megalopolis: Formation and Transformation of Mega-Projects in Tokyo Bay," *Journal of Urban Design* 12:1 (February 2007): 73-92.

공도시를 실제로 건설했는지 여부가 아니라, 건축과 교통망, 도시 구조를 통합하는 공간 질서의 구축에서 찾아볼 수 있다. 당시 일본은 1964년 개최될 도쿄올림픽을 위해 전국적인 교통 인프라망을 대대적으로 구축하고 있었다. 1955년 일본고속도로공사가 설립되었고 이어 나고야와 고베를 연결하는 일본 최초의 고속도로 메이신(名神) 고속도로 건설이 시작되었다. 1959년에는 수도 고속도로 공사가 설립되어 도쿄 내에 멀티레벨의 도심 순환 고속도로 건립이 추진되었다. 단게는 도시를 거대한 유기체로 간주하고, 유기체로서 도시의 삶의 성패는 사람과 정보의 순환에 달려 있다고 보았다. 그는 모빌리티를 도시의 구조를 결정짓는 중요한 요소로 꼽으며, 전 세계적으로 급격히 진행되고 있는 자동차화에 촉각을 곤두세웠다. 〈도쿄계획〉의 핵심은 바로 자동차가 가져올 새로운 모빌리티에 적응할 수 있도록 도시의 구조를 전면적으로 재조직하는 것이었다.

　　　모빌리티에 대한 단게의 관심은 1930년대 후반으로 거슬러 올라간다. 그는 중국 식민지 도시계획에 참여했던 선배 다카야마 에이카의 의뢰로 다퉁(大同)시의 인구이동과 이동성에 관한 조사를 수행했다. 이를 계기로 도시 내 이동성이라는 주제에 관심을 갖게 된 단게는 전후 도쿄대학 연구실을 통해 모빌리티에 대한 일련의 실증적인 연구, 조사를 수행하게 된다. 1940년대 말에는 트램과 철도를 통한 통근 패턴에 관해 연구를 진행했고, 1950년대부터는 도심에서의 자동차 운행으로 강조점이 옮겨졌다. 단게 연구실의 축적된 연구 성과는 단게의 박사학위 논문에 반영되었고 이는 다시 〈도쿄계획〉의 중요한 이론적, 실증적 토대가 되었다. 1959년 제출된 단게의 논문은 건물의 밀도, 교통량, 주차 한도에 대한 분석을 토대로 도쿄 도심을 지하 주차시설과

지상 공공장소, 고층 오피스로 구성된 슈퍼 블록으로 재구조화하는 구상을 담고 있다.[17]

자동차 시대의 도래를 보는 일본 건축가들의 입장은 저마다 달랐다. 교토대학의 니시야마 우조 같은 이는 자동차 중심의 교통 시스템이 결국 시민의 삶에 해가 될 것이라고 우려를 표했다.[18] 니시야마는 민중의 주거환경 개선에 몰두해온 사회주의 계열의 건축가로 도쿄대학의 단게와는 오랜 경쟁 관계에 있던 인물이다. 니시야마는 미국식 자동차 모델이 산지가 많은 일본 지형에 부적합할 뿐 아니라, 그 자체로 자본주의 체제를 위한 대단히 비효율적이고 불공평한 시스템이라고 비판했다. 니시야마는 자동차 위주의 도시계획에 대한 대안으로 〈홈 시티〉(1960)를 제안했다.[19] 그의 구상은 일본인이 집에 들어가기 전에 현관에 신발을 벗어놓듯이 도시 외곽에 자동차를 주차하고 대중교통이나 도보를 이용해 도심에 진입하는 차 없는 거리가 핵심이다.

정반대 입장이었던 단게는 자동차 시대의 도래를 불가피한 시대적 흐름으로 보고, 이에 대응할 수 있는 도시 인프라 구축을 강조했다. 1960년 발표한 글 「새로운 도시성을 위하여」에서 단게는 고속도로야말로 "인간 문명이 달성한 거대한 성취"라고 논평했다.[20] 이러한 입장에서 단게는 메이신 고속도로 건설 위원회 위원으로 고속도로 내 부대시설의 디자인 자문을 담당했고, 시가현 내 고속도로의 휴게소를 직접 설계하기도 했다. 그가

[17] 丹下健三, 『都市の地域構造と建築形態』(東京大学 博士論文, 1959).

[18] 西山卯三, 「地域空間における建築的創造の課題」, 『新建築』(1965, 12): 16.

[19] 西山卯三, 「Home City: Future Image of City」, 『近代建築』(1961, 3): 52-58.

[20] 丹下健三, 「新しい都市をまとめて」, 『週刊朝日』(1960年 4月 5日).

자동차 시대의 도래를 반긴 데에는 1959년 가을부터 반년 동안 MIT에서 초빙 교수로 가르치며 미국에 체류했던 경험이 중요하게 작용한 것으로 보인다. 단게는 미국 국토의 거대한 스케일과 고속도로를 달리는 자동차의 스피드, 유려한 곡선을 그리며 교차되는 멀티레벨의 도로망이 형성하는 미래주의적인 풍경에 매료당했다. 그는 MIT 학생들과 함께 보스턴만 위에 인공도시를 세우는 〈보스턴항 프로젝트〉(1959)를 진행하는 와중에 도쿄대학 연구실에 도쿄와 관련된 각종 통계자료를 수집해둘 것을 지시했고, 귀국 직후 바로 〈도쿄계획〉에 착수했다.

자동차 시대의 도시 모빌리티를 위해 공간 질서를 재구축한다는 단게의 시도는 거시적으로는 도시 구조를 재편하고, 미시적으로는 새로운 건물 형태를 고안한다는 두 가지 방향으로 진행되었다. 먼저 도시 구조적인 측면에서 〈도쿄계획〉은 전통적인 방사형도시를 폐기하고 도로망과 결합된 선형도시로의 변환을 제안했다. 단게는 기존의 방사형 모델로는 더 이상 도쿄의 인구 급증과 모빌리티 증가에 적절히 대처하지 못할 것이라고 진단했다. 도시가 방사형으로 계속 팽창한다면, 도심의 부담은 증가하고 도심에서 교외로의 통근 정체는 가중될 것이기 때문이다. 그는 생물의 진화론 모델을 도입해, 원생동물과 유사한 폐쇄적인 방사형도시를 보다 진화한 척추동물을 닮은 개방적인 선형도시로 대체할 것을 주장했다.[21]

선형도시는 도시의 각종 인프라가 집적된 축선을 따라 도시가 단계적으로, 그러나 무한하게 성장한다는 점에서 성장과

[21]　丹下健三,「東京計画-1960: その構造改革の提案」, pp. 98-99.

팽창의 시기를 대변하는 도시 모델로 볼 수 있다. 선형도시의 연원은 1882년 스페인의 도시계획자 소리아 이 마타가 간선도로를 따라 선형으로 발전하는 도시계획을 발전시킨 것으로 거슬러 올라간다. 단게도 이미 대동아건설충령신역계획(1942)에서 선형도시 구상을 도입해 도쿄와 후지산을 시속 70킬로미터의 자동차 도로로 연결하고, 그 축선 위에 문화, 행정, 기념 지구 등을 분포시킨 바 있다. 강력한 축선의 지배를 받는다는 점에서 〈도쿄계획〉에 대동아 프로젝트의 그림자가 짙게 배어 있음을 부정하기는 어렵다. 여기서 흥미로운 점은, 미군정 치하 시절 히로시마 평화공원에서 국제주의 양식을 따름으로써 과거와 단절하려는 의식적인 노력을 보여준 단게가 〈도쿄계획〉에서는 과거와의 연속성을 지우려는 노력을 거의 기울이지 않는다는 사실이다. 고도성장기의 자신감 속에서 제국주의 과거는 더 이상 참회와 회환의 대상이 아니라 용인, 나아가 향수의 대상이 된 것이다.[22]

　　　　도쿄만을 가로지르는 선형 축은 도심의 각종 기능이 집적된 척추 역할을 한다. 중심축은 모노레일, 지하철과 함께 "사이클 교통 시스템"이라고 부르는 혁신적인 입체 도로망과 결합되어 있다. 도로망은 속도의 위계에 따라 수직적으로 분리된 세 단계의 루프가 반복되며 구성되는데, 가장 위가 자동차의 고속통행, 그 아래는 저속통행, 가장 아래는 주차나 보행자를 위한 도로

[22]　제국주의 과거와 패전에 대한 기억과 담론이 전쟁 직후(1945-1955)와 고도성장기(1955-1970) 사이에 변화가 있었음을 지적한 연구로는 다음을 참조할 것. Yoshikuni Igarashi, *Bodies of Memory* (Princeton: Princeton University Press, 2000); Victor Koschmann, "Intellectuals and Politics," in *Postwar Japanese as History*, edited by Andrew Gordon (Berkeley, CA: University of California Press, 1993), pp. 396-414.

단게 겐조, 〈도쿄계획〉, 입체적인 사이클 교통시스템, 1961

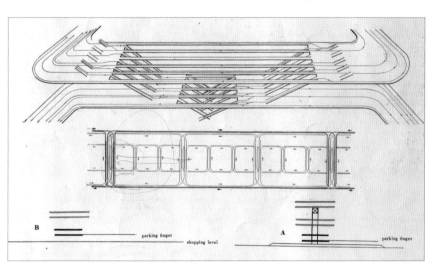

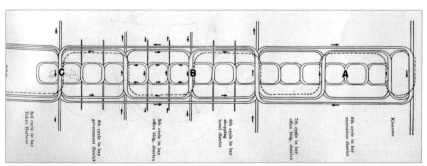

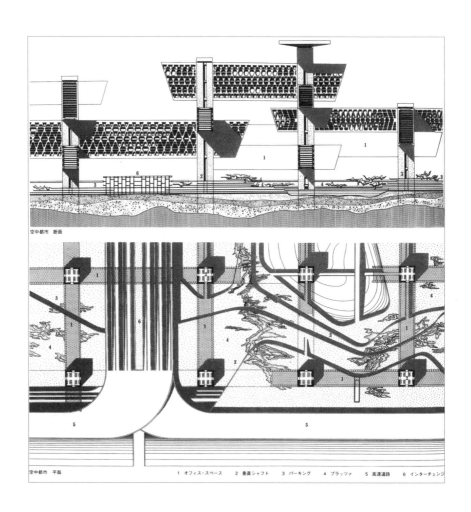

空中都市 断面

空中都市 平面

1 オフィス・スペース　　2 垂直シャフト　　3 パーキング　　4 プラッツァ　　5 高速道路　　6 インターチェンジ

■□ 단게 겐조, 〈도쿄계획〉, 오피스 지구, 1961

□■ 단게 겐조, 〈도쿄계획〉, 주거 지구, 1961

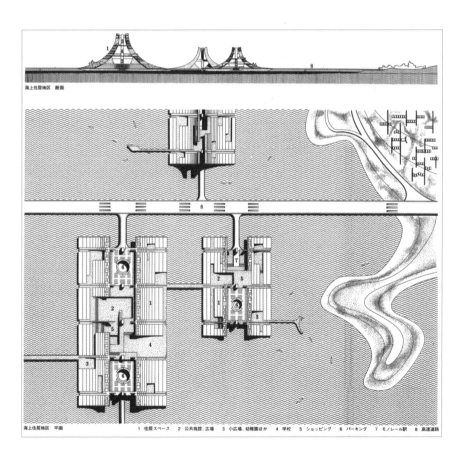

海上住居地区　断面

海上住居地区　平面　　　　1 住居スペース　2 公共施設、広場　3 小広場、幼稚園ほか　4 学校　5 ショッピング　6 パーキング　7 モノレール駅　8 高速道路

이다. 사이클 교통 시스템은 기존의 도로 시스템보다 1) 약 10-30배 이상의 교통량을 소화하고, 2) 차량의 막힘없고 부드러운 흐름을 가능케 하며, 3) 자동차의 도어 투 도어 접근을 용이하게 할 것으로 기대되었다.

미시적인 측면에서는 자동차의 모빌리티를 증진시킬 수 있는 새로운 건축 형태가 메가스트럭처의 형태로 제안되었다. 메가스트럭처는 도시의 다양한 기능이 집적된 거대구조물을 의미하는 용어로 영국의 도시계획자이자 교통공학자 콜린 뷰캐넌이 제안한 '교통 건축', 즉 도시와 건축, 교통망의 통합적 접근을 중요한 특징으로 한다.[23] 이소자키 아라타가 담당한 업무 지구는 도쿄만을 가로지르는 중심축 위에 위치한 거대한 필로티형 건물군이다. 기둥 사이를 연결하는 공중 다리가 사무실 공간으로 쓰이고, 필로티 기둥은 건물의 지지체인 동시에 엘리베이터 등 각종 설비가 장착된 조인트 코어의 역할을 한다. 입체 도로망을 통해 업무 지구에 도착한 운전자는 주차 공간에 차를 세우고 엘리베이터를 통해 사무실까지 물 흐르듯 진입할 수 있다. 가미야 고지가 맡은 주거 지구는 도쿄만의 중심축과 직교한 분지 도로와 접속한 A자형 메가스트럭처 군이다. 거대한 박공형 지붕 아래 주차장과 모노레일 정거장이 있고, 그 주위에 광장과 학교, 쇼핑 시설, 주거 공간이 연속적으로 배치되어 점차 공적 공간에서 사적 공간으로 이동하게 된다. 최신식 지하주차장이 갖춰진 현대식 주상복합 건물의 선례라고 볼 수 있다.

자동차 시대의 새로운 모빌리티에 대한 관심은 단게

[23] Colin Buchanan, *Traffic in Towns* (London: Routledge, 2015), p. 60.

뿐 아니라, 동시대 서구 건축가들 사이에서도 중요한 화두였다. 1956년 개최된 CIAM 회의에서 팀텐(Team X)의 젊은 건축가들은 이동성과 유연성, 성장과 변화를 테제로 내세우며 경직된 모더니즘의 대안을 제시했다. 이들은 CIAM의 구세대가 차량의 효율적인 흐름에 우선순위를 두었던 것과는 달리, 자동차의 폭압에 맞서 도심의 공공성을 수호하고 보행자를 보호하는 데 관심을 기울였다. 팀텐의 리더 격인 앨리슨과 피터 스미슨 부부는 모빌리티를 공동체 내의 활기차고 자유로운 사회적인 교류와 상호작용이라는 측면으로 이해했다.

그러나 단게는 이러한 휴머니즘적 접근과는 다소 입장을 달리한다. 〈도쿄계획〉에서 움직임은 양적인 통계자료로서만 의미를 갖는다. 이 때문에 사람(보행자)에 대한 고려가 부재한 "인간 없는 도시"라는 비판이 불거져 나오기도 했다.[24] 개인의 자유와 자발성, 다양성이라는 시민사회의 이상 속에서 모빌리티를 강조했던 스미슨과 달리, 모빌리티에 대한 단게의 관심은 사람과 물류, 정보의 흐름을 극대화할 수 있는 효율적인 시스템 구축에 있었다.[25] 이는 동시대 경제학자 하야시 슈지의 베스트셀러 『유통혁명』(1962)이 주장했던 것, 즉 시스템 이론과 정보통신 기술, 컴퓨터의 연산 능력을 도입한 혁신적인 물류 시스템과 크게 다르지 않다.

[24]   Yuichiro Kojiro, "Movement in the Principal Structure," *Japan Architect* (August 1961): 41.

[25]   林周二, 『流通革命－製品・経路および消費者』(東京: 中央公論社, 1962).

일본 열도의 마스터플랜, 도카이도 메갈로폴리스

도쿄의 공간 질서를 근본적으로 개조하겠다는 단게의 야심에도 불구하고, 〈도쿄계획〉이 실제 도쿄의 도시 개발에 끼친 영향은 지극히 제한적이었다. 도쿄는 1958년 수립된 수도권 도시개발계획에 근거해 교외로의 무질서한 팽창을 거듭했고, 수도 고속도로 역시 선형이 아니라 방사형으로 구축되었다.[26] 그러나 앞에서도 지적했듯이 〈도쿄계획〉에는 후기 산업화사회로 전환하는 시점을 맞아, 도시를 보는 새로운 관점을 제안했다는 중요성이 있다. 도시를 고정된 실체가 아니라, 사람과 재화, 정보의 순환이 이루어지는 일종의 네트워크로 보았던 것이다. 자동차의 흐름을 극대화하려는 단게의 기획은 이후 점차 비물질적인 정보의 흐름으로 활성화하고 통제하는 방향으로 강조점이 옮겨갔다.

　　　　1960년대를 통해 단게의 관심은 도쿄를 넘어 일본열도의 마스터플랜을 제안하는 것으로 확장되었다. 1964년, 단게 팀은 국토부의 지원을 받아 도쿄만을 잇는 선형도시를 오사카를 거쳐 전국적으로 확대한 〈도카이도 메갈로폴리스〉를 발표했다. 메갈로폴리스(megalopolis)는 주로 거대도시로 번역되지만, 엄밀히 말해 여러 개의 대도시가 연결된 도시 간 네트워크를 의미한다.[27] 프랑스 지리학자 장 고트만은 메갈로폴리스 개념을 통해 보스턴-뉴욕-필라델피아-볼티모어-워싱턴을 연결하는 미국

---

[26]　　Zhongjie Lin, *Kenzō Tange and the Metabolist Movement: Urban Utopias of Modern Japan*(London: Routledge, 2010), p. 203.

[27]　　1960년대 후반 한국에서도 고속도로화와 메갈로폴리스의 등장에 관한 논의가 진행되었다. 손정목, 「교통수단의 고속화와 국토공간의 재편성」, 『도시문제』 (1968, 3): 35-59.

동북부 대도시들의 네트워크를 설명했다.[28] 단게는 메갈로폴리스를 메트로폴리스 이후에 도래할 도시의 새로운 형태로 보고, 태평양 연안의 도카이도 벨트를 따라 도쿄에서 나고야를 거쳐 오사카, 나아가 규슈까지 이어지는 거대한 공업지역을 국가산업의 중추로 삼을 것을 제안했다.

〈도카이도 메갈로폴리스〉는 고도성장기 일본 국토개발에 대한 논의 지형 속에 놓여 있다. 이 작업은 일견 성장 가능한 축선을 따라 도시의 인프라를 확장시킨다는 점에서는 '분산형' 모델을 따르는 듯 보인다. 그러나 국토개발의 형평성보다는 생산성을 극대화하기 위해 대도시의 집적을 강조한다는 점에서 본질적으로 '집중'의 모델이다. 태평양 연안의 철로와 항만 시설을 따라 기간시설을 투자하고 공업단지를 전략적으로 집중시킴으로써, 운송비를 최소화하고 규모의 경제를 극대화하는 성장 우선의 정책이 전제된 것이다. 단게는 도카이도 벨트로의 집중을 불가피한 시대적 흐름으로 전제하고, 이 지역이 국가 산업의 중추로 기능할 수 있도록 필요한 인프라와 네트워크를 구축하고자 했다. 이러한 구상은 지역구의 표심을 고려한 정치인들의 반발을 사기도 했다. 그러나 균형발전에 대한 명목상의 강조에도 불구하고, 고도성장기 일본 국토개발의 핵심은 궁극적으로 선택과 집중이었다.[29]

단게는 자신의 〈도카이도 메갈로폴리스〉를 실제 국토개

[28]   Jean Gottmann, *Megalopolis: The Urbanized Northeastern Seaboard of the United States* (Cambridge, MA: The MIT Press, 1964).

[29]   Jeffrey E. Hanes, "From Megalopolis to Megaroporisu," *Journal of Urban History* 19:2 (February 1993): 64. 분산을 강조한 대표적인 국토계획으로 일본열도의 균형발전을 내세워 전국적인 건설 붐을 일으킨 다나카 다쿠에이(田中角栄) 총리의 『일본열도개조론』(日本列島改造論, 1972)을 들 수 있다.

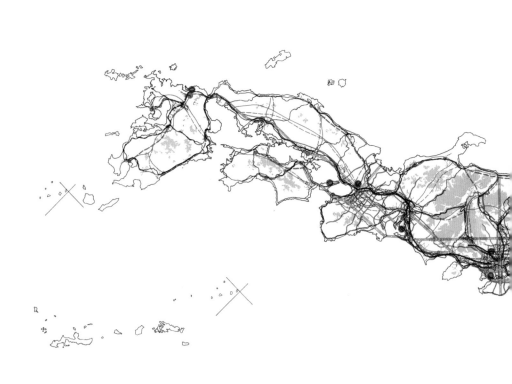

단게 겐조, 〈도카이도 메갈로폴리스〉, 1966

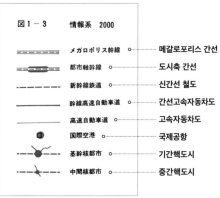

図 1 - 3   情報系 2000

メガロポリス幹線	○·········	메갈로포리스 간선
都市軸幹線	○·········	도시축 간선
新幹線鉄道	○·········	신간선 철도
幹線高速自動車道	○·········	간선고속자동차도
高速自動車道	○·········	고속자동차도
国際空港	○·········	국제공항
基幹核都市	○·········	기간핵도시
中間核都市	○·········	중간핵도시

발계획에 반영하기 위해 정부 부서와 긴밀히 논의했고, 일본의 미래 비전에 목말랐던 정부는 단게 팀의 의견에 귀 기울였다. 단게는 1964년 건설부 산하 일본지역개발센터(JCDRA)에서 〈도카이도 메갈로폴리스〉의 요체를 발표했고, 1965년 새해 첫날에는 NHK 특집방송을 나가 경제학자 출신의 관료 오키타 사부로와 이 주제로 공개 대담에 나서기도 했다. 1968년, 단게 팀은 정부가 주관한 〈21세기 비전〉 현상 공모의 국토개발 분야에 선정되었고, 이후 3년간 총리실 직속으로 지원을 받아 국토개발의 마스터플랜을 담은 보고서 『21세기 일본: 그 국토와 국민 생활의 미래상』(1971)을 출간했다.[30] 단게 팀의 비전이 집대성된 이 상세한 미래 보고서에서 가장 주목할 점은 '정보화사회'의 도래에 대한 강조이다. 단게 팀은 50년 후 일본을 자유 시간과 여가 활동이 늘어나고 소비혁명이 가속화된 정보화사회로 전망하고, 이러한 변화에 유연하게 대응하기 위해 도카이도 벨트에 교통, 통신, 에너지가 집적된 "정보 산업의 콤비나트"를 편성할 것을 제안했다.[31]

✿

정보화사회의 도래에 맞게 건축과 도시 공간을 재구조하려는 시도는 건축 평론가 레이너 배넘이 "2차 기계화 시대"의 디자인으로 부른 1960년대 건축의 주된 경향이기도 하다. 미래에는 대량소비사회의 진전과 정보통신 기술의 발달로 인해 노동과 자원의

[30] 21世紀の研究会, 『21世紀の日本:その国土と国民生活の未来像』(東京: 新建築, 1971).
[31] 같은 책, p. 94.

콩스탕트 뉘베느시, 〈뉴 바빌론〉, 1963

관리보다는 여가와 소비 활동이 중요해지면서 다양성과 이동성, 유연성 등이 건축의 새로운 가치로 주목되었다.[32] '유희하는 인간'(homo ludens)을 위한 세드릭 프라이스의 편 펠리스(1961)나 콩스탕트 뉘베느시의 뉴 바빌론 연작(1959-74)이 그 대표적인 예이다. 그러나 단게의 관심은 동시대 건축가인 프라이스나 뉘베느시와는 달리, 개인의 자유와 유희, 해방보다는 국가라는 거대한 조직을 중심으로 한 국토개발 및 관리 모델을 구축하는 것이었다. 이는 사회학자 테사 모리스 스즈키가 일본의 정보화사회를 성장 우선 정책의 수혜자인 집권 정당과 대기업, 관료 등 기득권의 이익을 대변하는 "신보수주의적 유토피아"로 규정한 것과도 상통한다.[33] 일본에서 정보화사회에 관한 논의가 고도성장을 지속시키기 위해 산업구조를 재편하려는 성격을 갖는다면, 정보화사회의 도시 모델을 표방한 단게의 '계획' 역시 이 국가적 목표에 충실히 복무한다. 즉, 일본의 미래에 대한 단게의 비전은 계급투쟁을 통한 사회 변혁을 지향하는 사회주의 유토피아도, 체제의 억압으로부터 개인의 자유를 극대화하려는 아나키즘적 유토피아도 아닌, 바로 자원과 재화를 효율적으로 동원하고 관리함으로써 국가의 경제성장을 극대화하는 기술관료 유토피아에 다름 아니다.[34]

[32]   Reyner Banham, *Theory and Design in the First Machine Age* (Cambridge, MA: MIT Press, 1980), p. 10.

[33]   Tessa Morris-Suzuki, *Beyond Computopia: Information, Automation and Democracy in Japan* (London: Routledge, 1988), pp. 6-24.

[34]   루이스 멈포드는 유토피아 도시계획의 한 측면을 다소 부정적인 의미에서 기계로 정의했다. Lewis Mumford, "Utopia, The City, and The Machine," *Daedalus* (Spring, 1965): 271-291.

이 책의 4장에서 살펴볼 1970년 오사카 만국박람회는 단게에게 정보화사회 건축의 모델을 구현할 절호의 기회를 제공했다. 그러나 박람회를 기점으로 국가와 건축이 미래의 비전을 공유했던 시대는 종언을 고했다. 1970년대 초 불어닥친 중동발 오일쇼크가 일본 경제를 휘청거리게 했고, 경제성장과 기술 진보를 전제한 정보화사회에 대한 낙관론은 그 사회적 유효성을 상실하게 되었다. 불황으로 대규모 건설 프로젝트들이 한순간에 자취를 감추면서 많은 건축가가 일거리를 잃게 되었다. 더 이상 '국가 건축가'가 할 만한 일을 찾지 못한 단게는 박람회 직후 일본을 떠나 동남아시아와 중동을 위시한 해외로 활동 무대를 옮겼다. 자발적인 망명이라고 해도 과언이 아니다. 물론 1990년대까지도 단게는 도쿄도 신청사(1991), 후지 텔레비전 본사(1995) 같은 굵직한 대형 프로젝트를 맡으며 건재를 과시했지만, 엄밀히 말해 그의 전성기는 일본의 전후 재건기와 고도성장기에 해당하는 1960년대까지였다. 단게 이후로 그 어떤 건축가도 일본이라는 국가와 그 명운을 함께하지 않았다는 점에서, 단게를 전후 일본의 최초이자 최후의 국가 건축가로 불러야 할 것이다.

3장. 메타볼리즘, 신진대사의 건축

메타볼리즘, 전후, 냉전

1960년 5월의 일본은 민주적 절차 없이 감행한 미일안보조약 연
장을 둘러싼 반정부 시위로 연일 시끄러웠다. 그러나 건축가들은
안보투쟁의 사회적 혼란 속에서도 종전 후 일본에서 개최된 최초
의 대규모 국제행사인 세계디자인회의(World Design Confe-
rence 1960)를 성황리에 개최하는 데 여념이 없었다. 루이스 칸,
폴 루돌프, 앨리슨과 피터 스미슨 부부 등 당대 국제 건축계의 스
타들이 총출연한 가운데 열린 세계디자인회의에는 총 26개국에
서 모인 200여 명의 건축가, 디자이너가 참여했고, 한국에서는
김중업, 김희춘, 이희태 3인이 참석했다. 메타볼리즘 그룹은 이 자
리에서 미래도시에 대한 대담한 비전을 담은 선언문을 발표하며
전 세계 이목을 집중시켰다.[1]

　　세계디자인회의 준비는 개최 2년여 전부터 시작되었다.
메타볼리즘 그룹의 실질적인 산파 역할을 한 인물은 단게 겐조
를 도와 히로시마 평화공원 프로젝트에 참여했던 도쿄대학 출
신의 카리스마 넘치는 건축가 아사다 다카시(1921-1990)였다.

[1]　川添登 編, 『Metabolism 1960: 都市への提言 The Proposal for a New
Urbanism』(東京: 美術出版社, 1960).

1959년 미국 MIT에 교환교수로 간 단게를 대신해 세계디자인회의의 실무를 맡은 아사다는 건축 평론가 가와조에 노보루의 도움을 받아 디자인회의에서 일본을 대표할 젊은 건축가들을 소집했다. 이 모임에는 교토대학 출신으로 도쿄대학 단게 연구실에 진학한 구로카와 기쇼, 와세다 출신의 기쿠타케 기요노리, 도쿄대학을 졸업하고 하버드대학에서 유학한 해외파 마키 후미히코, 역시 도쿄대학 출신으로 마에카와 구니오 사무실에서 일하던 오타카 마사토 등 엘리트 건축가들과 그래픽 디자인과 산업 디자인 분야에서 두각을 나타내던 아와즈 기요시와 에쿠안 겐지(1929-2015), 그리고 촉망받는 사진가 도마쓰 쇼메이(1930-2012) 등이 포함되었다. 아사다의 강력한 리더십 아래 이들은 건축뿐 아니라 철학, 예술, 물리학을 아우르는 광범위한 주제를 논의하며 국제행사를 준비했다.

　　　　건축사학자 야쓰카 하지메는 관계망을 뜻하는 '넥서스'(nexus)라는 표현을 통해 메타볼리즘의 독특한 멤버십을 설명한 바 있다. 엄밀한 의미에서 메타볼리즘 그룹의 정식 멤버는 선언문에 참여한 이들에 한정된다. 그러나 메타볼리즘은 단일하고 고정된 실체가 아니라, 다양한 배경과 각기 다른 방법론을 가진 멤버들의 유동적이고 느슨한 모임으로 보아야 한다.[2] 또한 메타볼리즘은 건축가 외에도 건축평론, 디자인, 사진 등 여러 분야의 전문가들이 포진된 간학제적 네트워크이며, 정식 멤버는 아니지만 이들의 주변인과 조력자, 자신을 메타볼리스트의 후예로 자처하는 이들까지 포함한다면 그 범주는 더욱 넓어진다. 단게 겐조와 이소자키 아라타는 그룹에 직접 참여하지는 않았지만 메

[2]　八束はじめ, 『メタボリズム・ネクサス』 (東京: オーム社, 2011).

세계디자인회의 포스터, 1960

『메타볼리즘/1960』 표지

레이너 배넘, 『메가스트럭처』(1976) 표지

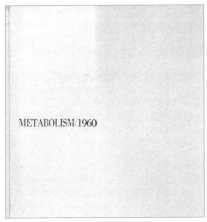

타볼리스트로 오인되는 대표적인 이들이다.

메타볼리즘의 등장과 함께 일본 건축은 이국적인 매력을 어필하는 지역 건축에서 동시대 국제 건축계의 보편적인 이슈를 공유하고, 때로는 선점하기까지 하는 세계적인 건축으로 그 위상을 달리하게 되었다. 일본 건축이 오랫동안 염원했던 '국제적 동시대성'을 메타볼리즘이 획득한 데는 영국의 건축 평론가 레이너 배넘을 비롯해 서구 연구자들의 공이 크다고 할 수 있다. 1976년 출간된 『메가스트럭처』에서 배넘은 메타볼리즘을 영국의 아키그램이나 프랑스의 요나 프리드만 같은 동시대 유럽 건축가들과 메가스트럭처 건축의 중요한 예로 나란히 소개하며 이들을 세계 건축사의 한복판에 자리매김했다.[3]

그러나 메타볼리즘을 1960년대를 풍미한 테크노 유토피아 건축운동의 일부로 보는 관점은 이들을 서구의 기대에 맞게 단순화하는 한계를 갖는다. 역사적인 건축운동으로서 메타볼리즘이 갖는 복합성과 다원성은 전후 일본의 특수한 맥락 속에서만 제대로 이해될 수 있다.[4] 메타볼리즘이 활약한 1960년대의 일본 사회는 한편으로는 비약적인 경제성장을 이룩하며 풍요로운 미래에 대한 장밋빛 희망에 도취되어 있었지만, 다른 한편으로는 패전과 제국의 붕괴, 뒤이은 외세의 점령으로 인한 패배감,

[3] Reyner Banham, *Megastructure: Urban Futures of the Recent Past* (New York: Harper & Row, 1976), pp. 45-57.

[4] 메타볼리즘을 일본의 특수한 맥락 속에서 위치시킨 대표적인 연구로 야쓰카 하지메가 발표한 일련의 저서를 꼽을 수 있다. 이 장은 야쓰카를 비롯한 메타볼리즘에 대한 수정주의 해석을 시도한 일련의 선행연구에 빚지고 있다. 八束はじめ, 吉松秀樹, 『メタボリズム-1960年代 日本の建築アヴァンギャルド』(東京: INAX publisher, 1997); 八束はじめ, 『メタボリズム・ネクサス』(東京: オーム社, 2011); Zhongjie Lin, *Kenzō Tange and the Metabolist Movement: Urban Utopias of Modern Japan* (London: Routledge, 2010).

냉전과 베트남전이라는 현재진행형의 전쟁 상황에 놓여 있었다. 이러한 조건에서 등장한 메타볼리즘은 '유토피아'와 '파국'으로 정의되는 냉전 시대의 독특한 양가적 감수성을 보여준다.[5] 전후 일본 건축의 대명사로서 메타볼리즘의 의의와 유산을 찾는다면, 이는 메타볼리즘이 단순히 고도성장기의 건축적 표상이기 때문이라서가 아니라, 냉전 질서 속에서 전개된 '전후' 일본 사회의 특수한 감수성을 대변하기 때문이다.

신진대사의 건축론

메타볼리즘 운동은 생장, 소멸, 재생의 순환을 반복하는 유기체의 원리를 건축에 도입한 것을 특징으로 한다. '신진대사'라는 뜻의 이 생물학 용어가 그룹명으로 정해진 경위에는 우연적인 요소가 많이 작동한 것으로 보인다. 가와조에 노보루의 회고에 따르면 디자인회의에 선보일 적당한 그룹명을 고심하며 영어사전을 뒤적이다가 우연히 마주친 단어가 '메타볼리즘'이었다.[6] '마르크시즘,' '부디즘,' '모더니즘'처럼 '이즘'(ism)로 끝나는 영어 단어라 국제무대에서도 잘 통할 것으로 여겨졌다는 것이다. 이처럼 '메타볼리즘'이라는 이름은 다소 가벼운 마음으로 정해졌지만, 일단 그룹명이 되고부터 강력한 구속력을 발휘하며 건축의 유연성과 가변성, 성장 가능성을 그룹의 주된 테마로 강조하게 되었다.

[5] David Crowley and Jane Pavitt, *Cold War Modern: Design 1945-1970* (London: V & A Publishing, 2008), p. 14.

[6] 川添登, 大高正人 編, 『メタボリズムとメタボリスト』(東京: 美術出版社, 2005), p. 17.

건축을 고정된 사물이 아니라 성장과 소멸, 재생의 순환을 거듭하는 가변적인 유기체로 간주하는 메타볼리즘의 독특한 건축론은 다음의 세 가지 추동력에 의해 성립되었다. 첫째, 1950년대 후반 CIAM의 헤게모니가 붕괴된 국제 건축계의 동향을 고려할 수 있다. 팀텐으로 대표되는 젊은 세대의 건축가들은 건축의 유연성과 가변성, 활기를 내세우며 기존 CIAM의 경직된 기능주의적 접근을 넘어서고자 했다. 메타볼리즘의 유기체로서의 건축 개념은 이러한 동시대 서구 건축가들과 동일한 관심 속에서 형성되었고, 그 결과 이들은 국제 건축계의 주류로 쉽게 편입되었다.

둘째, 1950년대 일본 건축계에 등장했던 전통과 정체성에 대한 논의, 즉 일본 전통논쟁의 영향을 들 수 있다. 메타볼리즘은 한계에 직면한 모더니즘을 극복할 열쇠를 전략적으로 일본의 전통 사상과 전통 건축에서 찾았다. 현실세계의 모든 것은 매순간 변화한다는 불교의 무상(無想)의 가르침과 생과 사의 수레바퀴가 계속된다는 윤회사상은 메타볼리즘 건축철학의 뿌리로 강조되었다. 나아가 건물 전체를 개비하지 않고 부분별로 교체, 보수할 수 있는 전통 목조건물은 메타볼리즘 디자인의 선례로 제시되었다.[7]

물론 일본 전통에 대한 생각은 메타볼리스트 사이에서도 동일하지 않았다. 일부에서는 메타볼리즘 건축이 서구의 이국적 호기심의 대상으로 소비되는 것에 반감을 드러내기도 했다. 그러나 구로카와 기쇼나 가와조에 노보루 등의 멤버가 중심이 되어 서구의 오리엔탈리즘적 시선을 전략적으로 이용하며 그룹의 국

[7]   Cherie Wendelken, "Putting Metabolism Back in Place," in *Anxious Modernisms*, edited by Sarah Williams Goldhagen and Réjean Legault (Cambridge MA: The MIT Press, 2000), p. 290.

제적인 인기를 견인했다. 구로카와는 불교를 메타볼리즘의 철학적 원류로 내세우며, 인간과 자연, 건축물의 '상생'과 '공존'을 강조한 불교적 세계관을 21세기 정보화사회를 위한 새로운 사유 방식으로 강조했다.[8] 한편 일찍이 전통논쟁의 주역이었던 가와조에는 영구적인 기념비성을 강조한 서구 건축과 차별된 일본 건축의 특징을 가변성과 유연성, 비영구성으로 규정하고 이를 메타볼리즘의 원류로 내세웠다. 특히 그는 20년마다 주기적으로 건물을 헐고 다시 조영하는 이세 신궁의 식년천궁(式年遷宮)의 의례를 메타볼리즘의 순환론적 사유의 중요한 선례로서 강조하며 진보적 시간관에 기댄 서구 모더니즘과 대립각을 세웠다.[9]

셋째, 패전과 폐허를 딛고 막 고도성장기로 들어선 전후 일본 사회의 특수한 맥락이 중요하게 작용했다. 일차적으로, 건축의 가변성과 유연성, 무엇보다도 성장 가능성에 대한 강조는 성장과 팽창의 시대에 적응하기 위한 건축적 대응을 볼 수 있다. 이런 맥락에서 저명한 문예 평론가이자 아사다 다카시의 조카이기도 한 아사다 아키라는 메타볼리즘의 신진대사의 논리가 대량 생산과 대량 소비를 전제로 한 자본의 끝없는 순환과정과 닮았다고 지적한 바 있다.[10] 그러나 무한한 성장과 진보에 대한 낙관론이

---

[8]   Kishō Kurokawa, *New Wave Japanese Architecture* (New York: Wiley & Sons, 1993)

[9]   식년천궁의 이유에 대해서는 다양한 학설이 있지만, 목조의 내구성 연한과 목공의 기술 전승에 필요한 시간을 고려해볼 때 건물을 완벽한 상태로 유지하기 위해 20년마다 파괴와 재생의 과정을 반복한다는 설이 유력하다. 박규태, 「이세 신궁 식년천궁과 천황제 이데올로기: 새로운 신화 만들기」, 『日本思想』 (2014): 27-47.

[10]   Akira Asada, Arata Isozaki, "From Molar Metabolism to Molecular Metabolism," in *Anyhow*, edited by Cynthia C. Davidson (Cambridge, MA: The MIT Press, 1998), p. 65.

메타볼리즘 건축론의 한 축을 이룬다면, 다른 한 축을 이루는 감수성은 임박한 종말과 소멸을 받아들이는 달관적인 태도이다. 성장과 죽음, 재생의 순환론은 원폭과 전쟁으로 대도시가 한순간에 파괴되었다가 재건된 일본의 역사적 경험에서 기인한다. 따라서 메타볼리즘은 흔히 얘기되는 것처럼 테크노 유토피아로서의 면모뿐만이 아니라, 근과거에 경험한 파괴와 근미래에 닥칠 파국을 끌어안고 건축과 도시의 미래를 모색하는 '생존 건축'으로서의 성격을 갖는다.

메가스트럭처 vs. 그룹 형태

메타볼리즘이 건축과 생물의 유비를 토대로 가변적이고 유연한 건축을 지향했다면, 이는 어떤 방식으로 가능했을까? 흔히 메타볼리즘은 메가스트럭처 운동의 아시아 분파로서 논의되지만, 이들의 디자인 방법론은 크게 메가스트럭처적 접근과 그룹 형태(group form)적 접근으로 나누어 설명할 수 있다.

　　메가스트럭처적 접근을 대표하는 작업으로 기쿠타케 기요노리의 〈해양도시〉와 구로카와 기쇼의 〈공중도시〉를 들 수 있다. 메가스트럭처는 도시의 여러 기능을 포괄한 초대형 구조물을 뜻하는 개념으로, 1960년대 들어 국제적인 인기를 끌었다. 메가스트럭처는 단순히 규모의 문제가 아니라, 개개인의 자유를 극대화하면서도 혼란한 도시에 질서를 부여하는 시스템 구축에 관한 고민이다. 이를 위해 건물의 수명과 스케일에 따라 반영구적인 대규모 기간시설과 가변적인 개별 주거를 구분해 전체와 부분의 관계를 체계적으로 재설정한다.

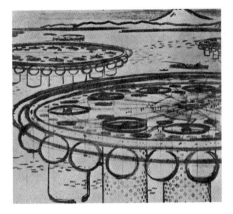
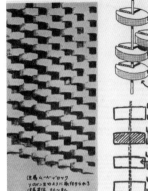

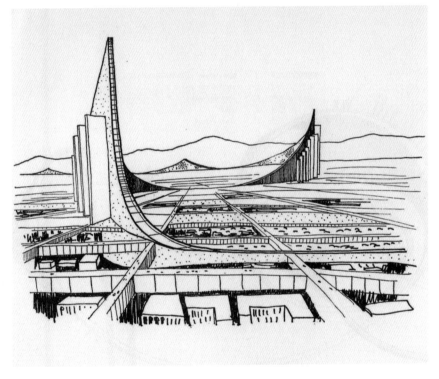

⊞ 기쿠타케 기요노리, 〈해양도시〉, 1958

⊟ 기쿠타케 기요노리, 무브넷, 1960

⊡ 구로카와 기쇼, 〈공중도시〉, 1960

메타볼리즘 선언문 전체 90쪽 분량 가운데 3분의 1 이상을 할애해 상세하게 설명된 기쿠타케의 〈해양도시〉는 바다를 부유하는 철제로 된 거대 인공 섬이다. 500미터 높이의 실린더형 구조물이 각종 기간시설이 집적된 코어 역할을 하고, 여기에는 '캡슐' 또는 '무브넷'(move-net)으로 불리는 규격화된 주거 단위가 부착되어 있다. 기쿠타케는 "계절의 순환에 따라 나무에 새순이 나고, 단풍이 들고, 낙엽이 지듯, 각각의 유닛도 거주민의 생애 주기에 유기적으로 연결되어 선택적으로 추가하거나 제거할 수 있다"라고 설명했다.[11] 최대 25년을 수명으로 상정된 각각의 캡슐은 기존의 캡슐이 낡거나 도중에 거주자의 요구가 변하면 전체 건물의 구조를 바꾸지 않고도 새것으로 교체할 수 있게끔 설계되었다.

　　기쿠타케가 바다 위에 신도시를 건설하고자 했다면, 구로카와는 하늘을 무대로 뻗어나간 〈공중도시〉를 선보였다. 〈공중도시〉는 지면을 수직으로 세운 것 같은 거대한 인공대지인 '벽도시'와 콘크리트 플랫폼 위에 버섯형 주거 단위가 흩어진 '농촌도시'로 구성되어 있다. 기쿠타케와 마찬가지로 구로카와 역시 반고정의 거대 기간시설과 가변적인 단위 주거를 분리해 접근함으로써, 건축의 유연성과 가변성을 증폭시키고자 한다. 그러나 메가스트럭처적 접근은 여전히 도시 인프라가 집적된 반영구적인 거대 구조물을 전제하기 때문에, 변화에 유연하게 적응하지 못하고 멸종될 수밖에 없는 공룡의 운명을 피할 수 없다는 한계를 갖는다. 이러한 관점에서 평론가 귄터 니시케는 "건물들이 더 무겁고 더 딱딱하고 규모 면에서 더 기괴해지는 한, 건축이 권력의 표현수단으

[11]　川添登 編, 『Metabolism 1960: The Proposal for a New Urbanism』, p. 19.

로 받아들여지는 한, 유연성과 변화를 애호하는 구조들에 관한 이야기는 단지 헛소리에 불과하다"며 메타볼리즘을 비판했다.[12]

이에, 한층 더 유연하고 가변적인 건축을 위한 방법론으로 마키 후미히코와 오타카 마사토는 그룹 형태를 공동으로 제안했다. 그룹 형태는 부분과 전체를 이분법적으로 구분하는 대신, 전체를 부분의 집적으로 파악한다. 기쿠타케와 구로카와의 비저너리(visionary) 드로잉이 바다나 하늘이라는 가상의 공간을 배경으로 하고 있다면, 마키와 오타카가 선언문에 발표한 〈그룹 형태를 향하여〉는 도쿄의 신주쿠 역 일대에 인공대지를 도입해 재개발한다는 비교적 현실적인 구상이다. 이들은 위로부터의 전면적인 개발을 강조하는 메가스트럭처적인 접근과 달리, 주민의 필요와 도시의 맥락에 맞게 유연하고 점진적인 적응과 변화를 강조하는 아래로부터의 접근을 지향한다.

마키와 오타카는 기쿠타케와 구로카와로 대표되는 메타볼리즘의 주류인 메가스트럭처적 접근과 선을 그으며 자신들의 디자인 방법론을 체계화했다. 1964년 마키가 발표한 『그룹 형태에 대한 연구』는 그룹 형태에 대한 정교한 구상을 보여준다. 마키는 도시 디자인의 발달 단계를 1) 구성 형태(compositional form), 2) 메가 형태(megaform/megastructure), 3) 그룹 형태(group form)로 구분했다.[13] 구성 형태가 기능주의에 근거한 전형적인 모더니즘 도시계획이라면, 메가 형태는 도시의 여러 기능을 거대한 프레임에 집적시킨 메가스트럭처를 의미하고, 그룹

[12] Günter Nitschke, "Akira Shibuya," *Architectural Design* vol. 36 (March 1966).

[13] Fumihiko Maki, *Investigations in Collective Form* (Saint Louis: Washington University, 1964).

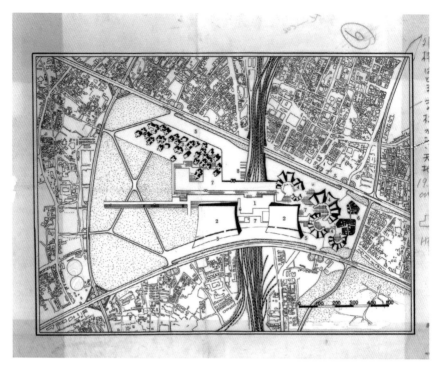

구성 형태   메가 형태   그룹 형태

▪ 오타카 마사토, 마키 후미히코, 〈신주쿠 도심계획〉, 1960

▪ 오타카 마사토, 마키 후미히코, 그룹 형태 다이어그램

형태는 부분과 전체의 구별과 위계가 없는 보다 유연하고 역동적인 도시 모델을 지시한다. 메가 형태(메가스트럭처)가 강력하고 가시적인 질, 즉 '뼈대'를 부여하는 데 관심이 있다면, 그룹 형태는 사회, 문화, 지리 조건과 결부된 도시의 숨겨진 질서를 드러내고자 한다. 마키는 그룹 형태의 특징을 다음과 같이 서술했다.

> 메가 형태는 뼈대 없이는 존재할 수 없다. 뼈대가 성장을 이끌고, 그 정수는 뼈대에 달려 있다. 그룹 형태의 정수는 집합성의 정수, 즉 기능적, 사회적, 공간적으로 통합하는 힘인 경우가 많다. 그룹 형태는 강력한 리더십보다는 사람들 사이에서 나온다는 점을 지적할 필요가 있다. 마을이나 촌락, 시장이 바로 우리가 말하는 그룹 형태이다. 궁전은 그룹 형태가 아니라 구성 형태이다.[14]

마키는 그룹 형태의 모델로 일본의 전통 마을이나 그리스 군도의 군락, 서아프리카 말리의 촌락 등 세계 각지에서 주민들의 필요에 의해 자생적이고 유연하게 생성된 다양한 취락을 꼽았다.

건축가의 권능보다 거주민의 요구와 지역적인 맥락에 방점을 둔 도시계획 수법은 당시 국제 건축계의 중요한 동향 중 하나였다. 제인 제이콥스가 『미국 대도시의 죽음과 삶』(1961)을 출간한 이래, 르 코르뷔지에로 대변되는 모더니즘의 기능주의 도시계획은 전면적인 재고의 대상이 되었다. 특히 1964년 뉴욕 근대미술관(MoMA)에서 열린 버나드 루도프스키의 《건축가 없는 건축》 전시는 "족보 없는 건축"이라고 불린 세계 각지의 다양한 버

[14] 같은 책, p. 19.

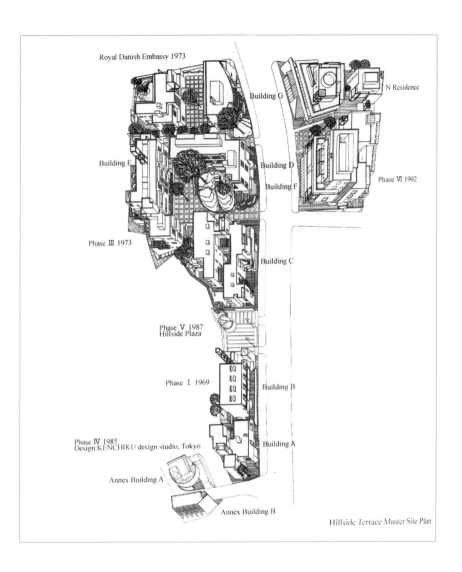

Royal Danish Embassy 1973

Building G

N Residence

Building E

Building D

Building F

Phase VI 1992

Phase III 1973

Building C

Phase V 1987
Hillside Plaza

Phase I 1969

Building B

Phase IV 1985
Design:KENCHIKU design studio, Tokyo

Building A

Annex Building A

Annex Building B

Hillside Terrace Master Site Plan

■□ 마키 후미히코, 힐사이드 테라스, 도쿄, 1969-1992

□■ 마키 후미히코, 힐사이드 테라스, 배치 계획, 1969-1992

내큘러(vernacular) 건축을 모더니즘의 대안으로 제시하며 큰 반향을 일으켰다.[15] 1955년부터 약 10년간 미국에 체류하며 서구 건축계의 동향을 가까이에서 관찰했던 마키는 모더니즘 도시계획에 대한 비판 속에서 그룹 형태를 자신의 방법론으로 발전시켰다.

도시를 구성하는 개별 인자들의 상호 작용과 변화하는 주위 맥락에 방점을 찍은 그룹 형태는 1969년부터 1992년까지 점진적으로 증축된 마키의 주상복합문화시설 힐사이드 테라스에서 열매를 맺었다. 도쿄 다이칸야마 지구에 위치한 힐사이드 테라스는 약 250미터의 대로를 따라 이어지며 도시적 경관을 형성한다. 주민의 요구에 따라 변화와 증식을 거듭하며 7단계에 거쳐 증축된 이 프로젝트는 10미터 높이 제한과 중정과 복도가 반복되며 시퀀스를 만드는 평면 배치를 통해 디자인의 일관성을 획득하는 동시에, 변화하는 건축 법규와 도시환경, 건축 재료와 기술에 유연하게 대응하며 확장되었다.

메가스트럭처냐 그룹 형태냐에 따라 강조점에 차이가 있지만, 메타볼리스트들의 공통된 관심은 도시 인프라가 집적된 인공대지에 관한 것이었다. 사실 철근 콘크리트로 조성된 초대형 인공대지는 메타볼리즘의 하이테크하고 미래주의적인 이미지를 대변했다. 당시 건축계에서 인공대지는 건축가의 허무맹랑한 몽상 이상의 함의를 갖는다. 1962년 국토부의 요청으로 일본 건축학회 내에 인공대지부서가 설립되었고, 메타볼리즘 그룹의 리더 격인 아사다 다카시가 부서 책임을 맡았다. 인공대지를 구현하는

[15]   Bernard Rudofsky, *Architecture without Architects: An Introduction to Non-pedigreed Architecture* (New York: Museum of Modern Art, 1964)

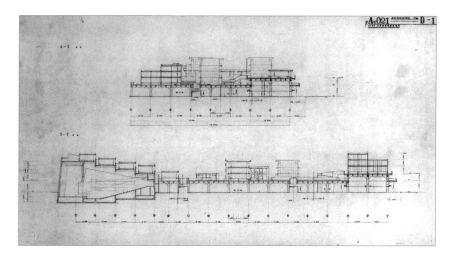

오타카 마사토, 사카이데 인공대지, 전체계획 단면도, 1:200, 1966

오타카 마사토, 사카이데 인공대지, 사카이데시, 제1기 준공 시 부감, 1969

작업에 몰두한 인물은 바로 마키 후미히코와 함께 신주쿠 도심계획을 발표한 오타카 마사토였다. 오타카는 약 200년의 수명을 갖는 콘크리트 구조물을 가스, 전기, 상하수도 시설을 완비한 인공대지로 제공한다면 바다를 매립하지 않고도 합리적인 가격에 새로운 주거 공간을 마련할 수 있다고 주장했다.[16] 1962년 시작되어 1980년대 중반까지 3단계로 점진적으로 확장되며 진행된 오타카의 사카이데 프로젝트는 도심에 실제로 구현된 인공대지의 대표적인 사례이다. 오타카는 지면에 6-9미터의 플랫폼을 세워 위쪽에는 공공주택 단지를 건립하고 아래쪽은 상업 시설과 자동차 도로로 활용하는 방식으로 도심의 슬럼 지구를 정비했다. 복잡하고 협소한 도심에 인공대지를 올려 새로운 삶의 터전을 만든다는 인공대지 안은 단순히 도시 과밀을 해결할 수 있는 여분의 공간을 제공하는 것 이상이었다. 복잡하게 얽힌 도심의 토지 소유 문제에서 벗어나 자유롭게 공적 영역을 제공한다는 점에서 도시계획의 중요한 수법으로 부상했다.

캡슐 건축

메타볼리즘은 인공대지로 대표되는 도시적 규모의 디자인에서부터 캡슐로 불리는 개별 주거 단위에 이르기까지 다양한 스케일의 작업을 선보였다. 1960년 초반 거대한 인공대지가 메타볼리즘 건축을 대표했다면, 1960년대 중반부터는 캡슐이 메타볼리즘의 아

---

[16]   Rem Koolhaas et al, *Project Japan: Metabolism Talks* (Cologne: Taschen, 2011), p. 343.

GK 디자인그룹, 기코만 간장 용기, 1961

GK 디자인그룹, 야마하 YA-1 오토바이

GK 디자인그룹, 엑스포70 모노레일

이콘으로 부상했다. 흔히 캡슐은 일본 특유의 저렴한 초소형 숙박업소의 이미지로 알려져 있지만, 캡슐 호텔과 메타볼리즘 캡슐 간에 직접적인 영향 관계를 찾아보기란 어렵다. 메타볼리즘의 캡슐이란 탈산업화사회에서 주거의 본질을 재고하고, 주거와 도시의 새로운 관계를 설정하려는 진지한 실험으로 보아야 한다.

　　캡슐 개념을 꾸준히 발전시킨 메타볼리즘 멤버로 에쿠안 겐지와 구로카와 기쇼를 꼽을 수 있다. 에쿠안은 한때 가업을 이어 불교 승려의 길을 걸었던 특이한 이력의 소유자답게 모든 사물에 생명을 부여하는 불교적 물활론을 바탕으로 '모노(物)의 철학'을 발전시킨 디자인계의 거물이다.[17] 그는 도쿄예술대학 재학 시절인 1952년 동료들과 함께 GK 디자인그룹을 설립한 이래, 기코만 간장 용기(1961)부터 야마하 오토바이, 신칸센 고속열차에 이르기까지 다양한 스케일의 디자인을 성공시켰다. GK 디자인그룹은 디자인을 경제 진흥 정책의 일환으로 여겨온 전후 일본 디자인사에서 독특한 지위를 차지한다. 이미 1950년대부터 마쓰시다, 캐논, 소니 등 대기업이 디자인실을 도입해 경쟁력 있는 상품 생산에 매진한 것과 달리, GK 디자인그룹은 독자적인 자문 회사로 출발해 기업에 종속된 상품 개발 외에도 자율적인 연구 활동을 계속하며 국제적인 디자인 회사로 성장했다.[18]

　　에쿠안이 메타볼리즘에 합류하게 된 계기는 1955년 도쿄공업대학 주최로 개최된 독일계 건축가 콘라트 바흐스만의 도

---

[17]　모노의 철학에 대해서는 다음을 참조할 것. 栄久庵憲司, 『モノと日本人』(東京: 東京書籍, 1994).

[18]　GK 디자인그룹의 활동에 대해서는 공식 홈페이지 http://www.gk-design.co.jp; 조현정, 「에쿠안 겐지의 일본 도시락의 미학」, 『미술사학』(2013.8): 449-471 참조.

쿄 워크숍이었다.[19] 바흐스만은 제2차 세계대전 전부터 바우하우스의 발터 그로피우스와 함께 규격화와 모듈화를 통한 이동식 프리패브 주택인 패키지 하우스(Packaged House)를 발전시킨 인물이다.[20] 미국으로 이주한 후에도 바흐스만은 패키지 하우스 개념을 도입해 전후 미국의 주거 문제 해결에 앞장섰다. 아사다 다카시가 성사시킨 바흐스만 워크숍은 일본 건축가들이 전통 논쟁에서 벗어나 최첨단 건축기술과 공법에 관심을 갖게 하는 중요한 전기를 마련했다. 특히 패키지 하우스는 주택을 지면에 고정된 영구적인 구조물이 아니라, 최소한의 자원과 공간을 효율적으로 활용해 조립식으로 제작하는 가변적인 도구로 간주했다는 점에서 메타볼리즘의 캡슐 개념에 지대한 영향을 끼쳤다.

비건축가로서는 유일하게 바흐스만 워크숍에 참여했던 에쿠안은 자연스럽게 건축가들과 교유하며 메타볼리즘 운동에 합류하게 되었다. 디자이너로서 그는 캡슐의 내부 공간을 설계하는 한편, 개별 캡슐과 도시 환경 전체를 연계시키는 데 관심을 가졌다. 1964년 미국 카우프만 재단의 후원으로 GK 디자인그룹이 수행한 프로젝트 〈주택에서 도시까지: 도구론 연구〉는 이동식 가구를 기본 단위로 해서 점차 가구들을 조합으로 구성된 캡슐형 주거, 캡슐형 주거의 집적으로 이루어진 도시 환경으로 확장되는 토탈 디자인의 이상을 제시한다. 키트 오브 파트(kit of parts) 방

[19]　실제로 아사다 다카시는 바흐스만 세미나에 대해 다음과 같이 논평하기도 했다. 浅田孝, 「機械時代と建築の進路」, 『建築雑誌』(March 1956): 13-16; 浅田孝, "Konrad Wachsmann," 『近代建築』(December 1960): 68-84.

[20]　패키지 하우스에 대한 연구로는 다음을 참조할 것. Gilbert Herbert, *The Dream of Factory-Made House* (Cambridge, MA: The MIT Press, 1984), pp. 243-298.

식을 도입해 디자인한 캡슐형 주거 코어 하우스는 주택에 필요한 다양한 설비가 집적된 코어를 중심으로 방, 부엌, 욕실, 화장실 등 모듈화된 주거 단위가 거주자의 필요에 맞게 다양한 방식으로 조합되도록 가변성과 유연성을 극대화한 설계다.

에쿠안이 다양한 타입의 캡슐 디자인을 선보였다면, 구로카와는 캡슐을 미래 사회의 새로운 주거형으로 이론화하는 데 몰두했다. 1960년 세계디자인회의 당시 26세에 불과했던 구로카와는 메타볼리즘 그룹에서 가장 젊은 멤버이자, 일본 안팎에서 가장 많은 스포트라이트를 받은 건축가 중 한 명이다. 그는 건축가로서의 재능뿐 아니라 미디어를 영민하게 활용할 줄 아는 스타성을 가진 인물로서, 말년에는 정치가로 변신해 도쿄도지사 선거에 출마하는 이색적인 행보를 보이기도 했다. 구로카와는 캡슐을 '호모 모벤스'(Homo Movens), 즉 끊임없이 이동하는 인간을 위한 주거 형태로 규정했다. 구로카와에 따르면 '호모 모벤스'는 탈산업화사회의 도래와 함께 등장한 신인류인데, 이들의 자유와 이동을 극대화할 수 있는 혁신적인 주택이 바로 캡슐이다.[21] 규격화와 대량 생산을 통해 경제적이고 효율적인 주거를 만든다는 모더니즘의 지향이 메타볼리즘의 캡슐에 와서 유연성과 이동성, 다양성이라는 관점에서 재정의된 것이다.

구로카와의 나카긴 캡슐 타워(1972)는 실제 도시 공간에 지어진 메타볼리즘 건축의 몇 안 되는 예 중 하나이다. 조선소에서 프리패브 공법으로 제작된 총 144개의 규격화된 캡슐은 트럭으로 긴자의 공사현장에 옮겨져 두 개의 대형 철제 프레임에 장착된다. 건물을 구성하는 각각의 캡슐이 낡거나 못쓰게 되면

---

[21]　黒川紀章, 『ホモ·モーベンス-都市と人間の未来』(東京: 中公新書, 1969).

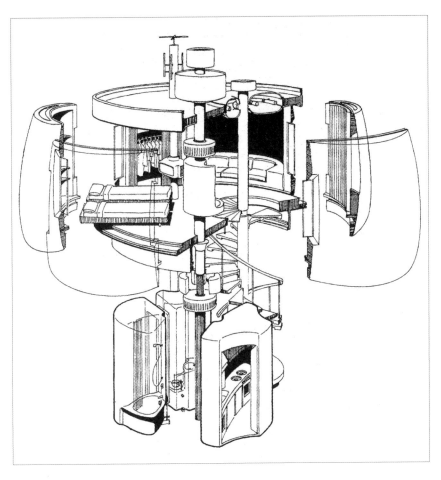

에쿠안 겐지, 코어 하우스, 1964

새것으로 손쉽게 교체할 수 있게 설계함으로써, 다소 즉물적인 방식으로 신진대사의 이념이 구현되었다.[22] 캡슐 유닛을 제작하는 데 도입된 규격화와 프리패브의 수법은 캡슐 내부에 구비된 가구와 설비 생산에도 적용된다. 부엌과 샤워시설, 화장실 등의 기능 단위가 다양한 방식으로 조합되어 현장에서 조립된다. 가로 2.5미터, 세로 4미터에 불과한 각각의 캡슐은 폐쇄 공포를 불러일으킬 정도로 협소하지만, 이를 보상하기라도 하듯 전면에 지름 1.3미터의 커다란 원형 창문이 배치되어 채광을 극대화한다. 최신의 냉난방 설비와 현대식 부엌, 화장실, 샤워시설에 더해, 텔레비전, 카세트, 타자기 등 당시로서는 최첨단의 가전제품과 모던한 가구가 콤팩트하게 빌트인된 내부 공간은 안락하고 위생적인 '마이 홈'에 대한 전후 사회의 이상을 반영한다.

대파국 이후의 미래

진일보한 과학기술을 통해 보다 나은 도시의 미래를 설계하려는 메타볼리즘의 구상은 분명 유토피아적 면모를 갖는다. 그러나 메타볼리스트들이 전쟁의 참상과 폐허를 직접 체험한 세대라는 점을 고려할 때, 이들이 제안한 미래를 단순히 기술 낙관론에 의한 유토피아로 환원시킬 수는 없다. 멤버들은 입을 모아 감수성 예

---

[22] 2020년 현재까지 캡슐 교체는 비용을 이유로 단 한 차례도 이루어지지 않은 채, 건물은 낙후되어 철거 위기에 놓여 있다. 보수, 유지의 어려움과 경제성을 이유로 철거를 주장하는 측과 근대건축 유산을 보존해야 한다는 목소리 사이에서 유기체의 신진대사의 원리를 건축에 도입하고자 한 구로카와의 원래 의도는 퇴색된 듯하다.

구로카와 기쇼, 나카긴 캡슐 타워, 1972

구로카와 기쇼, 나카긴 캡슐 타워 내부, 1972

민한 십 대 시절 겪었던 전쟁과 원폭의 기억이 자신들의 세계관과 건축관에 얼마나 큰 영향을 끼쳤는가를 회고한다.[23]

특히 그룹의 대변인 역할을 한 평론가 가와조에 노보루의 글에는 파괴와 죽음에 대한 메타볼리즘의 불안과 달관의 태도가 잘 드러난다. 가와조에는 자신이 편집장을 맡은 『신건축』을 통해 유령처럼 떠도는 전쟁 트라우마와 격화된 냉전 갈등 속에서 임박한 것처럼 보이는 핵 파국에 대한 불안을 화두로 내놓은 바 있다. 종전 10주년을 맞아 기획한 1955년 8월 『신건축』 특집호가 그것인데, 가와조에는 아사다를 공동 편집자로 초청해 전후 10년간 일본 건축이 걸어온 궤적을 살펴보고 앞으로의 방향을 모색했다. 특집기사로 실린 물리학자 다케타니 미쓰오와 아사다의 대담 「원폭시대의 건축」은 당시 일본 사회에 통용되던 "원자력 시대"라는 표현 대신, "원폭 시대"라는 다소 금기시되었던 용어를 전략적으로 사용하며, 야만의 시대를 살아가기 위한 건축의 사명을 논했다.[24] 가와조에와 아사다는 물론, 반핵운동에 앞장선 물리학자 미쓰오 또한 메타볼리즘 세미나의 단골 연사였다는 점을 고려한다면, 파괴와 폭력으로 점철된 "원폭 시대"에 새로운 문명을 건설할 건축가의 책무에 대한 고민은 메타볼리즘으로 계승된다고 볼 수 있다.

가와조에는 1960년 발표된 메타볼리즘 선언문에 파국의 불안을 보여주는 두 편의 글 「물질과 인간」과 「50년 후의 나의 꿈」을 실었다. 먼저 「물질과 인간」은 "핵전쟁이 온 세계를 덮어버리면 모든 것이 끝날 것이다"라는 불길한 예견으로 시작한

[23]   Rem Koolhaas et al ed, *Project Japan: Metabolism Talks* 참조.

[24]   浅田孝, 武谷三男, 「原爆時代と建築」, 『新建築』 (1955, 8): 77-86.

다.[25] 가와조에는 세계의 종말이 임박했음에도 건물을 짓고 도시를 세우는 행위의 의미는 무엇인지를 자문한다. 글의 말미에서 그는 다음과 같이 신진대사의 과정에서 희망을 찾는다.

> 전인류가 방사성 낙진에 휩쓸려간다 해도, 도시와 마을의 폐허는 우리의 높은 문명의 증거로 남게 될 것이다. **오직 건축가와 디자이너만이 위기의 순간에 낙관주의자가 될 수 있다. 왜냐하면 이들이야말로 인류가 모두 사라진 후에도 오래도록 남을 무언가를 창조하는 이들이기 때문이다.** … 우리는 폐허 속에서 새로운 창조로 이어질 무언가를 만든다. 이것은 우리가 만들어가는 도시의 형태 속에서 찾아져야만 한다. 도시는 쉼 없이 신진대사의 과정을 거치고 있다. (강조는 저자) [26]

파국에 대한 가와조에의 감각은 히로시마와 나가사키의 비극으로 끝난 제2차 세계 대전의 경험에 의해 촉발되어 현재 진형형인 냉전 시대의 갈등 속에서 심화되었다. 그는 일본 제국의 붕괴를 목격하면서 "세계의 종말에 대한 생생한 인상"을 갖게 되었다고 술회했다.[27] 그러나 가와조에의 세계관은 결코 염세주의나 숙명론으로 귀결되지 않는다. 종말은 단순히 끝이 아니라, 새로운 시작과 재생을 알리는 메시아적 구원의 순간이기도 하기 때문이다.

---

[25] 川添登 編, 『Metabolism 1960: The Proposal for a New Urbanism』, p. 48.

[26] 같은 책, p. 49.

[27] Noboru Kawazoe, interviewed with Hiroshi Naito, *INAX REPORT* (July, 2008): 31.

「물질과 인간」이 파국을 맞는 건축가의 자세를 논하고 있다면, 가와조에의 두 번째 글 「50년 후의 나의 꿈」은 종말 이후의 건축(가)의 미래를 시적 언어로 노래한다. 다음 인용한 것은 「50년 후의 나의 꿈」의 전문이다.

나는 조개가 되고 싶다.
나는 조개이다. 나는 껍질을 열고 닫는 것 외에는 아무것도 하지 않는다. 게으른 소년에게는 진정 멋진 세계이다. 곧 모든 것이 기계로 대체될 것이다. 할 수 있는 일은 꿈꾸는 것뿐. 갑자기 나는 멋진 계획을 생각한다.

나는 신이 되고 싶다.
나는 천국의 소리를 들었다. 나는 예언자이고 신 그 자체이다. 나는 건축의 세계에 질서를 부여하며, "보편적인 건축", 즉 드로잉이 입방체이기도 한 4차원 건축을 만들었다. 누가 건축가인가? 오타카 마사토? 기쿠타케 기요노리? 아니면, 구로카와 기쇼? 나야말로 4차원 공간을 정확히 이해하는 사람이다. 나는 신이 될 자격이 있다.

나는 박테리아가 되고 싶다.
'미친', '독단적인', '공상적인'은 나를 수식하는 형용사이다. 신이 되는 것은 좋은 일이 아니다. 아마도 나는 "나 자신"에게 너무 집착했다. 나는 자의식을 버리고 마치 분자처럼 인류와 섞여야 한다. 나는 완벽한 몰아의 경지에 도달해야 한다. 나는 끊임없이 증식하는 박테리아의 세포이다. 몇 세대가 지난 후, 기술의 급진적인 발전으로 모든 사람이 뇌파 수신기를 통해 생각하고 느낀 바를 타인과 직접 소통할 수 있게 된다. 내가 생각하는 것은 모든 사람들이 알게 된다. 이것은 개인의 자의식이 사라지고 인간의 의지만이 남게 된다는 것을 의미한다.[28]

"나는 조개가 되고 싶다", "나는 신이 되고 싶다", "나는 박테리아가 되고 싶다"로 점증적으로 전개되는 「50년 후의 나의 꿈」은 미래사회에서 건축(가)의 존재 의미와 역할이 무엇인가에 대한 성찰을 담고 있다. 가와조에는 기계가 인간의 노동을 대체하게 된 미래 사회에서 건축가는 조개처럼 가만히 꿈꾸는 일만이 남아 있다고 고백한다. 그는 4차원 공간을 디자인하는 전능한 신의 지위를 꿈꿔보기도 하지만, 곧 개체의 자아에 얽매이지 않는 박테리아의 삶을 택한다. 정보통신 기술의 발달로 타인의 생각을 뇌파 수신기로 공유할 수 있는 미래에는 더 이상 개인의 자의식이라는 것이 무의미하게 되기 때문이다.

흥미로운 것은 1958년 방영된 NHK 특집 드라마 제목 「나는 조개가 되고 싶다」를 인용했다는 점이다. 「나는 조개가 되고 싶다」는 전쟁에 징집된 평범한 이발사가 전범 재판에서 사형 선고를 받는다는 내용의 드라마로, 방영 당시부터 화제를 불러일으켰고 이후로도 수차례 리메이크되었다. 사형 집행일을 기다리던 주인공은 천황도 싫고, 군인도 싫고, 그저 깊은 바다의 조개가 되고 싶다는 유서를 남긴다. 여기서 '조개'의 메타포는 전체주의와 전쟁에 대한 저항과 함께, 일본인을 전쟁의 가해자가 아니라

[28] 川添登 編, 『Metabolism 1960: The Proposal for a New Urbanism』, p. 50-51.

피해자로 보려는 전후의 정서를 나타낸다.[29] 가와조에는 일본인의 마음을 대변한 이 드라마 제목을 인용하며, 건축의 운명을 전후 사회의 실존적 조건 속에 위치시키고자 했다.

다소 수수께끼같이 전개되는 「50년 후의 나의 꿈」을 이해하기 위해서는 거의 같은 시기에 출간된 가와조에의 책 『건축의 멸망』(1960)을 함께 들여다볼 필요가 있다.[30] 인류 문명사의 관점에서 건축의 장대한 역사를 서술한 이 책에서 가와조에는 사회주의 역사발전 도식을 적용해, 기술 혁명과 정치 혁명이 이집트 피라미드나 중세의 고딕 성당처럼 소수의 특권층을 위한 건축의 '멸망'을 가져왔다고 설명했다. 가와조에의 전망에 따르면, 기존의 기념비 건축이 '멸망'하고 난 후, 역사의 주체로 부상한 민중을 위해 정보통신 네트워크가 새로운 건축으로 출현할 것이다. 이 책은 발간 직후 논란의 대상이 되었다. 단게는 이 책에 대한 서평에서 가와조에가 예측한 기술 혁신의 미래상과는 무관하게, '멸망'이라는 단어가 갖는 과격함에 불편함을 표하며, 저자의 결정론적이고 숙명론적인 태도를 비판했다.[31] 폐허로부터 일본의 도시를 재건하는 것을 자신의 사명으로 받아들인 국가 건축가로서의 단게의 입장과, 생성과 성장에 더해 소멸과 재생의 과정을 강조한 가와조에의 입장차가 단적으로 드러나는 대목이다.

파국의 시나리오는 가와조에가 1961년 1월 『건축문화』에 발표한 짧은 에세이 「대동경 최후의 날」에서 보다 구체적으

[29] 「나는 조개가 되고 싶다」에 대한 분석으로는 다음의 책을 참조할 것. 고영란, 『전후라는 이데올로기』, 김미정 옮김 (현실문화, 2013) 참조.

[30] 川添登, 『建築の滅亡』 (東京: 現代思潮社, 1960).

[31] 丹下健三, 「建築の滅亡に事寄せて」, 『近代建築』 (1961, 1): 13.

로 개진된다.[32] 이 글은 가까운 미래에 자연의 신진대사가 균형을 잃게 되면서, 기후가 상승하고 해수면이 올라가 일본이 바다 밑으로 침몰할 것이라는 내러티브를 담고 있다. 긴박하게 묘사된 종말의 풍경에 기쿠타케의 〈해양도시〉와 구로카와의 〈벽도시〉가 마치 노아의 방주처럼 침몰의 순간 인류를 구조하는 생존 건축으로 삽입되었다.

사실 종말론적 감수성은 가와조에게만 국한된 것이 아니라 전후 일본을 규정하는 독특한 감수성 중 하나로 볼 수 있다. 역시 '침몰'이라는 모티프를 통해 섬나라 일본의 종말을 묘사한 SF 소설가 고마쓰 사쿄의 『일본 침몰』(1973)이 공전의 베스트셀러가 된 것도 이러한 맥락에서이다. 가와조에와 고마쓰의 글의 플롯이 갖는 공통점은 단순한 우연은 아니다. 이들은 1968년 설립된 일본미래학회의의 창립 멤버로서 일본의 미래상을 모색해왔고 1970년 오사카 만국박람회에서는 미래를 주제로 한 전시를 함께 준비하는 등 지적 파트너로서 오랫동안 관계를 맺어왔다.[33] 고마쓰는 1964년부터 시작된 『일본 침몰』의 집필 동기에 대해 다음과 같이 설명한다.

원래 이 작품을 쓰기 시작한 것은 도쿄 올림픽이 열린 1964년부터이다. 전쟁에서 비참하게 패전하고 겨우 20년이 지났을 뿐인데도 고도성장으로 들떠 있었던 일

---

[32] 川添登, 「大東京最後の日」, 『建築文化』 (1961, 1): 5-12.

[33] 고마쓰 사쿄와 메타볼리스트들의 교류와 협력에 대해서는 다음을 참조할 것. William O. Gardner, "The 1970 Osaka Expo and/as Science Fiction," in *Review of Japanese Culture and Society* XXIII (December 2011): 26-50.

■ 가와조에 노보루, 「대동경 최후의 날」, 『건축문화』(1961.1)에 수록

■ 「일본 침몰」 영화 포스터(1973)

본에 대해 경종을 울리고 싶었다. 국토를 잃고 모두가 죽을 각오를 하고 있었던 일본인이 (겨우 20년 지난 지금) 마치 전쟁조차 없었던 것처럼 행동하는 게 세계로부터 어떻게 비추어질 것인가를 생각했다.[34]

고마쓰와 가와조에가 그린 최후의 풍경은 전후 사회가 누리고 있는 풍요와 성장이 영원하지 않을 수 있다는 일종의 경고로 읽힌다.

생존 건축으로서의 메타볼리즘

위기와 파국의 감수성은 가와조에의 글뿐 아니라 메타볼리즘의 디자인에서도 찾아볼 수 있다. 실제로 메타볼리즘의 인공대지 구상에서 방재(防災)는 가장 중요한 고려 사항 중 하나였다. 기쿠타케 기요노리가 〈해양도시〉의 일환으로 제안한 〈고토만 계획〉(1961)은 홍수와 태풍으로 인한 범람으로 주기적인 피해를 겪는 도쿄만의 저지대 고토 지구를 안전한 주거지로 만드는 대표적인 방재 프로젝트이다. 그는 가로세로 200미터 규모의 격자형 플랫폼을 만들고, 그 위에 실린더 형태의 고층 구조물을 올림으로써 침수 피해를 최소화하고자 했다. 〈고토만 계획〉을 평한 가와조에 노보루는 "지면이 가라앉아도 이 광대한 플랫폼은 물에 뜰 것이다"라고 설명하며, 그 생존 건축으로서의 면모를 강조했다.[35]

　　한편 구로카와의 〈농촌도시〉는 1959년 일본을 강타한

---

[34]　小松佐京, 谷甲州, 「あとがき」, 『日本沈没 第二部』 (東京: 小学館, 2006). 권혁태,
『일본의 불안을 읽는다』 (교양인, 2010), p. 265에서 재인용.

이세만 태풍이라는 특정한 역사적 재난에 대한 대응으로 시작되었다. 이세만 태풍은 5000여 명의 사망자와 그보다 훨씬 많은 부상자, 막대한 건조 환경의 파괴를 초래하며 고도성장기에 막 진입한 일본 사회에 좌절감과 큰 충격을 안긴 자연재해였다. 당시 태풍 피해가 극심했던 나고야의 본가에 거주하고 있었던 구로카와는 들이치는 물을 피해 가족과 함께 2층으로 피신했던 경험을 살려 필로티 위의 세운 〈농촌도시〉를 제안했다.[36] 지면에서 수 미터 떨어진 플랫폼 위에 마을 전체를 올려놓은 〈농촌도시〉는 범람의 순간에 마지막 보루가 된다.

이처럼 바다와 하늘에 새로운 도시를 건설한다는 메타볼리즘의 대담한 구상은 기술과 진보에 대한 자신감만큼이나 섬나라 일본이 갖는 근원적인 불안에 의해 추동되었다. 사면이 바다로 둘러싸인 일본은 국토의 80퍼센트가 산지로 덮여 있어 도시의 인구 밀도가 대단히 높고, 지진, 쓰나미, 화산 폭발, 태풍 등의 자연재해의 피해에 노출되어 있다. 전후의 급속한 인구 증가와 도시화, 아시아 식민지의 상실, 이에 더해 주기적으로 찾아오는 자연재해는 삶의 터전이 사라질지도 모른다는 위기감을 부채질하며 새로운 땅에 대한 메타볼리즘의 열망을 키웠다.

파국에 대한 위기감과 생존에 대한 강박은 캡슐 건축에도 나타난다. 캡슐의 원형은 전투기의 비좁은 조종석이나 유인 우주선처럼 극단적인 외부의 위험으로부터 개인을 지켜주는 밀폐된 공간에서 찾을 수 있다. 구로카와는 1968년 발표한 캡슐 선

[35] Noboru Kawazoe, "A New Tokyo: In, On, or Above the Sea?" *This is Japan* 9 (1962): 62-64.

[36] Noboru Kawazoe, "The City of the Future," *Zodiac* 9 (1962): 105.

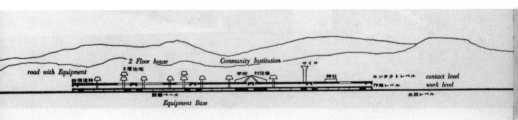

구로카와 기쇼, 농촌도시, 1960

언문에서 미소 냉전의 격전지였던 우주의 레토릭을 사용해 다음과 같이 캡슐의 특징을 설명한다.

> 캡슐은 사이보그 건축이다. 인간, 기계, 우주가 대립을 넘어선 하나의 새로운 유기적 신체를 만든다. … 여기서 캡슐과 분리된 내용물 자체는 아무 의미도 없는데, 우주선이 그 대표적인 예이다. 캡슐은 우주인을 우주의 높은 열이나 다른 위험으로부터 지켜주는데 이는 커피를 담는 용기와는 근본적으로 그 성격이 다르다. 그 자체가 특별한 환경이 되기 때문이다. 작은 흠집이라도 나면 캡슐 내부의 평형상태가 흔들려 완벽히 통제된 환경이 파괴된다. **캡슐과 그 내부 생명체는 서로에게 자신의 생존을 의지한다.**(강조는 저자)[37]

같은 글에서 구로카와는 우주 시대의 생존 논리를 정보화사회의 생존 투쟁으로 치환했다. 즉, 우주선이 외계의 위협으로부터 우주인을 지켜주듯, 캡슐은 원하지 않은 정보나 불필요한 정보로부터 개인을 지켜줌으로써 개인의 주체성과 독립을 보장해야 한다는 것이다.[38]

사실 생존에 대한 관심은 메타볼리즘뿐 아니라, 동시대 서구 건축가들의 비저너리 작업에서도 찾아볼 수 있다. 예를 들어, 미국의 발명가이자 건축가 버크민스터 풀러의 지오데식 (geodesic) 돔은 콤팩트한 군수용 시설로부터 시작해 스모그 방

---

[37]   Kishō Kurokawa, *Metabolism in Architecture*, p.75.
[38]   같은 책, p. 82.

패막으로 설계되거나 생태계의 지속가능성을 실험하는 초대형 인공 환경으로 발전했다. 영국의 건축그룹 아키그램 역시 캡슐의 공기막 구조물을 통해 환경오염과 핵전쟁 등으로 인한 위기로부터 개인의 안전과 자유를 지키는 데 관심이 있었다.[39] 케네스 프램튼은 캡슐 구조물에 대한 열광을 최소 주거에도 못 미치는 잔인할 정도로 좁은 공간에서 나르시시즘적인 제스처를 연기하는 데 불과하다고 지적했다.[40] 실제로 반문화 조류 속에서 1960년대 후반 앤트 팜 같은 전위그룹이 급진적인 액티비즘을 선보이기 전까지 생존에 대한 건축가들의 관심은 외부의 위험과 차단된 안락하고 안전한 자족적인 사적 공간에 머무는 한계를 갖는다.

메타볼리즘의 캡슐은 생존을 위한 은신처라는 점에서 냉전 시대의 특수한 건축 형태인 방공호와 비견될 수 있다. 냉전 갈등이 격화되던 1960년을 전후해 미국 중산층 사이에서는 핵전쟁을 대비해 자기 집 안마당에 지하 벙커를 만들고 다량의 통조림과 생필품, 비상 의약품 등을 빼곡히 채워 넣는 가정용 방공호 붐이 일었다. 케네디 대통령이 직접 나서 소련의 핵 공격으로부터 살아남기 위해 가정마다 개인 방공호를 세울 것을 독려하기도 했다.

방공호 건설 붐은 단순히 냉전 체제가 조장한 불안과 공포의 산물로만 볼 수는 없다. 방공호는 잉여의 공간과 물자를 가능케 한 전후의 풍요를 반증하는 것이기도 했다. 1960년 미국 장식가협회와 민방위청이 공동으로 기획한 방공호 박람회는 생존

[39] 아키그램의 생존 건축으로서의 면모는 다음의 책을 참조할 것. Simon Sadler, *Archigram: Architecture Without Architecture* (Cambridge, MA: The MIT Press, 2005), pp. 90-117.

[40] 케네스 프램튼, 『현대건축: 비판적 역사』, 송미숙 옮김 (마티, 2017), p. 541.

만을 위한 음울한 건물이 아닌, 쾌적하고 흥미로운 건물로서 방공호의 가능성을 모색하기도 했다. 당시의 인테리어 잡지들은 앞다투어 방공호 건설을 일종의 DIY(do it yourself) 취미로 소개하며 소비를 조장했고, 이색적인 경험을 위해 방공호로 신혼여행을 가는 커플의 사례가 미디어에 소개되기도 했다.[41] 이런 맥락에서 프랑스 철학자 기 드보르는 전후의 방공호 붐을 핵전쟁의 공포와 소비사회의 풍요가 공존하는 냉전 체제의 산물로 설명했다.[42]

　　　전후 일본에서는 미국에서와 같은 방공호 붐은 존재하지 않았다. 그 이유로 일본이 소련의 핵 공격의 직접적인 목표가 아니었다는 점과 함께, 아직 미국처럼 풍요로운 대중 소비사회에 본격적으로 진입하지 못했던 점을 들 수 있다. 그러나 방공호라는 특수한 건물 유형은 핵폭발에 대한 생생한 기억을 가진 일본인의 정서에 깊은 인상을 남겼다. 칸 영화제 경쟁부문에 초청된 구로사와 아키라(1910-1988) 감독의 영화「산 자의 기록」(1955)은 핵전쟁이 임박했다고 믿는 피해망상의 노인 나카지마가 마당 한편에 방공호를 파며 서서히 미쳐가는 과정을 그린다. 구로사와의 영화가 전쟁 트라우마와 싸우는 전후 일본의 모순과 비극을 보여준다면, 전위미술집단 하이레드센터의 퍼포먼스 〈셸터 프로젝트〉(1964)는 냉전체제를 지속시키는 핵에 대한 과도한 불안과 공포에 대한 비판이다. 하이레드센터는 플럭서스

[41]　Sarah A. Lichtman, "Do-it-Yourself Security: Safety, Gender, and the Home Fallout Shelter in Cold War America," *Journal of Design History*(2006): 39-55.

[42]　Guy Debord, "The Geopolitics of Hibernation," in *The Situationists and the City*, edited by Tom McDonough (London: Verso, 2010), p. 201. 이 글의 원출처는 *Internationale Situationniste* 7 (April 1962): 3-10.

TEMPORARY BASEMENT FALLOUT SHELTER

버크민스터 풀러, 몬트리올 바이오스피어 환경 미술관, 몬트리올 엑스포, 1967

방공호 내부

영화 「산 자의 기록」 포스터, 1955

(Fluxus)의 대표 주자 백남준, 구보타 시게코, 오노 요코 등을 도쿄의 제국호텔로 초대해 참가자들의 개인 맞춤용 방공호를 제작하기 위해 신체 각 부위를 측정하는 퍼포먼스를 진행했다. 참가자의 키와 몸무게 같은 기본 정보는 물론, 입안에 가득 채울 수 있는 물의 양까지 꼼꼼하게 측정하는 이 과장적이고 우스꽝스러운 퍼포먼스는 안보라는 이름으로 개인의 신체에 행해지는 권력의 남용을 풍자한다. 맞춤용 주문제작 방공호는 오직 특권층에게만 허락된 사치품이지만, 동시에 인간의 신체를 극도로 비좁고 통제된 공간에 구속하는 관과 같은 공간이기도 하다. 메타볼리즘 캡슐과 방공호는 풍요로운 소비사회의 꿈과 암울한 생존 건축으로서의 측면이 공존한다는 점에서 둘 다 '유토피아'와 '파국'으로 정의되는 냉전 시대의 양가성을 체현한다.[43]

메타볼리즘의 유산

메타볼리즘이 그룹으로 활동한 시기는 그리 길지 않았다. 1960년 세계디자인회의에서 메타볼리즘 선언문을 공동으로 발표한 이후, 두 번째 책자를 발간하기 위해 몇 차례 회의를 진행했지만 결국 무산되었다. 이후 그룹 활동은 시들해지고 멤버들은 건축가로서 각자의 길을 걷게 되었다. 메타볼리즘 멤버들이 다시 모이게 된 계기는 그룹 결성 10년 후인 1970년 개최된 오사카 만국

---

[43] 방공호를 냉전 시대의 양가성을 체현하는 건축으로 보는 시점은 다음의 연구에서 온 것. Tom Vanderbilt, *Survival City: Adventures Among the Ruins of Atomic America* (New York: Princeton Architectural Press, 2002): pp. 96-155.

박람회였다. 엑스포 타워, 다카라 뷰티 파빌리온, 캡슐 하우스 등 캡슐 디자인을 통해 박람회장에 구현된 메타볼리즘의 미래주의적인 건축은 다시금 전 세계의 이목을 끌기에 충분했다. 그러나 1970년대 초 일본 경제를 강타한 오일쇼크는 지속적인 성장을 전제한 메타볼리즘을 시대착오적인 과거의 유물로 만들어버렸다.

박람회를 끝으로 그룹으로서 메타볼리즘의 활동은 사실상 종료되었다. 그러나 메타볼리즘이 가진 신화로서의 지위는 현재까지도 공고하다. 1960년대 20-30대의 젊은 건축가였던 멤버들이 모두 일본 건축을 대표하는 세계적인 거장으로 성장했고, 건축가가 아닌 가와조에 노보루, 에쿠안 겐지, 아와즈 기요시, 도마쓰 쇼메이도 각각 자신의 분야에서 뚜렷한 족적을 남겼다. 메타볼리즘 이후 세대의 건축가들은 메타볼리즘은 비판적 계승의 대상으로 삼거나 이들과 대립각을 세우며 건축사의 계보 속에 자신의 위치를 정립시켰다. 일례로 1970년대 등장한 건축가들은 '포스트 메타볼리즘'을 표방하며 고도성장기 이후 건축의 방향을 모색하기도 했다.

최근까지도 건축가들은 다양한 방식으로 '메타볼리즘'을 전유하며 변화한 시대적 조건에 맞게 그 함의를 갱신하고 있다. 2010년 베니스 비엔날레 일본관은 '도쿄 메타볼라이징'을 주제로 한 전시를 선보였다. 이 전시는 도시를 유기체로 본 메타볼리즘의 교훈을 계승했지만, '보이드 메타볼리즘'이라는 개념을 통해 메가스트럭처를 강조한 톱다운 방식의 접근 대신 작게 분절된 요소들이 서로 관계를 맺으며 보텀업 방식으로 도쿄가 생성하는 과정을 강조했다.[44] '신메타볼리즘'을 표방한 젊은 건축가 후지무라 류지(b. 1976)는 건축가의 도시적, 사회적 역할을 회복하는 것이야말로 메타볼리즘의 DNA를 계승하는 길이라고 여겼다. 그러나 불황과 긴축의 시대인 현시점에서 메타볼리즘의 교훈은 무한한 성장보다는 쇠퇴와 소멸, 그리고 재생의 순환과정을 받아들이는 데 있다고 여겼다. 거대한 도시적 비전을 제안한 선배 세대와 달리 지역 공동체와 협력해 낙후된 도시 인프라와 건물들을 보수하고 재건하는 '사회 건축가'(social architect)로서의 역할을 제안했다.[45]

2011년 동일본을 강타한 대지진과 쓰나미, 원전사고는 메타볼리즘에 대한 관심을 재점화하는 중요한 전기를 마련했다. 메타볼리즘이 주창했던 신진대사의 교훈이 재난으로 폐허가 된 일본 도시의 재생을 위한 생존 전략으로 소환되었기 때문이다. 메타볼리즘 결성 50주년을 맞아 2011년 모리 미술관에서 대대적으로 개최된 메타볼리즘 회고전은 과거 일본의 재건에 앞장섰던 메타볼리스트들의 용기가 포스트 3·11 시대에 특별한 울림을 갖는다며 전시의 시의성을 강조하기도 했다.[46] 메타볼리즘의 유산은 일본의 특수한 맥락에서 벗어나 국제 건축계의 화두인 생태주의 건축이나 지속 가능한 건축에 관한 논의에서도 지속된다. 특히 기후 변화로 인한 지구 위기의 시기인 인류세(Anthropocene) 시대에 신진대사의 건축론은 새로운 건축 모델로 재조명되고 있다. 메타볼리즘은 현재진행형의 건축운동이다.

[44]   Koh Kitayama, Yoshiharu Tsukamoto, Ryue Nishizawa eds., *Tokyo Metabolizing* (Tokyo: World Photo Press, 2010).

[45]   藤村龍至, 『批判的工学主義の建築:ソーシャル・アーキテクチャをめざして』(東京: NTT出版, 2014).

[46]   Hajime Yatsuka, "The Structure of This Exhibition: The Metabolism Nexus' role in Overcoming Modernity," in *Metabolism: The City of the Future*, edited by Mori Museum (Tokyo: Mori Art Museum, 2011), p. 10.

4장. 1970년 오사카 만국박람회, 정보화 시대의 도시

박람회와 미래도시

1970년 3월, 간사이의 중심지 오사카에서는 '인류의 진보와 조화'를 주제로 비서구권 최초로 만국박람회가 개최되었다. 냉전 갈등의 와중에도 미·소 양 진영에서 총 77개국이 참여했고, 일본 전체 인구의 3분의 2에 해당하는 6400만 명의 관람객이 다녀가는 전례 없는 흥행을 기록했다. 박람회는 1964년의 도쿄 올림픽과 함께 전후 재건과 경제성장의 눈부신 성과를 일본 안팎에 과시하는 무대였다. 고도성장기의 정점에서 개최된 오사카 만국박람회는 일본의 좋았던 시절에 대한 향수를 뜻하는 '쇼와(昭和) 노스탤지어' 현상의 정점에 자리한다. 1990년대 이후 경기 불황이 장기화되고 사회 불안과 불만이 가중되면서, 그 반대급부로 내일에 대한 장밋빛 희망으로 넘쳐났던 과거가 영화, 드라마, 만화 등 다양한 대중문화를 통해서 일종의 판타지로 생산, 소비되는 것이다.

오늘날에는 만국박람회가 고도성장기에 대한 향수를 자극하는 그리움의 대상으로 추억되지만, 당시 일본 사회는 대학 투쟁과 베트남 전쟁 반대 시위, 그리고 미일안보조약 재개정을 둘러싼 정치적인 갈등이 최고조에 달해 있었다.[1] 1970년을 전후해 들끓었던 일련의 정치 투쟁은 종전 후 4반세기가 지났음에도 불구하고 일본 사회가 여전히 전쟁의 그림자에서 벗어나지 못하고 있음을 드러냈다. 이러한 갈등 속에서 문화예술계는 박람회에 협력한 찬박(贊博)파와 박람회 자체를 반대하는 반박(反博)파로 양분되었다. 급진적인 미술운동집단 비교토(美共鬪)는 박람회에 참여한 예술가들을 제2차 세계대전 당시 전쟁에 동원된 '전쟁 화가'와 다를 바 없다고 비난했다.[2] 국가와 전위의 대결이라는 단순화된 이분법적 구도 속에서 박람회에 참여했던 문화예술인들은 국가에 '동원'된 수동적인 피해자, 또는 권력에 '공모'한 배신자로 폄하되었고, 박람회 예술은 평가절하되었다.[3]

이러한 관점은 건축사 서술에도 적용되었다. 건축사학자 야쓰카 하지메는 박람회 건축을 "모더니즘 건축의 장송곡"이자 포스트모던 건축의 서막을 알리는 일본 건축사의 중대한 역사적 전환점으로 규정했다.[4] 일본에서 본격적인 모더니즘 건축의 출발은 1920년 분리파 건축회 결성과 함께 논의되곤 한다. 첨단 재료와 공법의 도입, 기능주의와 국제주의를 특징으로 하는 모더니즘 건축은 전쟁 시기에는 반일본적이고 반애국적인 양식으로 여

[1] 오사카 만국박람회를 둘러싼 일본 사회의 갈등에 관해서는 다음을 참조할 것. 요시미 순야, 『만국박람회 환상』, 이종욱 옮김 (논형, 2007).

[2] 美共鬪, 「美術家えの提唱」(1969. 7. 5.), 등사판으로 출판된 이 글은 Reiko Tomii, "Concerning the Institution of Art: Conceptualism in Japan," *Global Conceptualism: Points of Origin 1950-1980s* (New York: Queens Museum of Art, 1999), p. 23에 재수록.

[3] 사와라기 노이는 전시의 군국주의 정권이 그랬던 것처럼 전후 민주주의 정권도 각 분야의 지식인과 기술자, 예술가를 박람회라는 국가행사에 '동원'했다며 오사카 만국박람회를 제2차 세계대전의 재판(再版)으로 규정했다. 椹木野衣, 『戰爭と万博』(東京: 美術出版社, 2005), p. 63.

[4] Hajime Yatsuka, "Architecture in Urban Desert: A Critical Introduction to Japanese Architecture After Modernism," *Oppositions* (Winter 1981): 8-10.

오사카 만국박람회 전경.
왼쪽 캡슐 구조물이 기쿠타케 기요노리의 다카라 뷰티 파빌리온

기쿠타케 기요노리, 엑스포 타워, 1970

겨져 잠시 주춤했지만, 전후 재건의 필요성과 국제화의 요구 속에서 다시 건축계의 패권을 차지했다. 그러나 1970년대 들어 과학기술 낙관론에 근거한 유토피아주의를 골자로 하는 모더니즘 건축은 냉소주의와 상업주의, 절충주의를 특징으로 하는 포스트모던 건축의 등장에 의해 도전받게 되었다. 모더니즘과 포스트모더니즘이라는 거대 담론의 경합 속에서 박람회 건축은 상업주의적이고 키치적인 포스트모던 건축의 범람을 예고하는 부정적인 사건으로 해석되었다.[5] 이렇듯 전위와 국가 권력의 대결, 모더니즘과 포스트모더니즘의 경합이라는 도식 속에서 박람회 건축이 보여준 다양한 비전과 실험은 오랫동안 정당한 평가를 받지 못했다.[6]

이 장에서는 오사카 만국박람회를 경제성장과 기술 진보가 가져온 급격한 사회 변동에 대응해 미래도시의 모델을 제시하려는 중요한 시도로 재평가하고자 한다. 1851년 런던 만국박람회를 시작으로 유럽과 미국에서 널리 개최된 만국박람회는 전통적으로 최첨단 기술의 성과를 과시하고 스펙터클한 미래 사회의 비전을 선보이는 장이었다. 근대화의 후발국인 일본은 1862년 런던 박람회에 처음 참여한 이래, 오랜 역사와 전통을 가진 유서 깊은 문명국의 이미지를 표방하는 데 주력해왔다. 그러나 자국에서 열린 1970년 오사카 만국박람회에서는 초현대적인 미래도시를 주제로 기술 강국으로서의 이미지를 선보였다. 전후 폐허로

[5] 오사카 만국박람회 건축에 대한 비판적인 연구로 다음을 들 수 있다. Zhongzie Lin, *Kenzō Tange and the Metabolist Movement: Urban Utopias of Modern Japan*, pp. 224-229; 布野修司, 『戦後建築の終焉-世紀末建築論ノート』(東京: れんが書房新社, 1995), pp. 227-245.

[6] 오사카 만국박람회 예술의 실험적인 면모를 재평가하고 박람회를 둘러싼 다양한 목소리를 복원하려는 중요한 연구로 *Review of Japanese Culture and Society* (December 2011)을 들 수 있다.

부터 성공적인 부흥을 일궈낸 일본의 자신감이 드러나는 대목이다. 박람회장에 미래도시의 압도적인 스펙터클을 구현한 이들은 전후 부흥기와 고도성장기 일본의 건축문화를 견인한 건축가들이다. 단게 겐조, 메타볼리스트, 이소자키 아라타 등 박람회의 주역들은 1960년대를 통해 미래도시에 대한 다양한 비전을 발전시켜온 장본인이기도 하다. 이들에게 박람회는 막대한 자본과 기술력, 국가 권력의 지원을 통해 자신들이 오랫동안 꿈꿔왔던 미래도시를 현실화할 수 있는 절호의 기회로 여겼다.

미래학의 시대

그렇다면 건축가들은 오사카에서 어떠한 미래도시의 비전을 보여주고자 했을까? 1970년 5월, 박람회 특집으로 기획된 『신건축』 대담에서 박람회 총괄 건축가를 맡은 단게는 만국박람회의 목표가 정보화사회에 적합한 건축과 도시의 새로운 모델을 제안하는 데 있음을 분명히 했다.

산업화사회의 무대에서 박람회는 물리적인 사물, 예를 들어 기술과 과학, 공학의 성과를 과시한다는 문화적, 역사적 중요성이 있었다. 그러나 이러한 형태의 박람회는 '정보화사회'로 진입하는 현대사회에서는 큰 의미를 갖지 않는다. 하드웨어를 전시하는 것이 아니라, 소프트웨어 같은 환경을 창조하는 것이 더욱 의미 있는 일이 될 것이다. 사람들이 한데 모여 직접 소통하며 우리의 문

화와 비물질적인 전통을 교환해야 한다.[7]

앞으로 도래할 미래 사회를 '정보화사회'로 진단하고, 이에 적응하기 위해 하드웨어가 아니라 소프트웨어적인 환경의 필요성을 강조한 것은 결코 단게 혼자만의 견해는 아니었다. 경제학자 하야시 유지로의 저서 『정보화사회: 하드 사회에서 소프트 사회로』(1969)가 베스트셀러가 되면서, 산업사회와 후기산업사회를 구분하기 위한 개념으로 '하드'와 '소프트'라는 용어가 널리 사용되기 시작했다.[8] 하야시는 정보 기술이 중심이 될 미래 사회를 '소프트 사회'로 규정하고, 감성과 문화를 기반으로 하는 서비스 산업을 '소프트 산업'의 예로 소개했다.

　　　1960년대는 일본뿐 아니라 전 세계적으로 미래학의 시대였다. '후기산업사회', '탈공업화 사회', '3차 산업혁명', '정보화사회' 등 다양한 개념이 앞으로 도래할 사회를 예견하며 경합했다. 미래학 논객들은 기술 발달로 인한 자동화와 기계화가 인간을 노동으로부터 해방시키고 더 많은 여가와 자유, 풍요를 가져올 것이라는 낙관론을 펼쳤다. 캐나다의 미디어 학자 허버트 마셜 매클루언은 『미디어 이해』(1964), 『미디어는 메시지다』(1967) 같은 일련의 베스트셀러를 통해 미디어와 정보 기술의 발전이 서구 문명 전반에 끼칠 엄청난 변화를 설명했다. 미국의 사회학자 대니얼 벨도 『탈산업사회의 도래』(1973)에서 산업사회에서 후기산업사회로의 전환, 즉 정보와 지식, 서비스가 중심이 되는 탈공업화 사회의 등장을 지적했다. 벨과 매클루언의 저서들은 거의 시차 없

[7]　丹下健三, 川添登, 「日本万国博覧会のもたらすもの」, 『新建築』 (1970, 5): 147.

[8]　林雄二郎, 『情報化社会 : ハードな社会からソフトな社会へ』 (東京: 講談社, 1969).

이 일본어로 번역되어 미래학의 유행을 견인했다.[9] 미래학에 대한 폭발적인 관심은 일본 정부 주도로 발간된 산업, 경제, 국토개발에 대한 각종 백서(白書)들에서 잘 드러난다. 1960년대 말 활발히 발간된 정부 백서들은 일본이 탈산업사회, 혹은 후기산업사회로 전환해가는 현상을 분석하고, 이에 따른 국가 산업 구조의 재편을 도모했다.[10] 단게 겐조나 구로카와 기쇼 같은 건축가들도 건축과 도시 분야의 싱크탱크를 자처하며, 미래사회 보고서 작성에 열을 올렸다.[11]

오사카 만국박람회는 바로 이 미래학 붐의 중심에 있었다. 1970년 1월 1일, 『아사히신문』 간사이판은 '미래 예측'이라는 주제로 일본 사회 각계각층의 인사 100명에게 미래가 어떤 사회가 될 것인가에 관한 설문 조사를 했다.[12] 응답자 대부분은 기술 진보가 가져올 편리하고 풍요로운 사회를 낙관적으로 전망했고, 준공을 거의 완료한 박람회장의 사진과 삽화가 유토피아적인 미래의 비전을 보여주는 구체적인 이미지로 제시되었다. 공중 무빙워크를 포함한 멀티레벨의 도로망과 메타볼리스트들이 설계한

[9]　マーシャル・マクルーハン,『グーテンベルクの銀河系』, 高儀進 訳 (東京: 竹内書店, 1968); マーシャル・マクルーハン, 後藤和彦, 高儀進 訳『人間拡張の原理: メディアの理解』(東京: 竹内書店, 1967); マーシャル・マクルーハン,南博 訳『メディアはマッサージである』 (東京: 河出書房新社, 1968); ダニエル・ベル, 岡田直之 訳『イデオロギーの終焉: 1950年代における政治思想の涸渇について』(東京: 東京創元新社, 1969); ダニエル・ベル, 内田忠夫 訳,『脱工業社会の到来: 社会予測の一つの試み』(東京: 産業と社会, 1975).

[10]　역사학자 테사 모리스 스즈키는 정보화사회에 대한 정부 백서들을 기득권의 이해에 맞게 산업 구조를 재편하려는 보수 정책의 일환이라고 보았다. Tessa Morris-Suzuki, *Beyond Computopia: Information, Automation and Democracy in Japan* (London: Routledge, 1988).

[11]　건축가들의 국토개발 미래 보고서에 관한 논의로는 다음을 참조할 것. Rem Koolhaas et., *Project Japan*, pp. 660-695.

[12]　『朝日新聞』(關西版) (1970. 1. 1.).

캡슐 형태의 파빌리온은 박람회장의 미래주의적인 분위기를 한껏 고조시켰다.

오사카 만국박람회의 미래 전시는 갑작스럽게 등장한 것은 아니다. 1964년, 일본이 박람회 유치를 결의하자마자 간사이 지방의 지식인들을 중심으로 '박람회를 생각하는 회의'가 결성되었다. 경제학자 하야시 유지로를 포함해 저명한 인류학자 우메사오 다다오, 메타볼리스트 평론가 가와조에 노보루, 『일본침몰』을 쓴 SF 소설가 고마쓰 사쿄, 미디어 학자 가토 히데토시 등이 참여했고, 이들은 박람회 테마 수립과 전시에서 중요한 역할을 담당했다. 1966년에는 '박람회를 생각하는 회의'의 멤버들이 주축이 되어 미래학연구그룹이 설립되었고, 1968년 일본미래학회로 확장되었다.[13]

1970년 4월, 일본미래학회는 오사카 만국박람회 개최와 연계해, 이웃 도시 교토에서 세계 각국에서 200여 명의 참가자가 모인 가운데 세계미래학회를 개최했다. 이 학회는 정치, 사회, 경제, 기술, 문화 등 각 분야의 전문가들이 모여 앞으로 도래할 사회의 정치, 기술, 문화 전반의 문제들을 보다 체계적으로 논의한 대대적인 간학제적 학술행사였다. 교토미래학회의 일본 측참가자들은 '다채널 사회'(multi-channel society)라는 주제로 정보통신 분야의 기술 혁신이 가져올 다원적이고 유연한 사회의 등장에 대해 논의했다.[14] 하야시는 정보 기술이 중심이 될 '소프트 사회'의 중요성을 강조했는데, '소프트' 개념은 패널 토론에

[13] 박람회를 생각하는 회의(万博を考える会)에 대해서는 다음을 참조할 것. William O. Gardner, "The 1970 Osaka Expo and/as Science Fiction," *Review of Japanese Culture and Society* (December 2011), pp. 26–43; 일본미래학회는 '신일본미래학회'(新日本未来学会)로 이름을 바꾸고 지금도 활동 중이다.

참여한 건축가들에게도 중요한 주제였다. 메타볼리스트 기쿠타케 기요노리는 도시계획의 규제력과 개인의 자발성이라는 상호 대립적인 두 측면을 공존시킬 수 있는 '소프트 환경' 개념을 제시했다.[15] 비슷한 맥락에서 역시 메타볼리스트였던 구로카와 기쇼도 정보가 중요한 역할을 담당하게 될 다채널 사회에서 '이동성'(mobility)의 중요성을 강조하고, 이동성을 극대화할 수 있는 모바일 건축을 제안했다.[16] 박람회에 참여한 건축가들이 당대의 미래학 논쟁의 주역들이었다는 점에서, 오사카 만국박람회장에서 구현된 미래도시는 판타지가 아니라, 정보화사회에 대한 정교한 이해를 바탕으로 '소프트 건축'이라는 새로운 모델을 제시하려는 건축적 기획이었다.

두 명의 엑스포 총괄 건축가
: 단게 겐조 vs. 니시야마 우조

박람회장 설계는 흔히 '국가 건축가' 단게 겐조의 전유물로 여겨지곤 하지만, 기본 설계 단계에서는 단게의 라이벌인 니시야마 우조의 입김이 크게 작용했다. 1965년 12월, 도쿄대학의 단게와 교

[14]   Japan Society of Futurology ed., *Challenges from the Future*, vol. 1 (Tokyo: Kōdansha, 1970).

[15]   Kiyonori Kikutake, "The General Concept of a Multi-Channel Environment," in *Challenges from the Future*, vol. 2 (Tokyo: Kōdansha, 1970), pp. 353-362.

[16]   Kishō Kurokawa, "Homo-Movense and Metabolism in the Multi-Channel Society," in *Challenges from the Future*, vol. 1 (Tokyo: Kōdansha, 1970), pp. 357-370.

토대학의 니시야마가 공동으로 박람회 건축위원회 회장으로 임명되었다. 교토대학 연구팀의 사전 조사를 토대로 니시야마 측에서 박람회장에 대한 초기의 구상을 담당했고, 이후 단게 측이 니시야마 팀의 안을 바탕으로 방문객 수와 교통량에 대한 예측 정보를 고려해 박람회장의 전체 설계를 최종적으로 작성했다. 건축위원회 회장을 공동으로 임명한 것은 간사이와 간토 지방의 지역적 안배를 고려한 타협안으로 여겨진다.

니시야마는 '미래도시의 코어'라는 개념을 제안하며, 박람회가 종료한 이후에도 그 시설들이 간사이 지역의 중요한 인프라로 활용되어야 한다고 주장했다.[17] 그의 안은 박람회장을 남북으로 가로지르는 중심축 한복판에 심볼 존이라고 불리는 코어 지구를 설치하는 것을 특징으로 한다. 심볼 존의 중심은 약 15만 명의 방문자가 얼굴을 마주하고 직접 상호작용할 수 있는 거대한 축제광장이다. 니시야마는 일본의 전통적인 축제인 마쓰리(祭り)를 모델로 삼고 관람객이 자본주의 스펙터클의 수동적인 소비자에서 능동적인 참여자로 거듭날 것을 강조했다. 그러나 사회주의적 성향이 강했던 니시야마는 국가 관료와 대기업이 주도한 박람회 당국과 종종 충돌했다. 일례로 그는 공공행사인 박람회 관람에 입장료를 받는 것이 부당하다는 비판을 공공연히 제기했다. 얼마 지나지 않아 니시야마는 건축위원회 회장직을 사임하게 된다.

[17]   니시야마의 건축적, 정치적 성향과 오사카 만국박람회장 설계 초기 단계에서 그의 역할에 대해서는 다음 글을 참조할 것. Andrea Yuri Flores Urushima, "Genesis and Culmination of Uzō Nishiyama's Proposal of a 'Model Core of a Future City' for the Expo '70 Site (1960-1973)," *Planning Perspectives* 22 (October 2007): 406-408.

니시야마 우조 팀, 오사카 만국박람회장 계획의 아이디어 스케치, 1966

니시야마를 이어 박람회장 설계의 총책임을 맡게 된 단게는 오사카 만국박람회를 통해 정보화사회에 적합한 새로운 도시의 모델을 실험하는 데 박차를 가했다. 니시야마가 사람들이 직접 대면하는 광장을 중시했다면, 단게의 관심은 군중의 흐름을 효과적으로 처리할 수 있는 관리 및 통제 시스템에 있었다. 단게의 박람회장 설계는 엑스포 타워, 정문, 축제광장, 미술관, 엑스포 관 등 박람회장의 중심 시설들이 남북축을 이루는 심볼 존을 따라 일렬로 배열한 점을 특징으로 한다. 심볼 존은 식물의 줄기, 혹은 동물의 척추에 비유되며 모노레일, 무빙워크 등 첨단의 운송 수단과 정보 시스템을 통해 박람회장 구석구석을 유기적으로 연결시킨다. 강력한 축선 배치를 통해 정보통신 네트워크를 효율적으로 구축하고 작동시킨다는 심볼 존의 구상은 단게의 〈도쿄계획〉(1961)에서 그 직접적인 선례를 찾아볼 수 있다.[18] 관람객의 원활한 흐름과 정보의 순환을 촉진하는 교통 및 통신 네트워크는 유기체의 신진대사에 필수적인 "호르몬 시스템"에 비유되기도 했다.[19]

단게 겐조의 대지붕: 소프트 건축

오사카 만국박람회에서 정보화사회를 위한 소프트 건축의 새로운 모델을 선보이려는 단게의 야심은 심볼 존 북단에 세워진 대지붕에서 가시적인 형태로 구현되었다. 30미터 높이의 대지붕

[18] 丹下健三, 「東京計画-1960:その構造改革の提案」, 『新建築』(1961. 3), pp. 79-120.
[19] 같은 책.

단게 겐조 팀, 오사카 만국박람회장 계획

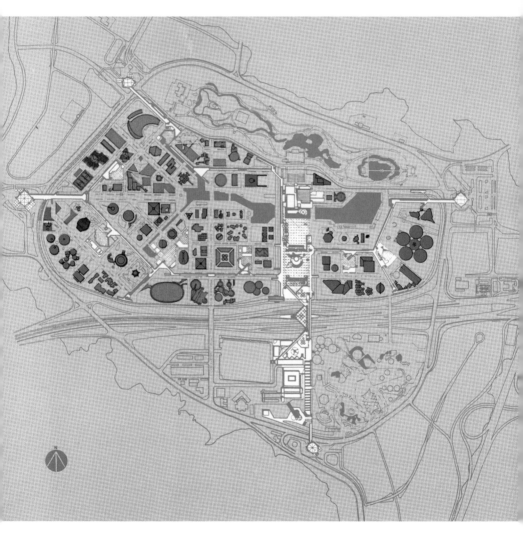

단게 겐조, 오사카 만국박람회 대지붕, 1970

은 세계 최대 규모의 스페이스 프레임(space frame) 구조물이
다. 스페이스 프레임이란 규격화된 철제 파이프와 볼 조인트(ball
joint)가 삼각형으로 유닛을 이루어 무한정 반복되는 구조로서,
필요에 따라 크기를 유연하게 조절할 수 있는 건축 공법이다. 그
원류는 런던에서 개최된 최초의 만국박람회를 위해 세워진 조
지프 팩스턴의 대형 철제 조립식 구조물 수정궁(Crystal Palace)
까지 거슬러 올라간다. 20세기 중반 들어, 스페이스 프레임 공법
은 버크민스터 풀러, 루이스 칸, 콘라트 바흐스만 같은 건축가들
에 의해 더욱 발전되어, 대형 돔이나 항공우주 관련 최첨단 구조
물 등에 도입되기 시작했다. 건축사학자 마크 위글리는 거미줄처
럼 무한 증식하는 스페이스 프레임 구조를 1950-60년대 등장한
월드와이드웹(world wide web)상의 정보 공간에 비유하기도 했
다.[20] 일본 건축가들은 1955년 방일한 바흐스만의 도쿄 워크숍
을 통해 최신의 스페이스 프레임 공법을 직접 접할 수 있었다.[21]

1960년대 말부터 단게는 스페이스 프레임 공법에 심취
해 있었다.[22] 그는 스페이스 프레임 구조로 이루어진 박람회장
의 대지붕을 구름처럼 유연하고 부드러운 건축으로 묘사했다.[23]
대지붕은 그 자체로 완결된 닫힌 구조물이 아니라, 축제광장의
무대장치, 기쿠타케의 캡슐 하우스, 오카모토의 대형 조형물 등

[20]   Mark Wigley, "Network Fever," *Grey Room* (Summer 2001), p. 111.

[21]   바흐스만의 일본 방문과 그의 건축 워크숍에 대한 기사들은 『건축잡지』
1956년 3월호에 수록되어 있다.

[22]   Udo Kultermann ed., *Kenzō Tange 1946-1969: Architecture and Urban Design*
(London: Pall Mall Press, 1970).

[23]   Tange and Kawazoe, "Some Thoughts about Expo '70," *Japan Architect*
(May/June 1970): 31.

여러 구조물을 포괄할 수 있는 열린 시스템이다. 투명한 폴리에스테르 소재의 압축 공기막으로 감싸인 대지붕에는 구로카와 기쇼가 디자인한 캡슐 하우스가 나무에 매달린 열매처럼 장착되어 있고, 축제광장을 위한 각종 무대 장치 역시 달려 있다.

스페이스 프레임 구조의 유연성은 오카모토 다로가 만든 70미터 높이의 대형 콘크리트 조각 〈태양의 탑〉이 대지붕의 한복판을 관통하며 더욱 강조된다.[24] 태양을 상징하는 세 개의 얼굴이 새겨진 오카모토의 원시적인 거대 조각은 미래지향적인 단게의 모더니즘 구조물과 정면 대결한다. 1950년대부터 지속된 단게와 오카모토의 협업의 완결판이라 할 수 있는 이 작업은 오카모토의 '대극주의'(對極主義) 세계관의 표현으로 볼 수 있다.[25] 오카모토가 자신의 전위예술론의 요체로 발전시킨 대극주의란 다다와 초현실주의로 대표되는 비합리주의와 기하학적 추상으로 대표되는 합리주의의 대결에서 출발해, 내면과 외면, 미술과 사회, 하나의 이데올로기와 또 다른 이데올로기 등의 대결 등 모순을 껴안는 삶의 태도 자체를 의미한다.[26] 박람회가 끝나고 대부분의 미래주의적인 파빌리온은 철거되었지만 〈태양의 탑〉은 여

[24] 오카모토 다로의 〈태양의 탑〉에 대한 연구로는 다음을 참조할 것. Bert Winther-Tamaki, "To Put on a Big Face: The Globalist Stance of Okamoto Tarō's Tower of the Sun for the Japan World Exposition," *Review of Japanese Culture and Society* (December 2011): 81-101.

[25] 오카모토의 대극주의에 대한 연구로는 椹木野衣, 『黒い太陽と赤いカニ』 (東京: 中央公論社, 2003), 62-79; 北沢憲明, 『反復する岡本太郎』 (東京: 水声社, 2012), pp. 65-84; 박소현, 「일본에서의 추상미술과 전통담론: 한국적 추상미술 논의를 위한 시론」, 『미술사학보』 35 (2010): 5-42; 나미카타 츠요시, 『월경의 아방가르드』 최호영·나카지마 켄지 옮김 (서울대학교출판문화원, 2013), pp. 200-229.

[26] 大谷省吾, 「岡本太郎なんてケトバシてやれ」, 『岡本太郎展』 (東京近代国立美術館, 2011), p. 13.

오카모토 다로, 〈태양의 탑〉, 오사카, 1970(2006년 촬영)

전히 그 자리에 남겨져 있다. 쇠락한 텅 빈 박람회장에 홀로 우뚝 선 오카모토의 기괴한 조각상은 박람회 당시의 영화(榮華)와 겹쳐지며 회환과 향수를 자아낸다.

건축사학자 기쿠치 마코토는 단게의 대지붕이말로 "정보화사회의 인프라스트럭처"라고 정의하고, 하부구조(sub-structure)라는 용어와는 정반대로 공중에 떠 있지만 박람회장의 각종 행사를 가능케 하면서 전체 부지에 질서를 부여하는 환경 장치로서 그 건축적 의의를 강조했다.[27] 그러나 소프트웨어적인 환경을 구축하고자 했던 단게의 야심과 달리, 대지붕은 물리적인 하드웨어로서의 기존의 건축 개념을 완전히 넘어서지는 못했다.[28] 단게 스스로도 고백했듯이 대지붕의 형태는 애초에 생각했던 것보다 훨씬 더 기념비적이었고, 대지붕을 뚫고 올라간 오카모토의 거대한 수직 조형물은 건물의 기념비성을 더욱 극대화했다. 그런데 대지붕은 정작 한번 설치된 이후에는 필요에 따라 유연하게 축소되거나 확장되지 못했다. 소프트한 건축의 새로운 상을 보다 구조적인 차원에서 보여준 것은 단게의 제자인 이소자키 아라타가 담당한 축제광장에서였다.

이소자키 아라타의 축제광장
: 보이지 않는 도시

1967년부터 단게의 요청으로 박람회장 설계에 참여한 이소자키는 개폐막식을 비롯해 각종 행사와 공연이 열리게 될 다목적 무대장치인 축제광장의 설계를 맡았다. 대지붕 바로 아래 위치한 축제광장은 중앙 무대와 이동식 관람석, 천장에 달린 여섯 대의 이동식 트롤리(trolley), 두 대의 로봇, 그리고 중앙 제어실로 구성된다. 대형 로봇 데메(Démé)와 데쿠(Déku)는 케이블을 통해 전원을 공급받아 가동하는 이동식 보조 제어장치일 뿐 아니라, 축제광장의 마스코트로서 박람회장에 미래적인 분위기를 고조시키는 역할을 담당했다. 로봇은 도쿄대학 건축과 출신의 유능한 엔지니어 쓰키오 요시오(b. 1941)와의 협업으로 완성되었다. 쓰키오는 건축과 도시계획에 컴퓨터를 도입한 선구적인 인물로서 이후 "장치로서의 도시" 개념을 제안했는데, 이는 첨단 IT 기술을 이용한 스마트 시티의 효시 격으로 볼 수 있다.[29]

축제광장은 하드웨어로서의 물리적 건물이 아니라, 조명과 음향 등 각종 비물질적인 무대 효과를 총괄하는 일종의 소프트웨어 장치이다. 여기서 건축가는 고정된 건물의 설계자이기보다, 관람자와 공간에 대한 각종 정보를 수집하고 처리해 이들의 활동과 동선을 유도하는 프로그래머로 역할을 맡는다.[30] 이소자키는 반복된 피드백을 통한 자기학습에 의해 작동하는 초보적인 단계의 인공지능의 원리를 축제광장 설계에 도입했다. 공연자와 관람자의 수, 이들의 움직임, 빛, 소리 등 다양한 정보가 센서를 통해 제어실로 전달되면, 제어실에서는 그 정보를 취합해 최적

[27]   Makoto Kikuchi, "Expo '70: Urban Infrastructure in Information Society," in *Metabolism: The City of the Future* (Tokyo: Mori Art Museum, 2013), p. 285.

[28]   Tange Kenzō and Kawazoe Noboru, "Some Thoughts about Expo '70," *Japan Architect* (May/June, 1970): 31.

[29]   月尾嘉男, 『装置としての都市』 (東京: SD選書, 1981).

[30]   건축사가 앨런 콜쿤은 퐁피두 센터에 대한 글에서 "관료적 프로그래머"라는 새로운 유형의 건축가 타입의 등장에 대해 논의했다. Alan Colquhoun, *Essays in Architectural Criticism: Modern Architecture and Historical Change* (Cambridge, MA: The MIT Press, 1981), pp. 117-118.

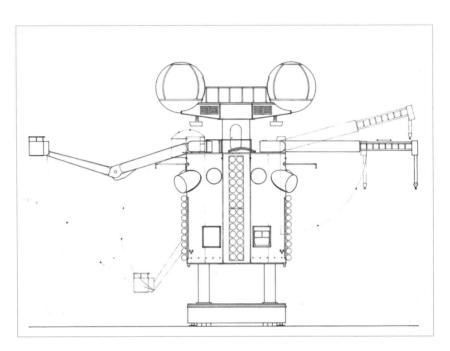

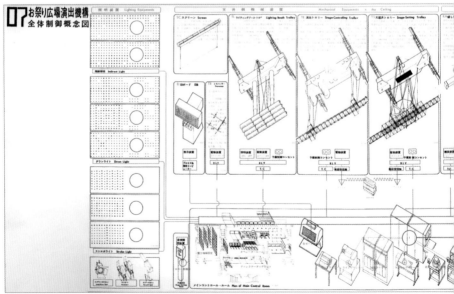

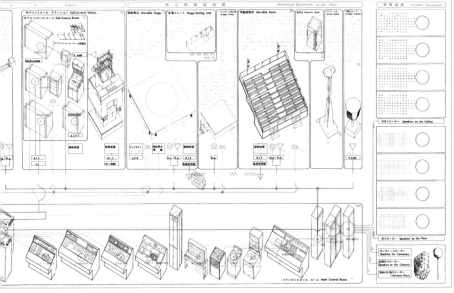

의 무대효과를 제공했다.

　　이소자키가 축제광장에서 의도했던 것은 니시야마가 주창했던 '현대의 마쓰리'를 테크놀로지의 힘을 빌려 구현하는 것이었다. 미디어 장치를 통해 감각의 영역을 확장시키고, 관람자와 공연자가 한데 어우러져 자유롭고 자발적으로 즐기는 새로운 차원의 공감각적 경험이 시도된 것이다. 축제광장에서의 경험은 미디어학자 마셜 매클루언이 개념화한 '토탈 미디어 환경', 즉 뉴미디어가 출현시킬 총체적이고 비가시적인 몰입적 환경에 다름 아니다.[31] 이는 미디어 기술의 진보가 새로운 공적 공간을 출현시켜 궁극적으로 전자시대의 참여 민주주의를 가져올 것이라는 매클루언의 낙관론과 연결된다.

　　비물질적인 환경에 대한 이소자키의 관심은 그가 참여했던 도시디자인연구회 활동에서 단초를 찾을 수 있다. 1961년 결성된 도시디자인연구회는 단게와 건축평론가 이토 데이지가 주도한 연구모임으로, 이들은 일본의 도시 공간의 특성을 파악하는 것을 목표로 일련의 현지답사를 수행했다. 이들은 고정된 기념비 건축이 지배하는 서구와 차별된 일본 도시 공간의 특징을 '가이와이'(界隈), 즉 주민들의 상호작용을 포함해 여러 가변적인 요소가 공간을 연무처럼 감싸는 일종의 분위기로 설명했다. 왁자지껄한 주민들의 활기가 압권인 일본의 전통 축제 마쓰리는 '가이와이'가 구현된 대표적인 예로 여겨졌다. 도시디자인연구회는 일본의 도시 공간에 대한 연구조사를 진행했고, 그 결과를 『건축문

[31]　Marshall Mcluhan, "The Invisible Environment: The Future of an Erosion," *Perspecta* 11(1967): 163. 이소자키는 그의 논문 「보이지 않는 도시」에서 매클루언의 멀티미디어 환경 개념에 대해 언급하고 있다. 磯崎新, 「見えない都市」, 몰(1967, 4). 磯崎新, 『空間へ』(東京: 美術出版社, 1984), p. 403에 재수록.

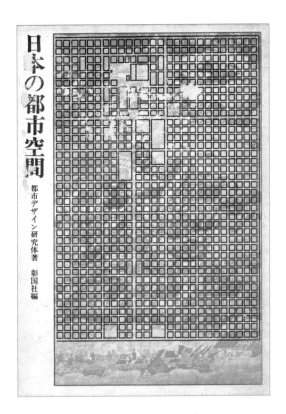

도시디자인연구회, 『일본의 도시 공간』 (1968) 표지

화』1963년 12월호 특집으로 엮어냈으며 이어 단행본 『일본의 도시 공간』으로 출간했다. [32]

　　　일본적 공간에 대한 관심의 연장선에서 이소자키는 현대도시를 고정된 물리적 실체가 아니라, 빛, 색, 소리, 신호, 정보의 흐름 등 비물질적인 요소에 의해 지배되는 끊임없이 변화하는 유동적인 상태로 보았다.[33] 1960년대를 통해 이소자키는 '보이지 않는 도시'를 화두로 삼아 정보기술의 발달이 가져올 비가시적이고 비물질적인 건축과 도시의 새로운 상을 탐색했다. 그러나 테크놀로지를 통해 인간의 감각을 해방하고 자유와 참여를 극대화할 역동적인 장을 만들고자 했던 이소자키의 의도는 박람회 당시에는 제대로 평가받지 못했다. 박람회 자체를 반대했던 좌파 계열의 비평가들은 축제광장이 우연성과 불확실성, 자발성을 관리 가능한 수준으로만 허용하는 일종의 관리 시스템으로 기능한다고 혹독하게 비판했다. 네오 다다의 리더 요시무라 마스노부는 축제광장을 "관리 광장"이라고 비아냥거리며, 안전과 통제만을 강조한 기술지배 관리 사회로서의 성격을 지적했고,[34] 평론가 하리우 이치로는 축제광장을 찾은 인파가 적극적인 참여자가 아니라 박람회의 스펙터클을 수동적으로 받아들이는 구경꾼으로 전락했다고 논평했다.[35]

[32]　都市デザイン研究体, 『日本の都市空間』 (東京: 相国社, 1968).

[33]　磯崎新, 「見えない都市」, 『空間へ』, p. 395.

[34]　吉村益信, 「お祭広場か管理広場か:官僚的偏執の犠牲」, 『朝日新聞』 (1970年 8月 11日).

[35]　針生一浪, 「文化の廃虚としての万博」, 『KEN』 1 (1970, 7): 114.

구로카와 기쇼의 캡슐 하우스
: 정보화사회의 주거

정보화사회가 '관리사회', 나아가 '통제사회'가 될 것이라는 우려
와 불안감은 사적인 주거 공간에 대한 새로운 해석으로 이어졌
다. 단게와 이소자키가 정보화 시대의 도시환경에 초점을 맞추었
다면, 구로카와 기쇼는 캡슐 하우스를 통해 미래 주거의 새로운
유형을 보여주고자 했다. 캡슐 하우스는 가와조에 노보루의 기획
으로 대지붕에서 열린 테마 전시《미래의 도시와 주거》의 일부로
기획된 것이다. 이 전시에는 일본의 메타볼리즘 건축가들 외에도
도시와 건축의 미래에 대해 고민했던 실험적인 동시대 건축가들,
즉 모셰 사프디, 한스 홀라인, 아키그램, 요나 프리드만, 크리스토
퍼 알렉산더 등이 참여했다.

　　구로카와는 단게 연구실 소속의 가미야 고지와 함께 지
상 30미터 높이의 스페이스 프레임에 실물 크기의 주거용 캡슐
모형을 설치했다. 캡슐은 각각의 단위 유닛이 공장에서 제작된
후 공사현장으로 옮겨져 모(母)건물에 장착되는 일종의 조립식 주
거 단위이다. 캡슐 하우스는 여러 대의 모니터가 장착된 캡슐 중
심부를 부엌, 침실, 화장실 등이 꽃잎 모양으로 둘러싸는 구조로,
거주자의 필요에 맞게 여러 가지 방식으로 조합할 수 있게끔 설
계되었다. 공중에 매달린 캡슐 하우스 자체는 외부로부터 고립된
사적인 공간이지만, 코어에 설치된 정보 시스템을 통해 외부의 정
보 공간과 긴밀히 연결된다.

　　구로카와는 캡슐 하우스를 정보화사회의 위협으로부터
거주자의 안전과 사생활을 보호하는 밀폐된 은신처인 동시에, 미
래 주택을 선전하는 일종의 모델 하우스로서 제안했다. 캡슐 하

구로카와 기쇼, 캡슐 하우스

우스 내부는 각종 최신형 가전제품이 전시된 쇼룸을 방불케 한다. 현대의 삼종신기(三種の神器)로 불리는 흑백 TV, 세탁기, 냉장고 같은 가전제품의 보급이 1950년대 일본의 성공적인 전후복구와 경제적인 도약을 알렸다면, 1960년대에는 소위 '3C'로 불리는 자동차(Car), 컬러TV(Color Television), 에어컨디셔너(Cooler)가 대중 소비사회로 진입한 일본인들의 새로운 욕망의 대상으로 떠올랐다.[36] 강렬하고 감각적인 오렌지색과 붉은 핑크색의 실내 공간에 매끈한 플라스틱 가구와 최신 가전제품이 진열된 캡슐 하우스는 중산층 핵가족의 꿈이 투사된 일종의 물신에 다름 아니다. 스탠리 큐브릭의 영화 「2001년 스페이스 오디세이」(1968)의 미장센을 떠올리게 하는 커다란 원형 창문과 밀실 공포를 불러일으키는 협소하고 폐쇄적인 공간은 미래의 주거 공간에 대한 매혹과 소외라는 양가의 감정을 불러일으킨다.

✿

오사카 만국박람회 종료와 함께 국가와 건축이 같은 목표를 향해 달려갔던 일본 건축의 한 시대가 막을 내린다. 1971년 발표한 글에서 이소자키는 박람회에서의 자신의 역할을 전쟁에 강제로 '동원'된 군인에 비유했다.

[36] 전후 일본에서 가전제품이 갖는 사회적 정치적 함의에 대해서는 Shunya Yoshimi, "Made in Japan: The Cultural Politics of Home Electrification in Postwar Japan," *Media, Culture and Society* 21 (Summer 1999); Marilyn Ivy, "Formations of Mass Culture," in *Postwar Japan as History*, edited by Andrew Gordon(Berkeley, CA: University of California Press, 1993), pp. 149-172.

구로카와 기쇼, 캡슐 하우스 내부

마치 전쟁에라도 가담한 것처럼 말로 표현할 수 없는 피로와 불쾌감에 시달렸다. 오사카 만국박람회가 관료주의로 점철된 곳이라는 것을 알아차렸을 때부터 괴리감을 느끼고 그만두고 싶었지만, 다만 의무를 다하기 위해 끝까지 남아 일을 마쳤다. 순진하게도 박람회가 현대 테크놀로지와 정면으로 대면할 수 있는 기회가 될 것이라는 환상을 품고 있었다.[37]

자신을 피해자로 규정한 이소자키의 고백은 건축적 이상을 위해 국가 프로파간다로 전락한 박람회에 참여한 것에 대한 변명이자, 자신이 '국가'가 아니라 '전위'의 편에 있음을 강조한다. 그러나 '국가'와 '전위'의 분명한 대결 구도는 모더니즘 전통이 공고한 유럽 국가의 상황을 설명하는 데 특화된 모델이라는 점을 상기할 필요가 있다. 근대화의 대열에 한 발 늦게 합류한 일본에서 국가는 전위가 극복해야 할 반동적인 대상이 아니라, 전위의 협력자이자 예술생산의 중요한 주체였다. 오사카 만국박람회에서 '국가'와 '전위'가 맺었던 기묘한 공생 관계는 비서구권 건축을 설명하는 '국가 아방가르드'라는 형용모순을 통해 이해될 수 있다.[38]

오사카 만국박람회는 단순히 테크놀로지의 난장(亂場)이 아니라, 정보기술의 발전과 사회변동에 대한 성찰을 토대로 자유와 유연성, 이동성을 극대화한 '소프트 건축'이라는 새로운

---

[37]   磯崎新, 「年代記的ノート」, 『空間へ』(東京: 美術出版社, 1984), p. 511.

[38]   '국가 아방가르드'는 해방 이후 한국 건축을 논의할 때도 적용할 수 있는 개념이다. 2018년 베니스 비엔날레 한국관 전시는 '국가 아방가르드'를 주제로 한국종합기술개발공사(KECC)의 프로젝트를 선보였다. 박정현 외, 『국가 아방가르드의 유령』(프로파간다, 2018).

모델을 제공하려는 중요한 시도로서 건축사에서 그 정당한 지위를 요구할 필요가 있다. 단게가 '소프트 건축'의 개념을 제시하고 이를 물리적인 실체로 시각화하려고 했다면, 이소자키는 비시각적인 요소를 포함하는 보다 확장된 개념으로서의 미디어 환경을 제시했다. 또 구로카와는 유동성이 극대화된 정보화 시대의 주거 공간의 모델을 보여주고자 했다. 물론 이들의 실험이 건축과 정보 네트워크와의 피상적인 형태적 유사성을 보여주는 데서 그치기도 하고, 통제사회로의 위험에 무비판적으로 노출되기도 했으며, 미래에 대한 상상이 소비사회와 동일시되는 문제점을 드러내기도 했다. 더욱이 정보화사회를 중심으로 한 미래학 담론 자체가 기득권의 이해에 맞게 산업 구조를 재편하고자 했던 관료주의적 미래 구상과 크게 다르지 않다는 한계를 갖기도 한다. 이러한 한계를 극복하는 것은 1970년대 이후 건축의 몫으로 남게 된다.

5장. 이소자키 아라타,
포스트모더니즘과 일본

'아라타' vs '신': 예술가 건축가의 탄생

1970년 오사카 만국박람회를 끝으로 일본 건축계의 권좌에서 내려온 단게 겐조를 대신해, 새롭게 '덴노'(天皇)의 지위를 차지한 건축가는 바로 이소자키 아라타였다. 도쿄대학 출신인 이소자키는 단게 연구실의 핵심 멤버로 〈도쿄계획〉에 직접 참여하기도 했던 엘리트 건축가이다. 또한 그는 메타볼리즘 그룹의 멤버로 오인될 정도로 1960년대 메타볼리즘 운동과 긴밀한 관계를 맺기도 했다. 그러나 이소자키는 국가의 재건과 번영을 건축의 지상과제로 삼았던 단게의 국가주의적인 접근을 비판했고, 생물학적 레토릭을 내세운 메타볼리즘과도 거리를 두었다. 그는 전후 모더니즘의 비판자를 자처하며 1970년대 등장한 '뉴 웨이브' 일본 건축을 이끌었고, 1980년대 들어 '일본 건축가'라는 꼬리표를 떼고 국제적인 포스트모더니즘의 물결을 대표하는 '세계 건축가'로 부상했다.

단게나 메타볼리스트를 비저너리를 표방한 기술관료 타입의 건축가라고 부른다면, 이소자키는 자유분방한 예술가 타입의 건축가로 부를 수 있다. 그는 급진적 성향의 전위 예술가들로부터 새로운 관점과 전략을 수혈받으며, 모더니즘을 넘어설 건축의 패러다임을 모색했다. 실제로 이소자키는 1960년대를 통해 반체제 성향의 전위 미술가 단체 '네오 다다'의 일원이자, 멀티미디어 아트의 협업자를 자처했고 이후로도 꾸준히 국제적인 네트워크를 가진 전시 기획자로 활약했다.

건축가이자 동시에 예술가라는 이소자키의 이중적 자아는 1962년 『신건축』에 발표된 그의 글 「도시 파괴업 KK」에서 공개적으로 선언된다.[1] 이 글은 건축가인 '아라타'와 그의 친구이자 전직 킬러인 '신'의 기묘한 공생 관계를 다루고 있다. 미학적인 죽음의 수행자 '신'은 교통사고와 공해로 수많은 인명을 앗아가는 현대의 대도시야말로 무자비한 대량 학살을 자행하는 자신의 경쟁자라고 규정하고, 친구 '아라타'에게 도시 파괴를 목표로 한 회사를 동업할 것을 제안한다. 이들은 한동안 서로의 의견이 분리되지 않을 정도로 가깝게 지내지만, 결국 킬러와 건축가라는 입장 차를 확인하고 서로를 "비겁한 스탈린주의자", "미숙한 트로츠키주의자"로 몰아세웠다. 글의 말미에서 이소자키는 자신의 이름 '아라타'의 한자가 '신'(新)이라는 점을 주지시키며, 이 글이 내면의 갈등을 겪는 자신의 독백임을 암시했다.

『신건축』 편집진은 도시와의 전면전을 선포한 이 글이 갖는 불온성, 특히 당대 실력자인 단게의 유토피아적인 도시 비전에 대한 은근한 비판에 당황한 나머지, 원래 예정된 지면이 아니라 광고면 귀퉁이에 눈에 띄지 않게 실었다. 그러나 이소자키는 유력한 건축 잡지의 검열 시도에 낙담하지 않고, 오히려 이를 주류 건축계와 차별된 자신의 비판적 성향과 예술가적 면모를 강조하는 기회로 삼았다. 그는 「도시 파괴업 KK」를 1971년 출간된 자신의 대표글 모음집 『공간으로』의 서두에 전략적으로 실은 데 이어, 자신의 주요 논저들에 지속적으로 재수록했다. 또한 이 글

[1] 磯崎新, 「都市破壞業KK」, 『新建築』(1962, 9).

은 수차례 번역되어 해외 독자들에게 소개되었는데, 2007년 출판된 영어 번역본에는 저명한 포스트모더니즘 문화이론가 프레드릭 제임슨의 논평이 실리기도 했다.[2] 즉, '구축자'와 '파괴자'의 두 얼굴이 공존하는 야누스적 면모가 이소자키 건축을 이해하는 중요한 키워드로 제시된 것이다.

'반예술'의 시대와 폐허

이소자키가 20대의 마지막을 보내던 1960년의 봄은 앞에서 다룬 대로 미일안보조약 개정을 둘러싼 정치투쟁으로 전 일본이 들썩거리던 시기였다. 안보투쟁의 혼란 속에서도 도쿄에서는 세계디자인회의가 대대적으로 개최되며 메타볼리스트들에게 화려한 데뷔 무대를 제공했다. 그러나 이소자키는 다른 건축가들과 함께 세계디자인회의에 참여하는 대신, 미술가 친구들과 함께 안보투쟁에 동참했음을 자랑스럽게 회고하곤 한다.[3] 이소자키는 이 시기를 낮에는 혼고에 위치한 도쿄대학에서 〈도쿄계획〉을 진행하고, 오후에는 지요다의 국회 의사당으로 이동해 미술가들과 시위에 나섰다가, 밤이 되면 이들의 신주쿠 아지트에서 어울리던 바쁜 나날로 회고했다. 혼고에서 지요다로, 그리고 신주쿠를 오가

---

[2]　磯崎新, 「都市破壊業KK」, 『空間へ』 (1971) (東京: 美術出版社, 1984), pp. 11-23; Fredric Jameson, "Introduction to Isozaki Arata's "City Demolition Inc.," in *South Atlantic Quarterly* 106: 4 (Fall 2007): 849-852; Arata Isozaki, "City Demolition Inc.," in ibid.: 853-858.

[3]　Arata Isozaki and Thomas Daniell, "Arata Isozaki in Conversation with Thomas Daniell," *AA Files* 68 (2014, 7): 68.

는 동선 속에서 '신'과 '아라타', 즉 건설적인 건축가이자 파괴적인 예술가로서 이소자키의 이중적 정체성이 형성된 것이다.

건축가로서의 이소자키의 자아가 스승 단계와 동료 메타볼리스트들의 영향 속에서 형성되었다면, 예술가로서의 또 다른 자아는 급진적인 전위 미술가들과의 교류를 통해 형성되었다. 1954년 대학을 졸업한 이소자키는 단게 연구실에서 약 10년을 조수로 일한 후 1963년 자신의 건축 사무소를 개설했다. 이소자키 건축의 형성기에 해당하는 1960년대로 한정해보면 이소자키에게는 건축가만큼이나 미술가라는 직함이 잘 어울려 보인다. 고향인 규슈 오이타시에 의사회관(1959-60)과 오이타현 도서관(1962-66) 같은 브루탈리즘 계열의 공공건축을 설계하는 한편, 비저너리 드로잉과 설치미술 작품을 꾸준히 발표했고, 오카모토 다로의 전시 디스플레이(1964), 테시가하라 히로시 감독의 영화 「타인의 얼굴」(1965)의 세트 디자인을 맡기도 했다.

이소자키와 미술계와의 교류는 1960년 결성된 급진적인 미술가 집단 네오 다다에서부터 시작되었다. 네오 다다의 리더 요시무라 마스노부(1932-2011)의 자택이자 미술가들의 집합소이기도 한 신주쿠의 화이트 하우스(1960)는 이소자키의 첫 번째 설계 작업으로 알려져 있다. 이소자키와 네오 다다의 관계는 오이타시에서 보낸 고교 시절로 거슬러 올라간다. 이소자키는 요시무라 마스노부, 아카세가와 겐페이(1937-2014), 가자쿠라 쇼(1936-2007) 등 이후 중요한 미술가로 성장하게 될 동향의 미술학도들과 어울리며 '신세기군'(新世紀郡)이라는 학생 미술단체를 결성했다.[4] 이후 고향을 떠나 도쿄 소재 대학에 진학하게 된 이들은 당대 언더그라운드 문화의 중심지인 신주쿠를 근거지로 활동하며 네오 다다라는 전위그룹을 결성했다.[5] 이들은 역사적인

이소자키 아라타와 네오 다다 미술가 요시무라 마스노부, 1960, 화이트 하우스에서

다다 운동의 후예를 자처하며, 관습적인 회화나 조각을 거부하고 오브제, 설치, 퍼포먼스 등 다양한 장르를 넘나들며 기존의 미술 제도와 규범에 도전한 파격적인 작업을 선보였다. 다음은 평론가 도노 요시아키가 쓴 네오 다다의 전시에 관한 평이다.

> 그들의 전시는 들썩거리는 도쿄의 거대한 쓰레기 더미를 보여준다. 그들은 자신이 접한 최초의 쓰레기 더미, 즉 불탄 도시의 폐허로부터 대상을 대하는 방식에 영향을 받았다. 폭파된 도시는 그들의 놀이터였고 그들의 첫 번째 장난감은 화기에 녹아내린 병, 잿더미에서 찾아낸 지붕보 조각이었다. 이제 그들의 전시는 쓰레기가 빚어낸 기묘하게 만개한 꽃으로 가득하다.[6]

도노는 일상 사물과 폐품, 심지어 쓰레기까지 공격적으로 사용한 이들의 반(反)미학적 지향을 예술 자체에 대한 반대라는 의미에서 '반(反)예술'로 규정했다. 1960년대를 풍미한 반예술 사조는 안보투쟁 시기 일본의 전복적이고 무정부주의적인 열기를 발

---

[4] 네오 다다와 이소자키의 관계에 관한 연구로는 다음을 참조할 것. 磯崎新,『Neo Dada Japan 1958-1998: Arata Isozaki and the Artists of "White House"』(大分: 大分市教育委員会, 1998); 水戸芸術館,『日本の夏-1960-64』(水戸: 水戸芸術館, 1997); Kuroda Raiji, "A Flash of Neo Dada: Cheerful Destroyers in Tokyo (1993)," trans. by Reiko Tomii with Justin Jesty, in *Review of Japanese Culture and Society* (December. 2005): 51-71.

[5] 1960년대 신주쿠 언더그라운드 문화에 대한 논의로는 다음을 참조할 것. Thomas R. H. Havens, *Radicals and Realists in the Japanese Nonverbal Arts* (Honolulu: University of Hawai'i Press, 2006), pp. 131-133.

[6] Yoshiaki Tōno, "Neo-Dada et Anti-art," in *Japon des Avant-gardes 1910-1970*, exh. cat. (Paris: Centre George Pompidou, 1986), p. 53.

산했다. 이들의 작업은 기억 저편에 묻힌 외상적인 전쟁과 파괴의 기억을 끄집어내며, 미국의 핵우산 속에서 성취한 전후의 평화와 풍요를 조롱했다.

네오 다다의 일원으로서 이소자키는 주류 사회의 관습과 싸우고 기존 미술 제도의 권위에 도전한 미술가들의 반권위적, 반미학적 태도로부터 강한 인상을 받았다. 이소자키의 설치작업 〈조인트 코어 시스템-부화과정〉(1962)은 반예술의 영향 속에서 논의될 수 있다. 이 작업은 '멋진 미래의 삶'을 주제로 1962년 세부 백화점에서 개최된 건축가들의 그룹전《미래도시의 삶》에 출품된 관객참여형 퍼포먼스 겸 설치미술이다. 먼저 전시장 벽면에는 이소자키의 미래도시 드로잉 세 점이 설치된다. 이 중 하나는 그리스 신전의 폐허를 미래주의적인 거대 필로티와 합성한 콜라주이다. 이어 전시장 바닥에 도쿄 시가를 촬영한 대형 파노라마 사진을 깔고 관람자들에게 색색의 철사와 못을 나눠주면서 사진 위 아무 곳에나 못을 꼽고 이를 철사로 연결해달라고 부탁했다. 철사로 연결된 못은 각종 도시 인프라의 집적인 필로티-코어 시스템의 유비로 읽힌다. 오래지 않아 알록달록한 철사 그물망이 거미줄처럼 탁자 위를 뒤덮으면서 전시장 전체가 폐허처럼 변했다. 전시 마지막 날, 이소자키는 뒤엉킨 철사 더미 위에 마치 잭슨 폴록을 연상시키는 과장된 동작으로 석고를 뿌림으로써 끊임없는 증식의 과정을 중단시켰다.[7] 이소자키에게 도시의 미래란 바로 폐허에 다름 아니다.[8]

일상적의 재료, 무질서하고 파편적인 이미지, 자발적이

---

[7]　이소자키는 자신의 퍼포먼스를 잭슨 폴록의 액션 페인팅에 비유하며 현대미술에 대한 자신의 소양과 관심을 강조했다. 磯崎新,「メタボリズムと関係を聞かれぬので」, 『10+1』13 (Spring 1998).

이소자키 아라타, 〈조인트 코어 시스템-부화과정〉,
1962(1997년 재연), 《미래도시의 삶》(1962)에 출품

고 예측 불가능한 관객 참여 등을 특징으로 하는 〈조인트 코어 시스템-부화과정〉은 권위와 규범에 반기를 든 동시대 반예술의 저항 정신과 조응한다. 그러나 이 작업은 단게와 메타볼리즘 멤버 등 다른 참여 건축가들이 선보인 유토피아적인 미래도시 비전과 극명한 온도 차를 보이며 전시에서 제외될 위기에 처했다. 전시 기획자이자 메타볼리즘 운동의 이론가 가와조에 노보루는 이소자키의 작업이 '멋진 미래의 삶'을 주제로 한 전시의 취지에 부적합하다며 철거를 주장했다. 미래도시를 폐허로 보여주는 것은 미술계에서는 용인될 수 있지만, 건축계에서는 용납될 수 없는 일이었다. 비록 참여 건축가 중 한 명인 기쿠타케 기요노리의 중재로 해결되긴 했지만, 이소자키의 미래상은 당대의 다른 건축가들의 것과 불화했다.

실제로 이소자키의 설치작업에 포함된 그리스 신전의 폐허 이미지는 건축 잡지가 아니라 권위 있는 미술 잡지 『미술수첩』에 수록되었다.[9] 1962년 4월, 저명한 미술평론가 다키구치 슈조(1903-1979)가 객원 편집자로서 기획한 "현대도시의 이미지" 특집에 실린 이소자키의 「부화과정」에 실렸던 콜라주이다. 총 여섯 쪽으로 이루어진 이 포토 에세이는 현대도시를 고정된 기계가 아니라 생성과 죽음, 그리고 재생의 신진대사를 겪는 유기체로 묘사한다. 신진대사를 겪는 도시의 마지막 장면은 미래도시의 상징인 거대한 필로티 구조물을 폐허가 된 그리스 신전 기둥과 합성한 콜라주이다. 이소자키는 폐허 이미지를 다음의 시구와 병치시켰다.

[8] Isozaki Arata, "Ruins," in *Arata Isozaki,* edited by Ken Tadashi Oshima (London: Phaidon, 2009), pp. 28-33.

[9] 磯崎新,「孵化過程」,『美術手帳』(1962, 4): 46-50.

이소자키 아라타, 「부화과정」, 『미술수첩』(1962.4) 수록된 콜라주

부화된 도시는 스스로 멸망할 운명이다.

폐허는 우리 도시의 미래이다.

미래도시는 그 자체로 폐허이다.

우리의 현대도시는 이러한 이유 때문에 일시적으로만

존재할 운명이다.

그러고는 에너지를 포기하고 불활성의 물질로 돌아간다.

우리의 모든 제안과 노력은 묻혀버릴 것이다.

그리고 다시 한번 부화 메커니즘이 재개된다.

그것이 미래이다.[10]

물론 도시를 살아 있는 유기체로 보는 관점은 이소자키의 전유물은 아니었다. 앞에서 언급했듯이 메타볼리즘 운동 역시 신진대사를 뜻하는 생물학 용어를 그룹명으로 삼아, 삶과 죽음의 순환 과정을 적극적으로 건축과 도시 디자인에 도입했다. 그러나 메타볼리즘이 건축과 도시의 무한한 성장과 변화 가능성, 재생에 강조점을 두었다면, 이소자키의 관심은 유기체가 필연적으로 맞닥뜨리게 될 쇠퇴와 파괴, 죽음으로의 과정을 보여주는 데 있었다. 폐허를 도시의 과거이자 미래라고 선언한 이소자키의 콜라주야말로 메타볼리즘의 자연사적인 세계관을 메타볼리즘의 작업보다도 분명하게 보여주는 측면이 있다.

　　　이소자키에게 폐허의 이미지는 고대 그리스 신전에서부터 신고전주의 건축가 조반니 피라네시의 비저너리 건축에 이르기까지 다양한 출처를 갖는다. 그러나 반예술 계보의 동시대

[10]　같은 글, p. 50.

미술가들과 마찬가지로 폐허에 대한 이소자키의 집착은 전쟁으로 인한 파괴와 전후 폐허가 된 도시의 기억과 분리될 수 없다. 1968년, 밀라노 트리엔날레에 출품된 이소자키의 〈전기 미궁〉은 폐허에 대한 그의 상상력이 일본의 전쟁 경험에서 기인함을 잘 보여준다. 이 국제무대에서 이소자키가 제시한 일본은 서구의 이국 취미를 만족시키는 전통의 나라도, 세계 제2의 경제 대국으로 도약한 부국도 아닌, 참혹한 피폭국이었다.

이소자키의 〈전기 미궁〉은 여러 분야의 예술가들과의 협업을 통해 완성한 관객 참여형 설치작업이다. 먼저 전시장 벽면에 전쟁으로 폐허가 된 히로시마 시가와 메가스트럭처를 병치하 포토몽타주 〈다시 폐허가 된 히로시마〉를 설치하고 그 위로 슬라이드 프로젝터를 통해 동시대 건축가들이 제안한 미래 도시의 이미지를 연속적으로 투사했다. 플럭서스 그룹의 멤버이기도 한 이치야나기 도시가 작곡한 기괴한 음악이 흘러나오는 가운데, 전시장 중앙에는 그래픽 디자이너 스기우라 고헤이와 사운드 엔지니어 오쿠무라 유키오와의 협업으로 제작된 알루미늄 패널 12개가 설치되었다. 곡면의 패널 위에는 에도 시대의 악귀 이미지에서부터 사진가 도마쓰 쇼메이가 찍은 피폭자들의 이미지에 이르기까지 과거와 현대의 그로테스크한 이미지들이 실크스크린으로 덧입혀졌다. 회전식 패널은 관람자의 움직임에 반응해 자동으로 회전하게끔 설계되었다. 이 작업은 "기괴한 소리와 비범한 색, 회전하는 움직임이 기이하게 조합되어 환상을 불러일으키는 공간", 즉 "환상적인 만다라"를 구현한 실험적인 멀티미디어 전시로 평가받았다.[11]

[11] 山崎挙行, 「閉鎖された14回ミラノ・トリエンナーレ」, 『建築文化』 (1968, 8).

〈전기 미궁〉에서 강조된 원폭과 폐허의 기억에 대한 고통스러운 환기는 전후 일본 건축의 전개에서 다소 이례적인 사건이다. 대다수의 건축가가 외상적인 역사에 침묵으로 일관하거나, 아니면 단게의 히로시마 평화공원(1949-54)처럼 폐허의 기억을 평화와 부흥에의 열망으로 대치시키는 데 관심을 가졌다. 예외적으로 시라이 세이이치가 제안했으나 실현되지 않은 드로잉 〈원폭당〉(1954)이 존재한다. 패전 10주년을 기념으로 『신건축』에 수록된 〈원폭당〉은 마루키 부부의 원폭도 연작을 전시하기 위한 건물로 원폭의 버섯 형태를 추상화한 구조물과 방공호를 연상시키는 지하 통로를 도입한 애도와 명상의 공간이다.

원폭이라는 주제가 터부시된 것은 건축에만 국한된 현상은 아니었다. 1945년부터 7년간 지속되었던 미군정 시기는 원폭을 다룬 예술 창작과 문화 생산에 대한 엄격한 검열과 통제가 이루어졌다. 1960년대에 들어서야 그간 억압되었던 전쟁 기억이 일본 사회의 수면 위로 부상하면서 금기시된 원폭에 대한 재현도 본격화되었다. 〈전기 미궁〉에 참여했던 사진가 도마쓰 쇼메이가 나가사키 피폭자들을 기록한 사진집 〈나가사키 연작〉(1961)을 출간하고, 오에 겐자부로의 『히로시마 노트』(1965), 이부세 마스지의 『검은 비』(1966)로 대표되는 원폭 문학이 등장한 것도 이 시기이다.

이렇듯 일본 사회가 외상적인 과거의 기억과 직면하게 된 데에는 안보투쟁과 학생운동을 겪으며 고양된 역사의식과 더불어, 연일 미디어를 통해 생중계된 베트남 전쟁의 영향이 적지 않게 작용했다. 베트남 전쟁을 '악'으로 규정한 진보 진영은 반전운동을 통해 반미정서를 고양하며 전후 일본이 누린 평화와 번영이 미국의 핵우산 속에서 이루어진 허구에 불과하다는 점을 폭로

이소자키 아라타, 〈다시 폐허가 된 히로시마〉, 포토몽타주, 1968

이소자키 아라타, 〈전기 미궁〉 설치장면,
1968년 밀라노 트리엔날레 출품작(2003년 《Iconoclash》 전시를 위해 재제작)

시라이 세이이치, 원폭당, 1954

했다.[12] 이런 맥락에서 전쟁의 참상과 원폭 트라우마를 상기시키는 이소자키의 폐허 연작은 국가의 권위에 도전하는 그의 반체제적이고 급진적인 성향을 대변한다.

'보이지 않는 도시': 환경에서 사이버네틱스로

이소자키가 폐허 자체를 탐닉한 것은 아니었다. 그의 진정한 관심은 파괴적인 저항을 넘어서, 전후 모더니즘 건축의 한계를 극복할 정교한 디자인 방법론을 구축하는 것이었다. 1963년 12월 『건축문화』 특집호에 실린 「도시 디자인의 방법」에서 이소자키는 20세기 이후 도시의 발전 단계를 1) 실체론적, 2) 기능론적, 3) 구조론적, 4) 상징론(기호론)적 단계로 구분했다.[13] 전근대적 도시가 첫 번째 단계라면 모더니즘의 기능주의 도시가 두 번째 단계, 그리고 도시를 유기체로 보고 관리 가능한 성장을 도모하는 단계의 모델이 구조론적 단계에 해당한다. 가장 진화된 마지막 단계는 도시를 비물질적인 기호와 상징의 연쇄로 보는 접근으로서, 이소자키는 이 최종 단계를 '보이지 않는 도시'라고 불렀다. 그는 케빈 린치의 『도시의 이미지』(1960)를 인용하며 현대 도시를 지배하는 것은 명확한 이미지가 아니라 무수한 광고와 신호, 교통의 끊임없는 흐름이라고 서술했다.[14] 그러나 린치가 도시의 이미지성을 복원하는 데 관심이 있었다면, 이소자키는 도시의 비물질적

---

[12]   베트남 전쟁 반대 시위가 일본 사회와 문화에 끼친 영향으로는 다음을 참조할 것. Thomas R. H. Havens, *Fire Across the Sea: The Vietnam War and Japan 1965-1975* (Princeton: Princeton University Press, 1987).

[13]   磯崎新, 「都市デザインの方法」, 『建築文化』 (1963, 12).

인 요소들의 상호작용과 흐름을 극대화하고자 했다.

　　이를 위해 미국의 수학자 노버트 위너가 창안한 사이버네틱스(cybernetics) 이론을 도입해 '사이버네틱스 환경'을 제안했다. 사이버네틱스는 유기체와 기계의 유비에 착안해, 반복적인 피드백 과정을 통해 안정적인 평형 상태인 항상성(homeosis)을 찾아가는 소통과 제어의 메커니즘에 관한 연구이다.[15] 이소자키는 현대건축가는 마치 비행기 조종사처럼 현실과 가상 사이의 지속적인 상호작용을 다루는 사람이므로, 미리 정해진 고정된 개념에 매달려서는 안 된다고 강조했다. 이렇게 한 치 앞을 볼 수 없는 미궁과도 같은 현대도시에서 생존하기 위한 "아리아드네의 실"로 제안된 것이 바로 사이버네틱스 환경이다. 사이버네틱스 환경은 1) 일정한 균형 상태의 유지, 2) 상호성, 3) 이동식 장치, 4) 인간-기계계, 5) 자기학습에 의한 피드팩 회로를 특징으로 한다.[16]

　　이소자키의 '사이버네틱스 환경' 개념은 당시 일본 미술가들을 열광시켰던 환경에 대한 관심을 사이버네틱스 이론을 통해 갱신한 것이다. 1960년대 중반, 반예술 운동의 열기가 식은 미술계의 키워드는 '환경'이었다. 미술평론가 나카하라 유스케는 미니멀리즘, 옵아트, 키네틱 아트, 사이키델릭, LSD 아트, 해프닝 등 개별 오브제로부터 주위 공간으로의 확장을 시도한 당대의 미술 경향을 '미술의 환경화'라고 개념화했다.[17] 한때 반예술 운동의

[14]　Kevin Lynch, *The Image of the City* (Cambridge MA: The MIT Press, 1960).

[15]　Norbert Wiener, *Cybernetics: Or Control and Communication in the Animal and the Machine* (New York: John Wiley & Sons, 1948).

[16]　磯崎新,「見えない都市」,『空間へ』(東京: 美術出版社 1984), p. 402.

[17]　中原祐介,「芸術の環境化, 環境の芸術化」,『美術手帳』(1967, 6): 130-141.

옹호자였던 미술평론가 도노 요시아키 역시 비가시적이고 비물질적인 영역을 다루는 '환경' 예술의 이론가로 변신해 있었다. 도노는 미디어를 통한 이미지의 대량 복제가 '허상(虛像)의 시대'를 만들었다고 진단하고, 미술가들에게 이러한 시각 환경의 변화에 유연하게 대응할 것을 촉구했다.[18]

1966년, 도노가 기획하고 이소자키가 참여한 두 차례의 역사적인 멀티미디어 전시《색채와 공간》과《공간에서 환경으로》는 '환경'에 대한 예술계의 공감대를 확신시키는 계기였다.《색채와 공간》은 신소재를 활용한 대규모 설치 미술을 통해 공간의 분위기를 지배하는 색채의 중요성을 보여주었고,《공간에서 환경으로》는 테크놀로지를 활용한 다양한 인터랙티브 아트를 시도해 고정되고 정적인 '공간'을 관람객의 자발적이고 즉흥적인 참여를 포함한 상호적이고 역동적인 '환경'으로 바꾸었다. 두 전시를 통해 이소자키는 건축이 반드시 고정된 실체여야 한다는 생각을 버리고, 대신 빛과 색으로부터 발생하는 비실체로 재정의할 수 있었다.[19] 그는 두 전시 모두에 당시 설계 중이던 후쿠오카 상호은행 오이타 지점(1966-67)의 20분의 1 모형인 〈건축 공간〉을 출품했다. 2미터가 조금 안 되는 이 모형은 은행 건물 1층의 천장이 전시장 벽면에 면하도록 90도 각도로 들려져 설치되었다. 모형 중앙에는 은행 로비에 매달린 공중 다리를 표현한 파란색의 홈이 파여 있고, 여기서 45도 각도로 분기한 빨간 선은 배관 설비를 표현한다.

[18]   東野芳明,『虛像の時代』(東京: 河出書房新社, 2013).

[19]   磯崎新,「反回想, "おれは評論家じゃなくて批評家"といった東野芳明のことを思い出してみた」, 東野芳明,『虛像の時代』(東京: 河出書房新社, 2013), p. 315.

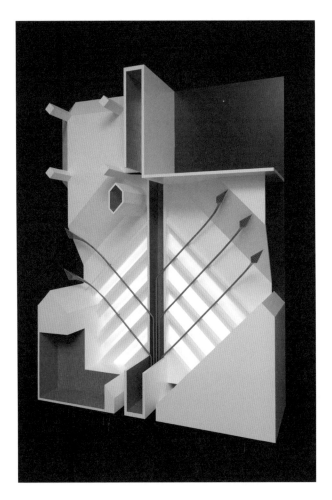

이소자키 아라타, 〈건축 공간〉 모형, 1966
(2011년 모리 미술관 《메타볼리즘의 미래도시전》 전시를 위해 재제작)

1967년 준공된 후쿠오카 상호은행 오이타 지점은 이소자키가 '허상의 공간' 혹은 '허의 환경'으로 개념화한 건축의 새로운 패러다임이 시도된 대표적인 예이다.[20] 건물 한쪽만 필로티위에 올려진 비대칭적인 노출 콘크리트 구조물로, 기존의 은행이엄숙하고 권위적인 외관을 한 것과 달리, 이 건물은 행인의 눈길을 끄는 일종의 랜드마크이자 대형 광고판을 지향한다. 회색의 엄숙한 콘크리트 외벽과 달리, 미로 같이 복잡한 건물 내부는 이소자키가 "연어빛 핑크의 환경"이라고 부른 강렬한 붉은 색채의 향연을 제공한다.[21] 이소자키는 색을 "공간을 지배하는 환경적"인 것으로 규정하고, 색과 빛, 이용자의 움직임 등 비물질적이고비실체적인 요소를 건물의 기능이나 구조와 등가로 취급했다.[22]후쿠오카 상호은행은 준공 직후부터 건축계뿐 아니라 미술계의비상한 관심을 끌었다. 앞서 언급한 《색채와 공간》과 《공간에서환경으로》를 기획한 도노는 빨간 층계와 핑크색 벽면, 여기서 반사된 오렌지 빛 파도가 유영하는 몽환적인 내부 공간의 분위기에 매료되어, 이 건물을 "미니스커트를 입은 소녀가 폴짝거리면다닐 것만 같은 역동적인 공간"이라고 묘사했다.[23] 도노는 마셜매클루언의 미디어 이론을 원용해, 건물 내에서 관람자의 이동에

---

[20]   후쿠오카 상호은행 오이타 지점은 현재 남아 있지 않다. 규슈 출신인
이소자키는 이 지역을 대표하는 후쿠오카 상호은행 본점을 포함해 오이타시, 사가시에
위치한 여러 지점들을 설계했는데, 현재 후쿠오카 상호은행은 서일본시티은행으로
바뀌었다.

[21]   磯崎新, 「サモンピンクのエンバイロンメント」, 『建築』(1967, 4). 磯崎新, 『空間へ』
(東京:美術出版社, 1984), pp. 346-351에 재수록.

[22]   같은 책, p. 348.

[23]   東野芳明, 「色彩の発見」, 『新建築』(1968, 3). 東野芳明, 『虚像の時代』(東京: 河出書房新
社, 2013), pp. 198-206에 재수록.

이소자키 아라타, 후쿠오카 상호은행 오이타 지점 내부, 1967

따라 변화하는 현상학적 공간 경험이 마치 텔레비전 채널을 자유롭게 돌리는 행위와 유사하다고 논평하기도 했다.[24]

　　　이소자키는 동시대 미술계에 유행했던 '환경'에 대한 관심을 잘 알고 있었다. 그러나 보다 정교한 건축론을 정립하기 위해서 관람자의 즉흥적인 참여와 해프닝적 요소를 강조한 동시대 미술가들의 다소 직관적이고 유희적인 '환경' 개념을 보다 과학적이고 체계적으로 갱신할 필요가 있었다. 이를 위해 그가 도입한 것이 노버트 위너의 사이버네틱스 이론이다. 당시 미술계에서도 사이버네틱스에 관한 관심은 높았지만, 미술가들은 사이버네틱스를 인터랙티브 아트의 동의어 정도로 다분히 피상적으로 이해했다. 반면, 동시대 건축계는 사이버네틱스를 경직된 모더니즘 건축을 넘어설 수 있는 중요한 개념으로 강조했다. 미국의 건축가이자 도시계획자 크리스토퍼 알렉산더는 직관에 의한 디자인을 거부하고, 대신 컴퓨터 연산을 통해 도시를 구성하는 다양한 요소들의 다각적인 관계와 상호작용을 조직화하는 과학적인 시스템을 도입했다. 건축을 하드웨어가 아니라 소프트웨어적 흐름으로 보는 영국의 건축그룹 아키그램이나 최신의 정보이론과 게임이론을 도입해 감응적인 공간을 디자인한 세드릭 프라이스 같은 유럽 건축가들도 유사한 관심을 공유했다. 동시대 국제 건축계의 동향을 자세히 알고 있었던 이소자키는 알렉산더, 아키그램, 세드릭 등 실험적인 건축가들을 일본에 소개하는 역할을 하기도 했다.[25] 이소자키가 '사이버네틱스 환경'을 자신의 방법론으로 제안한 것은 이러한 맥락에서였다.

[24]　같은 책, p. 204.
[25]　이소자키는 1969년부터 1973년까지 『美術雜誌』에 동시대 서구 건축가들의 작가론을 연재했고 이를 엮은 단행본 『建築の解体』(東京: 美術出版社, 1975)를 출간했다.

1970년 오사카 만국박람회의 축제광장은 이소자키가 '환경'과 '사이버네틱스' 이론을 접목해 발전시킨 '사이버네틱스 환경' 개념을 구현할 절호의 기회였다. 실제로 박람회의 축제광장에서는 간사이 출신의 전위미술 그룹 구타이 미술협회 등이 참여한 가운데 사이키델릭한 환경 미술의 무대가 펼쳐지기도 했다. 그러나 공연자와 관람자 간의 예측 불가한 상호작용과 현상학적이고 개별적인 몸의 경험을 강조한 미술가들과 달리, 이소자키의 관심은 인간의 다양한 행위를 정량화함으로써 무대 효과를 극대화할 수 있는 시스템을 구축하는 것이었다. 이런 의미에서 앞 장에서도 지적했듯이, 축제광장은 무질서와 불확실성, 자발성이 통제 가능한 수준으로만 허용되고 관리되는 거대한 '통제실'에 불과하다는 비판을 받았다.[26] 비록 이소자키의 오랜 예술적 동지이자 미술 평론가 도노 요시아키가 앞장서 박람회 예술을 "텔레비전 세대를 위한 새로운 형식의 문화 생산물"로 옹호했지만, 대다수의 급진적인 미술가들에게 오사카 만국박람회는 자본과 기술에 지배되는 기만적인 스펙터클이자 국가 프로파간다일 뿐이었다.[27]

1970년대: 전위의 요양기

1970년대 들어, 건축계와 미술계 모두 하이테크를 통한 멀티미디어 환경의 구축이라는 주제로부터 멀어지게 된다. 미술에서는 돌,

[26] Yuriko Furuhata, "Multimedia Environments and Security Operations: Expo '70 as a Laboratory of Governance," *Greyroom* 54 (Winter 2014): 56-79.

[27] 東野芳明, 『虛像の時代』, pp. 267-281.

나무 같은 자연물이나 단순한 산업재료의 물성을 강조한 모노하(物派)가 주요한 사조로 부상했고, 건축에서는 역사적인 절충주의로 무장한 포스트모더니즘 열풍이 컴퓨터를 도입한 건축가들의 사이버네틱스 실험을 압도했다. 이소자키는 급진적인 전위 예술이 침체기를 맞은 1970년대를 일종의 "요양기"로 규정했다.[28]

　　이 시기 이소자키는 외부 대상을 환기하지 않는 순수한 추상 형태를 구축하는 데 몰두했다. 광택 나는 알루미늄 입방체가 무한정 증식하는 군마 미술관(1974)이나 반원형 볼트 터널이 도입된 기타규슈 도서관(1974) 등이 대표적인 예이다. 이들은 지방 도시가 발주한 공공 프로젝트임에도 불구하고, 국가와 사회에 대해 어떤 발언도 하지 않은 채, 자신을 자율적인 예술 작품으로 주장한다. 한 평론가는 이 건물들을 미국의 개념미술가 솔 르윗의 그리드 작업이 3차원적으로 구현된 거대한 미니멀리즘 조각에 비유하며, 이소자키의 건축이 창출하는 비관습적이고 다소 불편하기까지 한 감각이 건축보다는 미술이 불러일으키는 자극에 가깝다고 지적했다.[29] 이소자키는 건축이 단순히 실용적인 단계로 전락하지 않도록 매체의 자율성을 강조한 이러한 접근을 '대문자 A의 건축'으로 명명했다.[30] '대문자 A의 건축'은 오사카 만국박람회에서 국가 권력의 시녀로 복무했다는 자괴감에 괴로워하던 이소자키가 국가라는 대타자에서 벗어나는 전략이기도 하다.

[28]　淺田彰, 磯崎新, 「アイロニーの終焉」, 『現代思想』 (March 2020): 35.

[29]　Ada Louis Huxtable, "Architecture View; The Japanese New Wave," *The New York Times*, January 14, 1979, p. 27.

[30]　이소자키 아라타, 「국가와 도시, 그리고 양식에 대해」, H. D. 하루투니언, 마사오 미요시 엮음, 『포스트모더니즘과 일본』, 곽동훈 외 옮김 (시각과언어, 1996), p. 76.

▤ 이소자키 아라타, 군마 미술관, 군마, 1974

▯ 이소자키 아라타, 기타규슈 시립 도서관, 후쿠오카, 1974

건축이 국가와 사회로부터 거리를 두고 개인적, 미적 주제로 선회한 것은 이소자키뿐 아니라 1970년대 일본 건축의 주된 경향으로 볼 수 있다. 1970년대는 전후 재건이나 정치 민주화, 경제성장 같은 강력한 사회적 합의가 더는 작동하지 않게 된 시기이다. 따라서 건축도 사회를 표현하는 공적 역할을 떠맡는 대신, 시적 감흥과 지적 유희의 대상으로서 사적 성격이 강해졌다. 특히 그리드, 큐브, 반원, 피라미드 등 가치중립적인 기하학적 형태에 대한 강박은 이소자키뿐 아니라, 후지이 히로미(b. 1937), 안도 다다오(b. 1941), 아이다 다케후미(b. 1937) 등 1940년대 출생한 젊은 건축가들이 공유한 특징이기도 하다.

1977년 『신건축』의 영문판 『재팬 아키텍트』(*Japan Architect*)는 1970년대 건축의 새로운 경향을 '포스트 메타볼리즘'이라는 용어로 규정하며 특집호를 출간했다. 주로 1940년대 출생한 건축가들로 이루어진 포스트 메타볼리즘 세대는 기술낙관론에 근거한 메타볼리즘의 거대 프로젝트에 대한 비판을 공유하며 전후 모더니즘을 넘어서려는 다양한 시도를 개진했다.[31] 이미 1960년대부터 메타볼리즘의 기술 낙관주의와 단선적인 역사관을 비판해왔던 이소자키가 포스트 메타볼리즘 세대의 리더 역할을 자처하며 일본 건축의 새로운 물결을 이끌었다.

1978년 미국 전역에서 개최되어 큰 반향을 불러일으킨 전시 《일본 건축의 뉴 웨이브》는 포스트 메타볼리즘의 기수로서 이소자키의 역할을 잘 보여준다. 전시에는 이소자키를 비롯해 마키 후미히코, 안도 다다오, 후지이 히로미, 하라 히로시, 이시야마 오사무, 이토 도요, 아이다 다케후미, 모즈나 몬타, 다케야마 미

---

[31] *Japan Architect* 247 (October-November 1977).

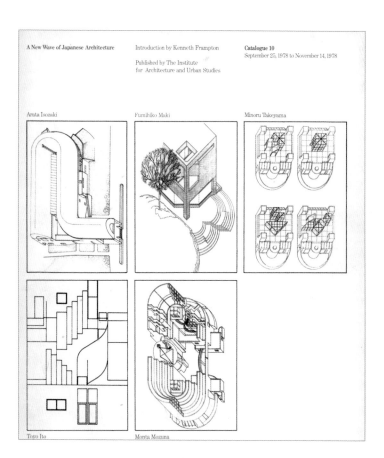

A New Wave of Japanese Architecture   Introduction by Kenneth Frampton

Catalogue 10
September 25, 1978 to November 14, 1978

Published by The Institute
for Architecture and Urban Studies

Arata Isozaki

Fumihiko Maki

Minoru Takeyama

Toyo Ito

Monta Mozuna

《일본 건축의 뉴웨이브》 전시 도록 표지, 1978

노루, 팀 주(Team Zoo) 등 주로 30-40대 젊은 건축가들이 참여했다. 전시의 스타는 단연 전시의 실질적인 기획자 이소자키였다. 케네스 프램튼은 이소자키를 "기술"(techne)과 "시정"(poesis)을 다루는 능력을 겸비한 "서정적 프로페셔널리즘"의 대가로 평가하며 일본 건축의 뉴 웨이브를 대표하는 스타로 자리매김했다.[32]

　　《일본 건축의 뉴 웨이브》전시의 성공을 계기로 일본 현대건축이 이국적인 호기심을 자극하는 일개 지역 건축에서 서구 모더니즘을 넘어설 수 있는 중요한 대안으로서 여겨지게 되었다. 이 전시를 통해 일본 건축에 관심을 갖게 된 프램튼은 안도 다다오 건축을 예로 들며 지역 고유의 맥락과 전통을 회복함으로써 보편주의에 대한 환상에 빠진 모더니즘을 갱신해야 한다는 자신의 비판적 지역주의(critical regionalism)론을 개진하기도 했다.[33] '뉴 웨이브 건축', '포스트 메타볼리즘', '비판적 지역주의' 등 다양한 방식으로 불린 탈(脫)근대적 지향은 1980년대를 전후해 포스트모더니즘으로 수렴했다. 이소자키는 전 세계를 휩쓴 포스트모더니즘 물결의 대표 주자로 부상하게 된다.

[32]　Kenneth Frampton "The Japanese New Wave," *A New Wave of Japanese Architecture* (New York: The Institute for Architecture and Urban Studies, 1978), p. 3.

[33]　케네스 프램튼의 비판적 지역주의에 관해서는 다음을 참조할 것. Kenneth Frampton, "Towards a Critical Regionalism: Six Points for an Architecture of Resistance," in *The Anti-Aesthetics: Essays on Postmodern Culture* edited by Hal Foster (Port Townsend: Bay Press, 1983), pp. 16-30. 프램튼은 1984년 출간된 다음의 글에서 안도 다다오론을 본격적으로 개진하기 시작했다. Kenneth Frampton, "Tadao Ando's Critical Modernism," in *Tadao Ando: Buildings, Projects, Writings* (New York: Rizzoli, 1984).

쓰쿠바 센터 빌딩: 포스트모더니즘과 일본

1980년대 일본 건축계의 키워드는 다름 아닌 포스트모더니즘이었다. 건축 전문 잡지는 물론 일간 신문에서부터 여성지에 이르기까지 일본의 미디어는 온통 포스트모더니즘에 관한 내용으로 도배되었다. 그러나 일본의 포스트모더니즘은 합의된 개념과 일관된 방법론을 공유한 건축운동이라기보다는, 한계에 봉착한 모더니즘의 대안을 백가쟁명 식으로 쏟아낸 시도로 보는 편이 정확하다. 건물 전면을 팝적인 원색의 슈퍼그래픽으로 장식한 다케야마 미노루의 니반칸(1970), 일본 전통의 모티브를 차용한 이시이 가즈히로의 세이와 분라쿠 극장(1992), 기계 미학의 정수를 보여준 다카마쓰 신의 오사카 기린 플라자(1987) 등 다양한 스펙트럼의 건축이 포스트모더니즘의 대표작으로 논의되었다.

포스트모더니즘이라는 용어가 건축계에 널리 유통된 데에는 찰스 젠크스가 펴낸 『포스트모던 건축의 언어』의 세계적인 인기가 한몫을 했다.[34] 건축의 소통 가능성이라는 측면에서 역사적인 양식의 인용과 장식의 복권을 강조한 젠크스의 책은 1977년 초판이 출간된 이래, 11개 이상의 언어로 수차례 개정판이 출간되었다. 일본에서도 하버드대학 출신의 건축가 다케야마 미노루의 번역으로 1978년 소개되어 건축가들 사이에서 널리 읽혔다. 일본 건축가 중에는 건축의 기호로서의 성격을 과도하게 강조하는 젠크스의 접근에 반감을 가진 이들도 많았지만, 포스트모던 건축의 전도사로서 그의 영향력을 부인하기는 어렵다.

[34] Charles Jencks, *The Language of Postmodern Architecture* (New York: Rizzoli, 1977).

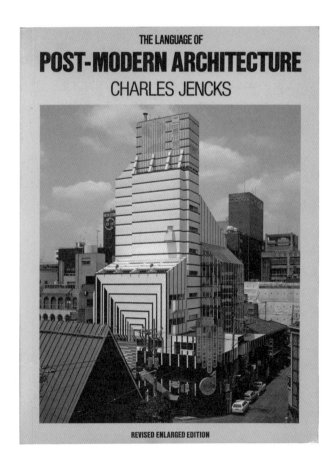

THE LANGUAGE OF
POST-MODERN ARCHITECTURE
CHARLES JENCKS

REVISED ENLARGED EDITION

찰스 젠크스, 『포스트모던 건축의 언어』, 1977
다케야마 미노루의 니반칸 (1970)이 표지 사진으로 쓰였다

사실 포스트모던 또는 포스트모더니즘은 건축에만 국한된 현상이 아니라, 68혁명을 전후해 프랑스 후기 구조주의자들에 의해 촉발된 모더니즘을 넘어서려는 문화 현상을 총칭한다. 여기서 일본은 포스트모던 사회의 징후 또는 현현(顯現)이라는 특별한 지위를 누렸다. 모더니즘이 위기에 처하면서 서구적인 의미에서 완전히 근대적이지 못한 일본의 탈근대성, 혹은 전근대성이 더 이상 결핍이 아니라 서구 모더니즘의 대안이자 미래로 환영받게 된 것이다. 롤랑 바르트, 자크 데리다, 펠릭스 가타리, 미셸 푸코 등 서구의 유명 철학자들은 앞다투어 일본을 신과 로고스 중심의 서양 문명에 균열을 내고, 서구 중심의 모더니즘을 넘어설 포스트모던의 매력적인 텍스트로 재구축했다.

　　일본을 서구 모더니즘의 대안으로 보는 경향은 건축 분야에서 두드러졌다. 젠크스는 일본 현대건축을 모더니즘 건축의 한정된 언어를 확장하고, 단절된 과거와 전통의 세계로 이르는 길을 열어줄 좋은 모델로 제시했다.[35] 이를 위해 젠크스는 일본이 19세기 말부터 서구의 모더니즘을 자신의 맥락과 전통에 맞게 토착화하고 세련화한 경험을 통해 역사주의와 절충주의라는 포스트모던의 전략을 일찍부터 성공적으로 실험해왔다고 강조했다. 젠크스의 일본 편애는 『포스트모던 건축의 언어』의 초판 표지로 서구의 대표적인 포스트모던 건축을 제치고 다케야마 미노루의 니반칸을 선택한 것에서도 잘 드러난다. 비슷한 맥락에서 건축 비평가 레이너 배넘도 로버트 벤투리나 찰스 무어 같은 서구의 포스트모던 건축가들이 등장하기 전부터, 일본 건축은 포

---

[35]　Charles Jencks, "Pluralism of Japanese Architecture," in *Late-modern Architecture and Other Essays* (New York: Rizzoli, 1980), p. 129.

스트모던적 속성을 선취했다고 전제하며, 이제 전 세계가 "일본
화"(Japanized)되는 중이라고 주장했다.[36]

　　　　일본을 서구 중심의 모더니즘의 대안이자 극복으로
보는 논리는 일본의 자기 정체성 규정에도 큰 영향을 끼쳤다.
1980년대 들어 일본이 서구를 위협하는 경제 강국으로 부상하
면서 일본인의 특징과 일분문화의 특수성에 대한 다양한 논의,
즉 니혼진론(日本人論)이 범람했다. '재팬 넘버 원'의 정서와 결부
된 니혼진론은 서구화에 의해 오염되지 않은 에도 시대를 진정한
일본의 표상이자, 포스트모더니티를 예고한 시대로 재평가하는
'에도 붐'을 불러 일으켰다. 건축에서도 일본 전통에서 대한 관심
이 부상하며 개화기의 의양풍(擬洋風) 건축이나 전시의 제관양식
을 연상시키는 혼성양식이 포스트모던 건축의 한 유형으로 등장
했다.[37] 현대적인 구조에 일본 전통의 모티브를 혼합한 이시이
가즈히로의 나오시마 동사무소(1982)이나 기쿠타케 기요노리의
에도 도쿄 박물관(1992) 등이 그 예이다.

　　　　그러나 이소자키는 일본적 모티프의 직설적인 차용 대
신, 보다 개념적이고 성찰적인 차원에서 '일본'과 '포스트모더니
즘'의 문제를 풀어냈다. 이소자키가 현상 공모를 통해 맡게 된 쓰
쿠바 센터 빌딩(1983)이 대표적인 예이다. 도쿄에서 약 50킬로
미터 떨어진 쓰쿠바시 중심부에 위치한 쓰쿠바 센터 빌딩은 호
텔, 콘서트홀, 상업시설, 광장으로 이루어진 복합문화시설로 준
공 직후부터 '포스트모더니즘의 성전'으로 여겨졌다. 이 프로젝트

[36]　Reyner Banham, Suzuki Hiroyuki, Katsuhiro Kobayashi, *Contemporary
Architecture of Japan, 1958-84* (New York: Rizzoli, 1985).

[37]　일본 포스트모던 건축의 다양한 양상과 전개에 관해서는 다음의 책을 참조할
것. 松葉一清,『日本のポスト・モダニズム』(東京: 三省堂, 1984), pp. 80-84.

▪ 기쿠타케 기요노리, 에도 도쿄 박물관, 도쿄, 1993

▪ 이시이 가즈히로, 나오시마 동사무소, 1982

의 목표는 연구와 교육을 위해 계획된 신도시 쓰쿠바시에 갑작스럽게 정착한 이주민들의 정체성과 소속감을 고양시킬 수 있는 도시의 물리적, 상징적 중심을 제공하는 것이다. 도시의 중심을 만드는 기존의 방법이 기념비적인 건물을 통해 멀리서도 눈에 띄는 랜드마크를 조성하는 것이었다면, 이소자키의 선택은 전혀 달랐다. 쓰쿠바 센터 빌딩은 움푹 내려앉은 광장을 중심으로 비교적 저층의 건물들이 둘러싸고 있어서 멀리서는 좀처럼 눈에 띄지 않는다. 그러나 일단 광장에 들어가면 다양한 재질이 주는 색채와 표면 효과, 여러 시대의 역사적 양식을 인용한 모티프들로 장식된 건물들로 둘러싸이게 된다. 이소자키는 마치 역사와 전통, 사회적 맥락이 제거된 신도시의 균질한 공간을 보완하기라도 하듯, 수많은 의미와 기호가 넘쳐나는 정보 과잉의 광장을 사람들 간의 즉흥적인 만남이 이루어지고 우연한 사건이 벌어지는 일종의 무대장치이자, 신도시의 중심으로 만들었다. 그러나 무작위로 존재하는 과잉의 정보는 쓰쿠바 시민들이 동일시할 수 있는 어떠한 유의미한 내러티브도 주지 않은 채 그저 텅 빈 기표로서만 존재한다.

쓰쿠바 센터 빌딩은 이소자키 건축 세계의 총결산으로 볼 수 있다. 1960년대부터 이미 미술가들과의 교류를 통해 모더니즘이 억압해온 색과 장식, 이미지와 상징의 복원을 꾀했고, 개별 오브제 중심의 모더니즘 건축의 폐쇄성에 반대해 확장된 환경으로서 '보이지 않는 도시' 개념을 제시한 바 있다. 정보 과잉의 무대장치로 기능하는 쓰쿠바 센터 빌딩은 바로 '보이지 않는 도시'의 연장선에서 이해될 수 있다. 이에 더해, 1970년대 시도했던 그리드, 피라미드, 반원 등의 기하학적 형태가 쓰쿠바 센터 빌딩 곳곳에 장식적인 모티프로 파편적으로 등장한다. 그러나 군마 미술관이나 기타규슈 도서관 등에서 외부 대상을 연상시키지 않는 가치중립적인 순수 추상을 고집했다면, 쓰쿠바 센터 빌딩의 기하학적 형태는 역사적인 건축 양식과 결부되어 있다. 신고전주의식 입면 분할, 로마네스크식 궁륭, 프랑스 혁명기 건축가 클로드 니콜라스 르두의 톱니바퀴형 포르티코, 르네상스의 거장 미켈란젤로의 캄피돌리오 광장 등 세계 건축사의 여러 장면이 연상된다. 특히 압권은 캄피돌리오 광장에 대한 인용과 반전이다. 언덕 위 고지대에 자리한 캄피돌리오 광장과 달리 쓰쿠바 센터 빌딩의 광장은 움푹 내려앉아 있을 뿐 아니라 캄피돌리오 광장의 중심부에 배치된 마르쿠스 아우렐리우스의 남근적인 기마상은 쓰쿠바에서 배수로 역할을 하는 작은 분수로 대치되었다. 밝은색과 어두운색이 교차하며 그리는 그물 형태의 바닥 패턴 역시 색 배열이 전치되어 있다. 물론 이러한 차이는 결코 임의적인 것이나 단순한 실수가 아니라, 원본에 대한 이해를 토대로 엄밀하게 계산된 것이다.

역사적 건축 양식의 전방위적 인용으로 쓰쿠바 센터 빌딩은 포스트모더니즘의 대표작으로 자리매김했다. 여기서 흥미로운 점은 이소자키가 의도적으로 일본 건축의 전통적인 모티프를 배제한 채 서양 건축사의 중요한 장면만을 원래 맥락과 무관하게 인용했다는 사실이다. 포스트모더니스트로 분류되는 미국 건축가 마이클 그레이브스는 이소자키가 일본인이면서도 서양 건축사의 여러 양식을 "일관된 내러티브" 없이 무차별적으로 인용했다고 비판했다. 그레이브스의 비판에는 서양 고전에 대한 서양 건축가의 배타적 권리를 주장하는 의도와 함께 일본 건축에서 다소의 이국 취향을 기대하는 속내가 담겨 있다. 이에 피터 아이젠먼은 내러티브의 일관성을 강조한 그레이브스의 포스트모더니

이소자키 아라타, 쓰쿠바 센터 빌딩, 쓰쿠바, 1983

즘에 대한 인식 자체를 문제 삼으며 이소자키의 디자인을 옹호하기도 했다.[38]

　　이소자키는 포스트모던 건축이 단순히 역사주의와 동일시되어서는 안 된다고 강조했다. 권위 있는 사상지 『현대사상』에 실린 아사다 아키라와의 대담에서 이소자키는 '이접', '아이러니', '분열증' 등 후기구조주의 철학 개념을 도입해, 안정된 의미작용을 균열시키는 인용의 급진성을 강조했다.[39] 아사다는 26세의 젊은 나이에 후기구조주의 입문서 『구조와 힘: 기호학을 넘어서』(1983)를 발표해 신드롬급 인기를 얻은 포스트모더니즘의 신성이자 이소자키의 오랜 지적 파트너이다. 이들은 아무런 관계없는 요소들의 파편을 콜라주한 쓰쿠바 센터 빌딩이 "일관된 내러티브"를 구축하지 않고, 반대로 기존의 통합된 의미 체계를 해체했다는 점에서 "아이러니의 집대성"이라고 설명했다.[40]

　　그렇다면 쓰쿠바 센터 빌딩의 '아이러니'가 도달한 곳은 어디인가? 국가가 발주한 이 공공 프로젝트에서 일본은 어디에 갔는가? 포스트모던 건축의 또 다른 대표작인 찰스 무어의 이탈리아 광장(1978)과 쓰쿠바 센터 빌딩을 비교해보자. 두 작업 모두 광장이 중심이 되는 도시의 상징물이다. 뉴올리언스에 거주하는 이탈리아 이주민의 역사와 정체성을 고양시키기 위해 조성된 이탈리아 광장은 고전주의 오더, 아치, 열주, 르네상스 시대의 광장 등 이탈리아에 연원을 둔 역사적인 양식만을 전략적으로 인용

[38]　쓰쿠바 센터를 둘러싼 논쟁에 대해서는 다음을 참조할 것. 八束はじめ,
「テキストの戦略とポストモダニズム」, 『現代の建築家 磯崎新 2 1976-1984』(東京: 鹿島出版会, 1984), p. 13.

[39]　淺田彰, 磯崎新, 「アイロニーの終焉」, 『現代思想』(2020, 3): 31-50.

[40]　같은 글, pp. 41-42.

찰스 무어, 이탈리아 광장, 뉴올리언스, 1978

했다. 반면, 쓰쿠바 센터 빌딩에서는 일본을 지시하는 일체의 양식이 의도적으로 배제되었다. 그러나 이소자키는 바로 이 부재를 통해 일본이라는 국가의 본질에 다다른다. 여기에 쓰쿠바 센터 빌딩의 '아이러니'가 작동한다. 이소자키는 쓰쿠바 센터 빌딩의 인용 전략에 대해 다음과 같이 밝혔다.

> 가쓰라 이궁, 파르테논 신전, 캄피돌리오 광장 등은 모두 시간적으로나 공간적으로 우리에게 멀리 떨어져 존재하고 있다. 건축의 역사 — 심지어 인류의 역사 — 에서 일어난 모든 사건은 자유롭게 인용할 수 있다. 여기서 중요한 것은 호수 한가운데 던진 공이 일으키는 파문과도 같이 한 사건은 본래의 의미를 상실하고 계속해서 새로운 의미를 낳는다는 점이다.[41]

세계 건축사의 어떤 사건이라도 인용할 수 있다는 세계시민으로서의 자의식은 경제 대국으로 올라선 당시 일본의 자신감과도 무관하지 않다. 일견 포스트모더니즘의 특징인 인용 전략 일반을 재확인하는 것처럼 보이는 이소자키의 언급은 전후 일본 건축사의 특수한 맥락 속에서 특정한 의도와 효과를 발휘한다. 여기에는 일본의 정체성을 추구하고 그 건축적 표상을 만드는 데 집착했던 선배 모더니스트들에 대한 도전이 내포되어 있기 때문이다. 서구식 커리큘럼으로 교육받은 이소자키가 파르테논이나 캄피돌리오를 가쓰라와 등거리에 있다고 여기는 것은 어찌 보면 당연한 일일 수도 있다. 그러나 가쓰라 이궁은 일본인뿐 아니라 브루노

[41] 이소자키 아라타, 「국가와 도시, 그리고 양식에 대해」, p. 84.

타우트, 발터 그로피우스 같은 서구 건축가들에 의해 근대건축의 정수를 간직한 걸작으로 추앙된 일본 건축의 고전이다. 특히 전통논쟁이 한창이던 1950년대 단게가 가쓰라 이궁을 조몬과 야요이가 조화롭게 통합된 일본 건축의 원형으로 강조했다는 사실을 상기할 필요가 있다.[42] 이런 점을 고려해볼 때, 가쓰라 이궁을 파르테논이나 캄피돌리오 광장과 등가로 놓는 것은 엄청난 파격이다. 이는 단게라는 아버지를 부정하는 일이자, 단게 세대가 추구한 건축의 일본적 정체성을 부정하는 일이기 때문이다.

　　단게가 조몬에서 가쓰라 이궁(혹은 이세 신궁)을 거쳐 현대까지 관통하는 일본 건축의 고정불변한 DNA를 추구하고자 했다면, 이소자키는 일본을 외부의 영향을 받으며 끊임없이 변화하는 가변적이고 유동적인 존재로 그려냈다. 역사적으로 섬나라 일본은 외부로부터 문화와 사상을 수입하고 이를 토착화, 세련화하는 과정을 겪어왔으며, 이 과정은 근대 이후 더욱 가속화되었다. 따라서 포스트모더니즘의 보편적인 전략인 '인용'은 일본 문화가 성립하고 작동하는 과정의 요체이기도 하다. 일본이 결코 '진정한' 의미에서 독창성과 원본성을 근간으로 하는 서구적인 모더니즘에 다다를 수 없다면, 독창성과 원본성의 배타적 권리를 폐기하는 것은 기회이자 해방인 셈이다.

　　즉, 쓰쿠바 센터 빌딩은 일본을 환기하는 일체의 양식을 의도적으로 배제함으로써, 역설적으로 일본이라는 국가의 작동 방식을 드러내고 있다. 이소자키에게는 일본은 선험적인 존재하는 것이 아니라, 외부와의 끊임없는 상호작용을 통해 생성 중인

[42]　Kenzō Tange et al., *Katsura: Tradition and Creation in Japanese Architecture* (New Haven: Yale University Press, 1960). 단게와 전통논쟁에 관한 논의로는 이 책의 1장을 참조할 것.

과정으로서 존재할 뿐이다. 일본을 해체하고 재정의하는 기획은 건축의 지상과제가 국가의 재건과 번영에 기여하는 데 있었던 일본의 '전후'가 일단락되었음을 의미한다. 이소자키에게 일본의 포스트모더니즘이란 '전후' 이후의 건축, 다른 말로 '역사'가 끝난 이후의 건축에 대한 상상력을 의미한다.[43]

✿

1985년, 도쿄의 한 호텔에서 1931년생 동갑내기이자 도쿄대학 동창 사이인 이소자키와 김수근이 만났다. 김수근이 보기에 이소자키는 '국가 건축가'로서의 무거운 책무를 짊어져야만 했던 자신과 달리, 국가와 민족을 뒤로하고 자유롭게 원하는 건축을 할 수 있던 행운아였다. 김수근은 "인간에게 가장 중요한 것은 바로 자유"라고 강조하며, 이소자키에 대한 부러움을 표했다.[44]

　　　　단게가 국가를 위해 온몸을 바쳤던 '국가 건축가'였다면, 이소자키는 국가의 그늘에서 벗어나 자유로운 개인으로 존재할 수 있는 권리를 획득한 첫 번째 세대의 건축가였다. 그러나 이소자키가 국가로부터 온전히 자유로울 수 있었던 것은 아니다. 무정부주의 성향의 전위 미술가들과 어울리며 국경을 넘나드는 세계 시민으로서 활약했지만, 그의 건축은 언제나 '일본'을 향하고 있었다. 이소자키는 파괴와 폐허의 순간을 환기시킴으로써 역사에

[43]　Igarashi Tarō, "New Architecture after 'History,'" in A Japanese Constellation: Toyo Ito, SANAA, and Beyond, edited by Pedro Gadanho (New York: The Museum of Modern Art, 2016), p. 190.

[44]　金壽根, 磯崎新, 「アジアの建築と文化」 (1985年 11月 5日), Kim Swoo Geun (Tokyo: Gallery Ma, 1993), pp. 22-23.

대한 집단망각 상태에 빠진 전후 일본의 한계와 모순을 드러냈고, 이어 포스트모더니즘과 접속해 '전후' 이후의 일본 건축의 향방을 모색했다. 그에게는 단게와 정반대로 국가를 뒤로한 건축가라는 수식어보다는 단게와는 다른 국가를 추구한 건축가라는 수식어가 더 어울려 보인다.

6장. 이토 도요,
'소비의 바다'에서 유영하라

평화로운 시대의 노부시

1979년 『신건축』에 발표한 글에서 메타볼리즘 운동의 멤버였던 마키 후미히코는 1970년대 활동을 시작한 젊은 건축가들을 '평화 시대의 노부시'(野武士)라고 소개했다.[1] 노부시는 모실 주군도, 받을 녹봉도 없이, 빈둥거리는 것 말고는 달리 할 수 있는 일이 없는 잉여의 인간이다. 무사가 활약하려면 전쟁 상황이 전제되어야 하는데 바야흐로 평화의 시대가 도래한 것이다. 마키가 직접 언급한 이시이 가즈히로(1944-2015)나 도미나가 유즈로(b. 1943)를 비롯해, 이토 도요, 안도 다다오, 하세가와 이쓰코(모두 1941년 출생), 아이다 다케후미(b. 1937), 이시야마 오사무(b. 1944) 등 40년대 초반 출생 건축가들이 바로 '평화 시대의 노부시' 세대에 해당한다.

1941년 서울에서 태어난 이토는 군국주의 치하에서 자란 선배 세대와는 달리, 민주주의 교육을 받은 전후 1세대로 미국 대중문화의 세례 속에서 고교 시절까지는 야구선수를 꿈꾸기도 했다. 그는 단게처럼 대동아 공영권의 그늘에서 발버둥칠 필요도, 메타볼리즘이나 이소자키처럼 히로시마의 유령과 싸우거

[1]　槇文彦,「平和な時代の野武士たち」,『新建築』(1979, 10).

나 종말의 순간을 상상할 이유도 없었다. 이토 세대 건축가들은 자신의 건축의 목표가 국가의 부흥과 동일시되지 않았다는 점에서 오롯이 자유로운 개인으로 존재할 수 있었다.

그러나 국가라는 대타자와 분리되었다는 것은 선배 세대가 누렸던 전후 재건기와 고도성장기의 건설 특수의 혜택에서 배제되었다는 것을 의미하기도 한다. 노부시 건축가들이 본격적인 활동을 시작한 1970년대 초반은 오일쇼크로 경제성장에 제동이 걸린 침체기였다. 이들은 이미 포화 상태인 공공건축 대신, 주택이나 소규모 상업시설에서 돌파구를 찾을 수밖에 없었다. 단게나 메타볼리스트, 이소자키가 이미 20-30대에 관공서와 문화시설 등 대규모 공공 프로젝트를 맡았던 것과 비교해볼 때, 이토는 50줄에 들어서야 비로소 자신의 첫 번째 공공건축인 야쓰시로 미술관(1990)을 완성할 수 있었다. 선배 세대에 대한 일종의 상대적 박탈감이 특징인 이들 세대의 정체성이 전후 모더니즘에 대한 비판과 도전으로 이어진 것은 놀라운 일은 아니다.

'노부시' 세대의 대표 주자인 이토가 '신세대 건축가'라는 정체성을 내세우며 전후 모더니즘을 넘어서고자 한 것은 '단게'라는 아버지를 상징적으로 죽임으로써 일본 건축의 새로운 패러다임을 연 이소자키와 비견할 만하다.[2] 이소자키가 단게 연구실의 일원이자 메타볼리스트들의 동료로서 모호한 내부 비판자의 자세를 견지했던 것에 비해, 이토는 '포스트'(post) 세대로서 이전과 명확하게 차별된 감수성과 생활 방식을 전면에 내세웠다. 그럼에도 불구하고 이토와 이소자키는 여러 면에서 유사한 행보를 보여준다. 자신만의 일관된 시그니처 양식으로 귀결되지 않는

[2] 『別冊 新建築 日本現代建築家シリーズ12 伊東豊雄』(東京:新建築社, 1988), p.122.

이토 도요, 2014, 타이중 국립가극원 내부에서

끊임없이 변화하는 건축 세계를 보여준 점, 일본 전통의 모티프를 가져오거나 일본적 정체성을 표현하는 데 관심이 없었던 점, 학계에 몸담지는 않았지만 자신의 학파로 불릴 만한 후진을 길러낸 점, 글을 통해 자신의 건축론을 개진하는 데 열성적이었던 점 등이 그러하다. 실제로 이토와 이소자키의 인연은 여러 지점에서 교차한다. 1970-80년대 아직 신진 건축가였던 이토가 국제 무대에 알려지는 데 결정적인 역할을 한 이가 바로 이소자키였다. 이소자키는 자신이 기획한 《일본 건축의 뉴 웨이브》(1978) 전시에 이토를 포함시킨 것을 시작으로, 1982년 미국 샬러츠빌에서 개최된 건축가들의 국제적인 모임 P3(public-private partnership) 회의에 이토를 동반해 그의 출세작이 될 실버헛(1984)의 개념을 발표할 기회를 주었고, 1992년 런던에서 열린 전시 《일본의 비전》의 미래관 디자인을 이토에게 맡겼다. 뿐만 아니라, 이토가 맡은 최초의 공공 프로젝트인 야쓰시로 미술관과 그의 대표작 센다이 미디어테크(2000)가 가능했던 것도 이소자키가 구마모토 아트폴리스의 커미셔너와 센다이 미디어테크 설계공모의 심사위원장으로서 이토의 파격적인 디자인을 지지한 덕분이다.

이렇듯 이소자키가 이토의 멘토 역할을 한 것은 양자가 전후 모더니즘을 넘어 건축의 새로운 패러다임을 찾으려는 공통의 목표를 공유했기 때문이다. 더 정확히 말하면, 이토는 이소자키가 구상했던 모더니즘 극복 기획의 실행자 역할을 했다. 이소자키가 모더니즘에 대한 비판이자 확장으로 제안한 개념인 '보이지 않는 도시', 즉 건축을 고정된 오브제로서가 아니라 정보와 기호의 끊임없는 흐름으로 보는 급진적 건축 이론은 이토에 이르러 좀 더 진전된 정보통신 기술과 컴퓨터를 이용한 첨단 공법에 힘입어 도시 공간에 실제로 구현되었다.[3] 그러나 이소자키가 포스트모더니스트로서의 정체성을 전략적으로 강조했던 것과 달리, 이토는 포스트모더니즘에 대해 일관성 있게 거리를 두었다. 이토가 모더니즘의 날선 비판자였다는 점은 의심의 여지가 없지만, 그의 모더니즘 비판이 곧바로 포스트모더니즘 옹호로 연결되는 것은 아니었다. 오히려 이토는 포스트모더니즘을 건축의 구조 문제를 경시한 표피적인 양식 실험에 불과하다고 비판했다.[4] 포스트모더니즘의 신봉자 찰스 젠크스 정도만이 이토를 모더니즘의 외피를 갖고 은밀하게 적진에 침투하는 "포스트모더니즘의 스텔스기 조종사"에 비유했을 뿐, 이토에게는 포스트모더니즘보다는 후기 모더니즘, 대안적 모더니즘, 포스트 메타볼리즘, 하이테크 건축 등의 수식어가 주로 따라붙는다.[5] 어쩌면 역사적 양식과 부가적인 장식적 요소를 배제하고, 새로운 건축 기술과 재료의 실험을 강조한다는 점에서 이토는 철저히 모더니스트로서의 면모를 보인다.

그럼에도 불구하고 이토가 일본 도시의 포스트모던적 상황을 가장 적확하게 보여주는 건축가라는 점은 분명하다. 이 장은 이토가 반(反)메타볼리즘의 기치를 내걸고 소주택 설계를 통해 건축가로서의 첫발을 내디딘 1970년대부터 시작해 버블 경기가 끝난 시점까지의 작업에 초점을 맞추고자 한다. 일반적으로 이토 건축의 정수를 논한다면, 아마도 1990년대 중반 설계에 착수한 센다이 미디어테크(2000)를 시작으로 토드 오모테산도 빌딩(2004), 다마 미술대학 도서관(2007), 타이중 국립가

[3] 이소자키의 '보이지 않는 도시' 개념에 대해서는 이 책의 5장을 참조할 것.

[4] 伊東豊雄, 『伊東豊雄の建築 2002-2014』 (東京: TOTO出版, 2014), p. 13.

[5] Charles Jencks, "Toyo Ito: Stealth Fighter for a Richer Post-moderism," *Toyo Ito* (New York: John Wiley and Sons, 1995), pp. 11-13.

극원(2014) 등 컴퓨터를 이용한 첨단 공법이 도입된 2000년대 이후의 작업이 거론될 것이다. 그러나 이 책에서 1970년대부터 1990년대까지를 먼저 주목한 이유는 이 시기 이토 건축을 통해 일본 사회의 독특한 포스트모던적 감수성을 읽어낼 수 있기 때문이다.

추락한 캡슐: 메타볼리즘을 넘어서

이토는 도쿄대학 졸업반이던 1965년부터 4년간 메타볼리즘 운동의 핵심 멤버인 기쿠타케 기요노리의 사무실에서 조수로 일했다. 당시 오사카 만국박람회장의 랜드마크인 캡슐 타워를 설계하던 기쿠타케를 도와 이토는 박람회 프로젝트에 깊이 관여했다. 그러나 상업화된 국가 프로파간다로 전락한 오사카 만국박람회에 깊은 환멸을 느낀 그는 기쿠타케 사무실을 떠나 1971년 자신의 건축 사무소 URBOT을 개설했다. '도시로봇'(urban robot)이라는 뜻의 다소 별난 사무실 이름에는 하이테크의 미래도시를 표방했던 박람회의 여운이 남아 있는 듯하다. URBOT이 사무실 이름이 된 것은 그가 오사카 만국박람회 축제광장의 주역인 대형 로봇을 이소자키와 함께 설계했던 엔지니어 쓰키오 요시오와 동업을 염두에 두었기 때문이다.[6] 그러나 쓰키오의 합류는 무산되었고, 1970년대 들어 일본 사회는 큰 변화를 겪었다. 1960년대를 풍미한 학생운동 조직 전학공투회의의 몰락, 자위대 궐기를 주장한 심미주의 작가 미시마 유키오의 할복자살, 그리고 오일쇼

---

[6] 伊東豊雄, 『伊東豊雄読本』 (東京: ADAエディタートーキョー, 2010).

크로 인한 갑작스러운 경제 침체는 국가 재건과 경제성장에 대한 열망으로 점철되었던 한 시대가 끝났다는 사실을 극적으로 보여주었다.

　　1971년 발표한 이토의 데뷔작 알루미늄 하우스는 광택 나는 은색의 마감재와 우주선 같은 형태의 미래주의적 외관을 하고 있지만, 결코 오사카 만국박람회가 보여준 빛나는 미래도시의 레토릭으로 환원될 수 없다. 이 주택 건축의 존재 이유는 도시의 황량함과 부조리를 직시하는 "무용성"에 있기 때문이다.[7] 알루미늄 하우스는 평범한 2층의 목조 주택 외벽을 광택 나는 알루미늄 패널로 마감하고, 지붕에는 뿔처럼 솟은 장방형 튜브 두 개를 올려 마치 불시착한 우주선 같은 인상을 준다. 예산 문제로 네 개에서 두 개로 축소된 은색 튜브는 2층 다락방에 빛을 끌어들이는 천창 역할 외에는 별다른 기능을 수행하지 않는다.

　　1971년 『도시주택』에 발표한 「무용의 이론」에서 이토는 알루미늄 하우스를 포함한 '도시 로봇 3부작'을 발표했다. 여기서 그는 자신의 사무실 이름이기도 한 도시 로봇(URBOT)을 사막 같이 황량한 도시에서 생존하기 위해 개인에게 지급된 캡슐에 비유했다.[8] 이토가 기쿠타케 사무실에서 수련했다는 점을 고려한다면, 메타볼리즘의 캡슐이 언급된 것은 그다지 놀라운 일은 아니다. 그러나 과학기술의 발전과 풍요로운 소비사회의 건축적 상징이었던 메타볼리즘 캡슐이 이제는 과거와 같이 작동하지 못하

---

[7]　伊東豊雄,「無用の論理」,『都市住宅』(1971, 11). 伊東豊雄,『風の変様体 建築クロニクル』(東京: 靑土社, 2000/2012), pp. 15-27에 재수록. 『도시주택』은 1968년부터 권위 있는 가지마 출판사에서 출간된 주택을 전문으로 한 건축 잡지로 1970년대 주택론의 전개에서 중요한 역할을 했다.

[8]　伊東豊雄, 같은 책, p.11.

이토 도요, 알루미늄 하우스, 가나가와현, 1971

는 고철이 된 것이다. 원래 캡슐은 전체 메가스트럭처의 일부분으로 기능하는 데 반해, 이토의 '도시 로봇'은 프레임에서 떨어져 고립된 상태로 존재한다. 모체와 분리된 캡슐은 오로지 빛으로만 가득 찬 온전하게 무용한 공간이다. 이토는 자신의 도시 로봇이 테크놀로지 낙관론에 근거한 미래에 대한 찬가가 아니라, 도시에서 살아남기 위한 장치이자 "빛과 살랑거리는 자폐증의 로봇"이라고 설명했다.[9] 이토에게 도시 로봇은 "너무 늦게 온 캡슐"이자 "추락한 캡슐"이었다.[10] 추락한 캡슐의 이미지는 인파로 북적이는 도쿄 시가지를 가득 메운 금빛 캡슐들을 등장시킨 이토의 포토몽타주 〈도쿄 버내큘러〉(1971)에서 잘 드러난다. 도시 로봇 3부작 중 마지막에 해당하는 이 포토몽타주는 알루미늄 하우스의 튜브를 연상시키는 11미터 높이의 연통 같은 구조물들을 마치 도쿄를 습격한 외계 생명체처럼 등장시킨다.

　　　메타볼리즘에 대한 비판은 이토뿐 아니라, 1970년대에 건축을 시작한 젊은 세대의 건축가들에게 널리 공유된 감수성이었다. 건물의 파사드를 익살스러운 얼굴 형태로 처리한 〈얼굴 집〉(1975)으로 명성을 얻은 야마시타 가즈마사(1937-)는 메타볼리즘과 대립각을 세우며 다음과 같이 자신의 건축론을 역설했다.

　　　나는 실제 용도와 기능의 요구에 맞게 디자인하려 한다. 나는 각각의 조건의 결과로서의 건축적 표현을 찾고자 한다. 내 길은 구로카와나 기쿠타케와 다르다. 그들의 건축은 그들이 설립한 이론을 정확히 표현하는 데 있다. 그들은

[9]　같은 책, p.14.
[10]　같은 곳.

이토 도요, 〈도쿄 버내큘러〉, 포토몽타주, 1971

디자인 방법론을 정립하고 그것을 설명하기 위한 건축을 한다. 그들은 거대한 메가스트럭처를 과시하기를 원한다. 그것이 사회와 아무 관계가 없고 기술적으로 구현하기 어렵고 비싸다 해도. 나는 미리 솔루션을 정해놓지 않는다. 나는 가짜 영웅주의를 싫어하고 자기 영웅화를 원치 않는다.(강조는 저자)[11]

야마시타는 메타볼리즘의 영웅주의적인 자의식과 위압적이고 값비싼 거대 스케일의 디자인에 강한 거부감을 드러내며 거주민의 삶과 밀착한 주택을 대안으로 제시했다.

이토 역시 스승 기쿠타케에게 직접 비판의 칼날을 겨누었다. 1975년 『건축문화』가 기획한 "근대의 주박을 벗어나" 시리즈의 한 꼭지로 이토는 「기쿠타케 씨에게 묻는다: 지금부터 광기를 극복하는 길을 알려주시오」라는 도발적인 제목의 글을 발표했다.[12] 여기서 이토는 메타볼리즘의 전성기인 1960년대를 "광기의 시기"로 규정하고, 이 시기에는 광기가 재능이 되었지만 1970년대의 변모한 조건에 적응하기 위해서는 지양되어야 한다고 주장했다. 글의 말미에서 그는 스승 기쿠타케에게 모더니즘에 대한 신뢰를 거두고 일상과 조우할 것을 충고했다.

「기쿠타케 씨에게 묻는다」에서 이토는 기쿠타케를 대신할 자신의 새로운 멘토로 미학적인 주택 설계로 유명한 시노하라 가즈오(1925-2006)를 언급했다. 시노하라는 도쿄공업대학 교

[11]   Charles Jencks, "Pluralism of Japanese Architecture," in *Late Modern Architecture* (New York: Rizzoli, 1980) p. 121에서 재인용.

[12]   伊東豊雄,「菊竹清訓氏へ問う, われらの狂氣を生きのびる道を教えよう」,『建築文化』(1975. 10).

수로 재직하며 사카모토 가즈나리, 하세가와 이쓰코 등 '시노하라 학파'로 불리는 일군의 제자를 양성한 영향력 있는 건축가이다. 1960년대부터 시노하라는 기능성과 효율성만을 강조한 주류 건축문화에 대한 대안으로 예술로서의 주택 개념을 제시하며 메타볼리즘의 강력한 대항마로 떠올랐다. 건축가가 되기 전에 수학을 전공했던 특이한 이력에 걸맞게 시노하라는 수학의 카오스 이론을 인용하며 도시의 본질을 혼돈 상태로 규정하고, 건축가의 일이란 도시 전체에 인위적인 질서를 부여하는 것이 아니라 작은 규모의 건물을 질서 있고 일관성 있게 디자인하는 것이라고 설명했다.[13] 그렇다고 시노하라가 도시의 문제를 방기한 것은 결코 아니었다. 그는 도시 디자인의 출발점은 사람들의 삶과 직결된 개별 주택이라고 보았다. 주택이야말로 "건축가의 사상과 조형의 전체 시스템이 응축적으로 표현"된 분야이며, 결코 도시와 무관한 것이 아니라 "도시의 미래를 생각하는 출발점"이라는 것이다.[14]

시노하라의 '주택 예술론'은 모더니즘의 기능주의적 접근을 넘어설 대안을 찾는 젊은 건축가들 사이에서 커다란 반향을 일으켰다. 이토의 U HOUSE(1976)는 시노하라의 영향을 가장 잘 보여주는 그의 초기작 중 하나이다. 묵직한 매스감을 갖는 노출 콘크리트 건물인 U HOUSE는 금속 재질의 가볍고 개방적인 디자인이 주를 이루는 이토의 건축 경향 전반에서 볼 때 다소 이질적으로 느껴지기도 한다. 이 건물은 남편과 사별한 친누나를 위해 설계한 것으로, 전작인 알루미늄 하우스에서 시도했던 빛의

[13] Hans Ulrich Obrist, Kazuo Shinohara, *Quaderns* 265, http://quaderns.coac.net/en/2014/05/huo-shinohara/, 2020년 10월 1일 접속.

[14] 篠原一男, 「住宅設計の主体性」, 『建築』 28 (1964, 4). 篠原一男, 『住宅論』, (東京: SD選書, 2012), pp. 158-196에 재수록.

상징성과 무용성의 논리를 더 적극적으로 구현했다. 신주쿠 외곽 주택가에 자리한 U HOUSE는 복잡한 도시에서 벗어나 자연과 가깝게 지내며 애도와 치유의 시간을 갖고자 하는 건축주의 바람에 따라 외부로부터 차폐된, 고립되고 내향적인 공간을 지향한다. 중정을 둘러싼 U자형의 미분화된 긴 복도는 시시각각 변화하는 빛과 그림자가 투사되는 빈 스크린 역할 외에는 아무런 기능을 갖지 않는다.

도시로부터 등을 돌린 폐쇄적인 주택은 1970년대 데뷔한, 소위 '신세대 건축가'들의 공통된 관심사였다. '닫힌 주택'을 테제로 내세운 시노하라의 제자 사카모토 가즈나리를 비롯해, 캔틸레버 형식의 블루박스 하우스(1971)를 설계한 미야와키 마유미, 산업 폐기물로 만든 정크 주택 환암(幻庵, 1975)을 선보인 이시야마 오사무, 무표정한 노출 콘크리트 파사드의 주택 스미요시 나가야(1976)로 유명세를 얻은 안도 다다오 등이 대표적이다. 이들에게 도시는 상업주의와 관료주의로 얼룩진 부패와 타락, 카오스의 공간이며, 외부와 단절된 자족적인 소우주로서의 주택이 도시의 악으로부터 개인의 자유와 사생활을 위한 마지막 보루로 여겨졌다.

1972년 발표한 선언문 「도시 게릴라 주거」에서 안도는 주택을 도시라는 비인간적인 거대 시스템에 맞서, 개인의 인간성을 지키기 위해 투쟁하는 "게릴라의 아지트"에 비유했다.

겹치고 섞인 도시 안에서 고도의 정보화와 그것에 따르는 관료주의 — 그것은 총체적인 것을 금하고 개인을 부품화하며 기술에서 혼까지 빼낼 수 있다 — 에 대항하고 종언을 고할 수 있는 유일한 보루는 개인이 구축한 주

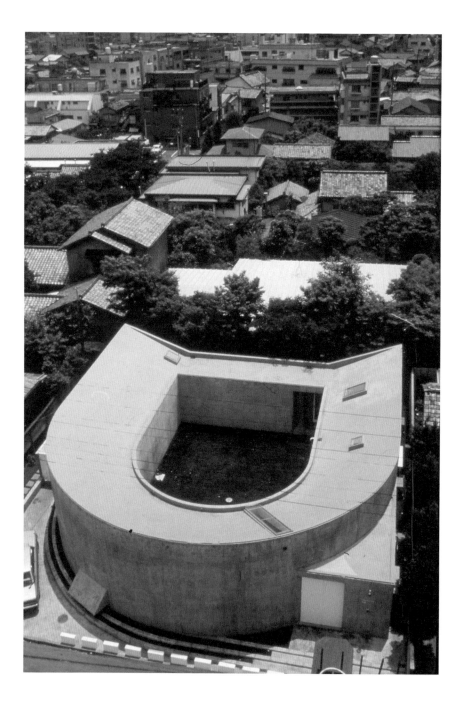

안도 다다오, 스미요시 나가야, 오사카, 1976

거이다. 현대 도시 안에서 인간성의 복권을 바랄 수 있는 가장 강렬한 방법은 바로 '거주' 욕구의 본질을 복권하는 것이다. 따라서 그러나 주거는 당연히 동물적이라고 할 수 있는 강렬한, 이를테면 극적으로 삶을 획득하는 공간을 내포하지 않으면 안 된다. '도시 게릴라 주거'는 게릴라의 아지트라는 이미지를 갖는다. 이러한 사고의 구축은 '위'로부터가 아닌 '개인'의 차원에서만 이룰 수 있다. '개'(個)를 사고의 중심에 두기 또는 육체적 직감을 기반으로 한 자기표현으로서의 주거를 추구하기.[15]

안도는 이토와는 1941년생 동갑이자 평생의 라이벌로 여겨지는 건축가이다. 안도에게 중요한 것은 전체로서의 국가나 사회가 아니라, 개별적인 신체와 일상을 가진 사적인 개인이었다. 그는 도시를 '악'으로 규정하고, 주택을 도시로부터의 피난처이자 개인을 지켜주는 저항의 요새로 접근했다. 이를 위해 공간의 개방성과 효율성을 극대화하기 위해 기둥과 보로 하중을 받치는 근대건축 전략을 폐기하고, 대신 견고한 벽을 쌓아 내밀한 사적 영역을 만드는 "영벽"(領壁)의 부활을 주장했다.[16]

학력과 학맥이 중요한 일본 건축계에서 프로 권투선수 출신의 고졸 건축가라는 독특한 이력을 가진 안도는 노출 콘크리트 재질의 파격적인 도시주택을 선보이며 건축계의 총아로 떠올랐다. 실제로 이토와 안도의 1970년대 주택은 20세기 초 아돌프

[15]   安藤忠雄,「都市ゲリラ住居」,『別冊都市住宅第四集』4 (1973, 7). 안도 다다오,『안도 다다오: 안도 다다오가 말하는 집의 의미와 설계』, 송태욱 옮김 (미메시스, 1996), pp. 344-345에서 재인용.

[16]   安藤忠雄,「嶺壁」,『新建築』(1978, 2).

로스의 금욕적인 주택처럼 도시를 향해 무표정한 콘크리트 파사드를 공통적으로 드러낸다. 그러나 1980년대 들어 두 사람의 건축은 극적으로 달라졌다. 안도가 노출 콘크리트의 미적 가능성을 일관성 있게 탐색하며 외부와 차폐된 내향적인 건축을 지속한 것에 반해, 이토는 다양한 하이테크 재료를 도입한 가볍고 개방적인 건축으로 선회한 것이다.

실버헛: 도시를 향해 열다

1981년, 이토는 사무실 이름을 미래주의적인 감수성이 물씬 묻어나는 URBOT에서 자신의 이름을 내건 현재의 '이토 토요 건축설계 사무소'로 바꾸었다. 그러나 테크놀로지에 대한 관심과 메타볼리즘의 비판적 계승자로서의 정체성은 퇴색하지 않았다. 1970년대가 윗세대에 대한 부정과 반항으로 점철된 일종의 모색기였다면, 1980년대는 이토의 작품 세계를 정립하는 구축기였다. 이 시기에 이토는 급속한 정보화와 고도소비사회가 가져올 도시의 변화를 예리하게 감지하고, 이 새로운 현실을 적확하게 반영하고 대응할 수 있는 건축언어를 모색했다.

그 출발점이 바로 이토의 자택이기도 한 실버헛(1984)이다. 바로 인접한 곳에 위치한 누이의 주택 U HOUSE가 내부로 침잠하는 폐쇄적인 구조를 가졌다면, 실버헛은 외부를 향해 활짝 열린 개방적인 주택이다. 실버헛의 개방성은 철제 스페이스 프레임으로 짠 볼트형 지붕을 날렵한 콘크리트 기둥이 지지하는 구조에서 기인한다. 견고한 벽 대신 날렵한 기둥이 건물의 하중을 지탱하는 수법을 실버헛에서 처음 도입된 것이 아니라, 이토가

이토 도요, 실버헛, 도쿄, 1984

1970년대 말 르 코르뷔지에의 '도미노 하우스' 모델을 원용하며 발표한 철골 프레임의 '도미노 하우스 연작'에서 발전되었다.

실버헛은 도시를 향해 열려 있을 뿐 아니라, 도시의 건조 환경을 적극 끌어들인다. 이토는 돌이나 나무 같은 전통적인 주택 재료 대신, 광택 나는 스테인리스 스틸과 펀칭 알루미늄, 투명한 유리 패널 등 가볍고 매끈한 철제 산업재료를 공격적으로 사용해 건물의 개방성을 극대화하고 공상과학 영화의 세트장 같은 분위기를 연출한다. 일반 주택에서 기대하기 어려운 파격적인 재료의 사용에 대해, 이토는 알루미늄과 스테인리스 스틸이야말로 우리 일상을 구축하는 자연스러운 재료라고 강조했다.[17] 실제로 이 재료들은 출퇴근길에 마주치는 지하철역, 고층 건물의 엘리베이터와 에스컬레이터, 공사장의 비계 등 도시 공간 어디에나 편재해 있다. 도시를 구성하는 일상의 재료들로 이루어진 실버헛은 더 이상 악으로 점철된 도시로부터의 은신처가 아니라, 도시와의 경계가 무화된 도시의 일부이다.

이토는 1970년대를 지배했던 부정과 저항의 기획을 폐기하고, 대신 1980년대의 변모한 도시의 현실을 있는 그대로 긍정하기로 했다. 그가 실버헛을 소개하면서 사용한 "알루미늄은 알루미늄 이상도 알루미늄 이하도 아니다"라는 다소 말장난 같은 표현은 이러한 변화된 태도를 잘 보여준다.[18] 이토는 알루미늄의 즉물성과 표피성에 매료되었다. 알루미늄은 나무나 흙처럼 시간성을 간직하거나 향수를 자극하지 않는다. 이토의 관심은 광

---

[17] 伊東豊雄,「アルミはアルミ以上でもなくアルミ以下でもないことを認める眼」, 『アルフア-N』, (1985. 7), 伊東豊雄, 『風の変様体』(東京: 青土社, 2012), pp. 382-387에 재인용.

[18] 같은 글.

택 나는 표면 너머에 무엇이 감춰져 있는지 파고드는 것이 아니라, 알루미늄의 매끄러운 표면 자체를 드러내는 데 있었다.

이러한 변화된 관점은 도시 전반에 대해서도 그대로 적용된다. 버블기의 호황에 들썩거리던 1980년대 도쿄는 더 이상 비판과 부정의 대상이 아니라, 매혹적인 카오스이자 새로운 창작의 영감이었다. 이토는 SF영화의 고전으로 평가받는「블레이드 러너」(1982)와「아키라」(1988)를 인용하며, 네온사인과 광고판으로 뒤덮인 도쿄에서 미래의 도시를 상상했다. 그에게 휘황찬란한 도쿄 번화가를 배회한 경험은 뿌연 안개가 가득한 미로를 걷는 신비롭고 몽환적인 일이었다.[19] 당시 도쿄의 부유감(浮遊感)을 잘 포착한 소설로 다나카 야스오가 1980년 발표한 베스트셀러『어쩐지, 크리스털』을 꼽을 수 있다.[20] 심각하고 복잡한 플롯 없이 자유분방한 여대생의 소비 활동을 정밀하게 묘사한 이 책은 1980년 출간되어 신드롬을 불러일으키며 그 자체가 포스트모던한 현상으로 여겨졌다.[21] 즉물성과 표피성에 대한 이토의 감각은 샤넬, 루이뷔통, 구찌 같은 고급 브랜드명이 끝도 없이 나열되며 나른하고 매끈한 상품 세계에 대한 긍정과 욕망을 당대의 시대정신으로 포착한『어쩐지, 크리스털』과 공명한다.

1991년, 이토는 영국에서 개최된《일본의 비전》전시에서 일본의 대도시를 주제로 한 멀티미디어 설치작업〈꿈〉을 발표했다. 이소자키가 커미셔너를 맡은 이 전시는 당시 경제적, 문화

[19] 伊東豊雄,「未来的都市におけるリアりテイとは何か」,『透層する建築』(東京: 清土社, 2000), pp. 17-18.

[20] 다나카 야스오,『어쩐지, 크리스털』, 황동문 옮김 (안암문화사, 1991).

[21] 노마 필드,「어쩐지: 분위기로서의 포스트모더니즘」, H. D. 하루투니언, 마사오 미요시 엮음,『포스트모더니즘과 일본』, pp. 201-222.

이토 도요,《일본의 비전》전시 장면, 빅토리아 앨버트 미술관, 1991

적, 기술적으로 전성기를 누리고 있는 버블기 일본의 이미지를 욕망의 대상으로 제시한다. 이토는 도쿄 번화가를 찍은 사진을 프로젝터 45대를 통해 전시실 벽면에 끊임없이 투사했다. 16대의 스피커에서 흘러나오는 음향이 사이키델릭한 분위기를 고조시키는 가운데, 영국 디자이너 앤서니 던과 피오나 래비의 협업으로 제작된 안드로이드형 이동식 무대장치 '터미널'(terminal)이 주위의 빛과 소리, 관람자의 움직임에 반응하며 무대효과를 배가시킨다. 전시를 관람한 찰스 젠크스는 관람객들이 도시의 무수한 이미지와 겹쳐지고 흩어지면서 일종의 무아지경의 상태, 즉 "전기적 열반"(nirvana)을 경험한다며, 오리엔탈리즘의 레토릭을 사용해 논평했다.[22]

이 전시에서 도쿄는 비물질적인 이미지의 중첩으로 이루어진 일종의 가상현실(virtual reality)로 재현되었다. 실제로 이토의 설치작업의 원제는 〈꿈〉이 아니라 〈시뮬라크르〉였지만, 단어가 갖는 생경함 때문에 일반 관객을 고려해 변경되었다.《일본의 비전》전시의 전체 커미셔너가 이소자키라는 사실은 의미심장하다. 일찍이 이소자키가 예견한 '보이지 않는 도시', 즉 견고한 물리적 실체가 아니라, 무수한 기호와 정보, 빛과 색과 소리로 뒤덮인 도시 개념이 〈꿈〉에서 실체화되었기 때문이다. 〈꿈〉에 등장하는 이동식 무대장치 '터미널'은 오사카 만국박람회 축제광장의 두 로봇 데메와 데쿠에서 그 선례를 찾을 수 있다.

[22]　Charles Jencks, "Toyo Ito: Stealth Fighter for a Richer Post-Modernism," in *Architectural Monographs. No. 41: Toyo Ito* (London: Academy Editions, 1995), p. 13.

'소비의 바다'에서 유영하라

도시가 가상의 공간이라는 새로운 현실에서 이토가 택한 선택지
는 도시를 이루는 수많은 비가시적, 정보적 요소들을 감지하는
예민한 센서를 만드는 일이었다. 요코하마역 광장 로터리에 있는
이토의 〈바람의 탑〉(1986)은 '센서로서의 건축' 개념을 다소 직설
적인 방식으로 구현하고 있다. 이 작업은 요코하마역사 30주년
을 기념한 도시 재개발의 일환으로 물탱크와 환기탑 역할을 하
는 기존의 콘크리트 타워를 원래 기능을 변화시키지 않고 도시의
새로운 상징물로 재생하는 프로젝트였다. 이토는 21미터 높이의
실린더형 탑신을 먼저 아크릴 미러로 감싸고, 이를 다시 알루미
늄 펀칭 패널로 덮은 다음 타워 전체에 1280개의 램프와 미러볼,
12개의 네온 링, 30대의 바닥 투광기를 설치했다. 컴퓨터로 작동
되는 조명 장치는 도시의 소음, 불빛, 풍향과 풍력을 실시간 반영
해 이를 빛으로 전환하도록 프로그래밍되었다. 〈바람의 탑〉은 낮
에는 알루미늄 펀칭으로 마감된 단조로운 은색 조형물에 불과하
지만, 밤이 되면 도시를 구성하는 소리, 색, 움직임 같은 끊임없이
변화하는 도시의 다양한 정보들과 상호작용하는 일종의 거대한
인터랙티브 아트로 변신한다.

　　　가변적이고 인터랙티브한 건축에 대한 이토의 관심은 기
본적으로 건축을 고정된 실체가 아니라, 생장과 소멸을 거듭하는
유기체로 본 메타볼리즘의 입장을 계승한다. 뿐만 아니라 그들이
제안한 정보화사회의 건축론에서 많은 영향을 받았다. 그러나 이
토는 '호모 모벤스'를 위한 캡슐, 즉 정보화사회의 위협으로부터
개인을 보호하는 은신처를 제공하고자 했던 메타볼리즘의 관심
에서 한 발짝 더 나아간다. 도시 자체가 비물질적인 가상현실이

250

이토 도요, 〈바람의 탑〉, 요코하마, 1986

라면 더 이상 견고한 벽을 통해 개인을 도시로부터 보호할 수도 없고, 또 그럴 필요도 없다. 시뮬라크럼이 도시의 새로운 현실이 된 상황에서 건축의 새로운 역할은 인간과 도시가 만나 적극적이고 능동적으로 상호작용하는 인터페이스가 되어야 한다.

예민한 센서를 장착하고 가변적인 외부환경과 접속하는 도시주택의 새로운 상은 세부 백화점에 전시된 〈파오: 도쿄 노마드 소녀를 위한 주거〉(1985, 이하 파오)에서 잘 나타난다. 1985년 세부 백화점은 '변화하는 생활'을 주제로 한 전시를 이토에게 의뢰했다. 백화점 측이 이토에게 기대한 것은 몇 점의 가구를 출품하는 것이었지만, 이토는 자신이 디자인한 가구를 포함해 천막 형태의 실물 크기 주택 〈파오〉를 전시했다. 몽고 유목민의 이동식 천막인 유르트에서 영향을 받은 〈파오〉(包, 유르트의 한자식 표기에서 온 명칭)는 철제 뼈대로 만든 돔형 천막에 투명 혹은 반투명의 화려한 직물을 덮은 가설 구조물이다. 얇은 막 하나를 두고 외부를 향해 완전히 열려 있는 주택의 내부에는 알루미늄 메시로 만든 의자와 망사와 철사를 엮어 만든 단순한 장식장 등 간소하지만 세련된 가구 몇 점이 놓여 있다.

〈파오〉의 거주민으로 상정된 '노마드 소녀'는 앞서 언급한 『어쩐지, 크리스탈』의 여주인공처럼 도시의 이곳저곳을 부유하며, 소비를 즐기는 젊은 독신 여성이다. 그녀들은 고도 소비사회로 접어든 도쿄의 유목민적 삶을 대변하는 존재로서, 이들에게는 도심의 극장이나 바가 거실이고, 레스토랑이 주방이며, 스포츠센터의 사우나 시설이나 수영장이 마당을 대신하고, 부티크가 큰 옷장 역할을 한다.[23] 끊임없이 이동하는 도시 노마드에게 일체의 설비가 완비된 영구적인 평생 주택은 불필요하다. 이들에게 주택은 "소비의 바다"를 유영하기 위해 잠깐 눈 붙이고, 간단히

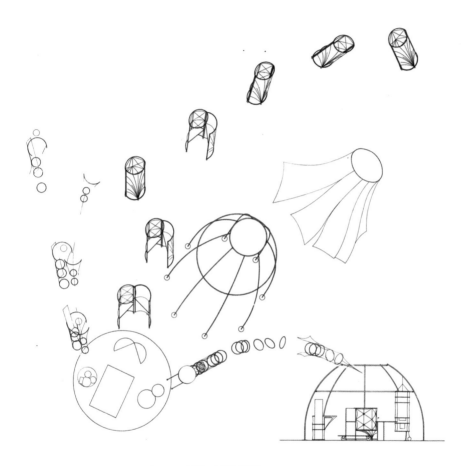

이토 도요, 〈파오〉, 드로잉, 1985

요기하고, 치장하는 간이역일 뿐이다.[24] 따라서 노마드 소녀를 위한 집 〈파오〉에 필요한 것은 간단한 이동식 침대와 옷가지와 장신구를 걸어둘 멋 내는 공간, 도시 생활의 최신 정보를 얻기 위해 잡지 몇 권을 놓을 공간, 차를 마시고 패스트푸드를 먹을 간소한 식사 공간이 전부이다. 도시를 자유롭게 유영하는 노마드 주택의 이미지는 1991년 브뤼셀에서 열린 유로팔리아 국제예술축제에 출품한 이토의 〈파오 2〉에서 극대화된다. 여기서 이토는 철제 프레임과 메탈 메시로 만든 다면체 구조물을 전시장 천장에 설치함으로써 도시를 자유롭게 부유하는 느낌을 강조했다. 〈파오 2〉를 위해 제작한 포토몽타주에는 고치처럼 생긴 파오들이 빛을 발광하며 도쿄의 어두운 밤하늘을 우주선처럼 날아다니는 장면이 삽입되었다.

이토의 유목민 메타포는 1980년대 일본은 물론 전 세계적으로 유행했던 프랑스 후기구조주의 철학자 질 들뢰즈와 펠릭스 가타리의 노마디즘 사상을 떠올리게 한다.[25] 들뢰즈와 가타리는 『천 개의 고원』(1980) 등 일련의 철학서를 통해 노마드를 공간적인 이동뿐 아니라, 기존의 체제와 관습에 저항하며 끊임없이 자신을 변화시키고 새로운 삶의 방식을 창안하는 탈주의 주체로 제시했다. 이들의 사상은 그 난해함에도 불구하고 실시간으로 일본어로 번역되며, 학계를 넘어 대중적으로도 큰 인기를 끌었다.

[23]   伊東豊雄,「虛構都市にみる家の解体の再生」(1988),『透層する建築』(東京: 清土社, 2000), pp. 26-29.

[24]   Tōyō Itō, "Shinjuku Simulated City," *Japan Architect* (Summer 1991): 50.

[25]   Jonathan M. Reynolds, *Allegories of Time and Space: Japanese Identity In Photography and Architecture* (Honolulu: University of Hawai'i Press, 2015), pp. 225-228.

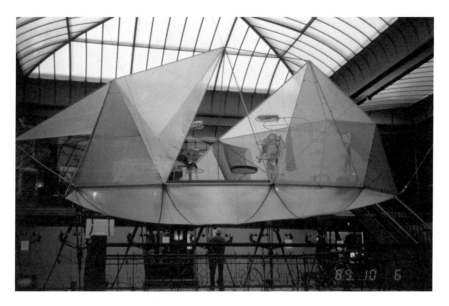

▯ 이토 도요, 〈파오 2〉, 브뤼셀 유로팔리아 국제예술축제 전시 장면, 1991

▯ 이토 도요, 〈파오 2〉, 포토몽타주, 1991

들뢰즈와 가타리 역시 1980년대 일본 사회의 포스트모던적 조건에 매료당했는데, 특히 일본에 특별한 호감을 가졌던 가타리는 수차례 일본을 방문하며 일본의 사상가뿐 아니라 건축가, 도시계획자들과도 직접 교유했다.[26] 건축 평론가 다키 고지는 〈파오〉로 대표되는 이토의 1980년대 작업을 들뢰즈와 가타리의 급진적 사상의 맥락 속에서 "정치적, 권위주의적 제약으로부터 해방의 이미지를 갖는" 일종의 유토피아적 기획으로 평가했다.[27] 비록 이토가 〈파오〉 연작을 처음 구상할 때부터 들뢰즈와 가타리의 철학을 잘 알고 있었던 것은 아니지만, 이들의 논의를 접하게 되면서 사후적으로 자신의 건축론과 노마디즘을 전략적으로 연결하는 데 열의를 보였다.[28]

　　건축사학자 조너선 레이놀즈가 지적했듯이, 이토가 현대 도시의 새로운 삶의 양식을 '노마드'로 규정한 것은 노마드 철학에 대한 세계적인 유행뿐 아니라, 그 영향으로 당시 일본 사회에 널리 퍼져 있었던 유목적인 삶에 대한 동경과 무관하지 않다. 1980년대 NHK에서 방영된 화제의 다큐멘터리 「실크로드」는 유목민에 대한 이국적이고 낭만적인 상을 널리 유행시키는 기폭제 역할을 했다. 모래 먼지 나는 사막 길을 따라 끝없이 횡단하는 유목민의 단순하고 원시적인 삶은 고도소비사회로 접어든 일본

[26]　가타리와 일본 지성계, 건축계와의 교류에 관한 연구로는 다음을 참조할 것.
Simone Brott, *Architecture for a Free Subjectivity: Deleuze and Guattari at the Horizon of the Real* (New York: Ashgate, 2011), pp. 75-96.

[27]　Koji Taki, "Fragment and Noise: The Architectural Idea of Kazuo Shinohara and Toyo Ito," in *Japanese Architecture* (London: Architectural Design, 1988), p. 34.

[28]　이토는 1986년 완성한 철제 가설 구조물 노마드 레스토랑을 들뢰즈와 가타리 철학에 대한 오마주로 설명하기도 했다. Jonathan M. Reynolds, *Allegories of Time and Space,* p. 228.

의 도시적 삶에 대한 해독제이자 탈출구처럼 여겨지며, 광고 시장과 관광 상품으로 널리 소비되었다. 실제로 이토의 작업 중에도 실크로드를 둘러싼 문화 현상과 직접 관련된 것이 있다. 나라 국립미술관과 나라 현립미술관이 NHK과 공동으로 주관한《실크로드 문명전》(1988)을 위해 제작한 리셉션용 파빌리온이 그것이다. 〈파오〉 시리즈를 연상시키는 이토의 파빌리온은 폴리염화비닐 재질의 방수 천막을 덮은 가벼운 텐트형 구조물로 관람객들을 출입구에서 전시장까지 인도한다.

이토가 현대의 도시 유목민을 위한 주택의 형태로 몽고 유목민의 토착 주거인 유르트를 참조한 것은 자연스럽고 자명한 선택으로 보인다. 그러나 20세기 일본 건축에서 중앙아시아의 건축 모티브가 등장한 것은 전례 없는 일이었다. 여기서 이토의 선택은 전통에 기대 건축의 일본적 정체성이라는 문제에 천착했던 단게의 민족주의적 접근보다는 서양 건축사의 고전들을 무차별적으로 인용한 이소자키의 세계시민적 태도에 가까워 보인다. 가쓰라 이궁, 파르테논 신전, 캄피돌리오 광장이 모두 시공간적으로 자신에게 등거리에 있다고 한 이소자키의 호기로운 주장에는 경제 대국으로 올라선 일본의 자신감이 묻어난다.[29] 그러나 이소자키의 언급에는 여전히 가쓰라 이궁이나 파르테논 신전으로 대변되는 일본과 서구의 이분법이 남아 있을 뿐만 아니라, 건축 고전에 대한 권위가 전제되어 있다. 반면, 이토는 서구와 비서구, 일본과 아시아, 건축적 고전과 보통 사람들 주거 사이의 일체의 위계를 부정한다.

1988년 발표한 이토의 글 「기억에 남는 아홉 개의 도

[29] 이소자키의 인용 전략에 관한 논의는 이 책의 5장을 참조할 것.

시」는 지리적 경계와 건축사적 위계에 속박되지 않는 이토의 팽창주의적 세계관을 잘 보여준다.[30] 1980년부터 그는 일본항공(JAL) 공항의 티켓 카운터 디자인을 맡아 세계 각지의 여러 도시를 여행하며 감상문을 작성했다. 그는 자신에게 영감을 준 도시로 팔라디오의 신전 건축이 있는 이탈리아 도시들(고전주의 도시)과 유럽 모더니즘의 중심지 로테르담(모더니즘 도시)과 나란히, 카사블랑카(순간성의 도시), 방콕(물의 도시), 카트만두(흡음적 도시), 홍콩(카오스의 도시/미래도시) 등을 꼽았다. 이토에게는 가쓰라 이궁이나 파르테논 신전만큼이나, 구룡성의 슬럼화된 공동주택, 카트만두의 전통시장, 몽고족의 파오가 모두 등거리에 존재하고, 따라서 자유롭게 인용할 수 있는 대상이 된다. 이소자키가 중심(서구)과 주변(일본)의 위계를 전복하고자 했다면, 이토는 스스로가 중심이 되어 세계의 어떤 건축이라도 자신의 입맛에 맞게 전용했다.

비록 노마드 소녀에 대한 환상이 대기업이나 광고회사가 창작한 허구에 불과할지라도, 이들이 1980년대 일본의 포스트모던적 조건을 잘 보여주는 주체라는 점에는 의심의 여지가 없다. 동시대에 활동했던 일본의 많은 건축가들이 공허함과 염세주의에 빠져 유행하는 건축 양식을 천편일률적으로 복제하거나, 이제는 더 이상 유효하지 않게 된 건축의 자율성과 예술성을 계속 고집할 때, 이토는 "소비의 바다"에 몸을 던지지 않고는 "새로운 리얼리티"를 발견할 수 없다고 역설했다.[31] 이토에게 '노마드 소

[30]   伊東豊雄,「記憶の中の9つの都市」,『別冊 新建築 日本現代建築家シリーズ 12 伊東豊雄』(東京: 新建築社, 1988), pp. 42-50.

[31]   伊東豊雄,「消費の海に浸らずして新しい建築はない」,『新建築』(1989. 11).

녀'란 쇼핑과 몸치장 외에는 아무런 관심도 없는 한심한 대상이
아니라, 누구보다도 자유롭게 도시에서의 삶을 만끽하는 소비생
활의 적극적인 주체이다. 그녀야말로 새로운 생활의 리얼리티를
발견할 수 있는 감수성을 지닌 신세대이며, 〈파오〉는 지금까지와
는 전혀 다른 생활양식을 가진 이들을 위한 주택인 것이다.

센다이 미디어테크: 정보화 시대의 미디어 수트

이토에게 "소비의 바다"는 종종 "정보의 바다"와 등가의 의미로
사용된다. 무수한 광고 이미지와 시시각각 변화하는 조명과 네온
의 화려한 외관 뒤에는 전자 정보의 보이지 않는 흐름이 놓여 있
기 때문이다. 센다이 미디어테크(2000)는 정보화 시대 혹은 전자
시대 건축의 프로토타입을 세우려는 야심 찬 시도이다. 이 작업
은 이토의 경력에서 중요한 전환점을 제공했다. 1990년대까지 소
규모 개인 주택이나 설치작업이 주를 이루던 이토의 건축이 센다
이 미디어테크를 계기로 테크놀로지를 적극 활용한 대규모 공공
건축 위주로 전환하게 된 것이다. 이토 본인에게도 센다이 미디어
테크는 그의 건축관을 바꿔놓은 중대한 경험이었다. 이토의 회고
에 따르면, 그동안은 건축을 통한 사회 비판자 또는 냉혹한 관찰
자의 책무를 자임했다면, 이 작업을 통해 그는 현실 그 자체가 갖
는 힘과 자신의 건축이 드디어 사회의 일부로 받아들여졌음을 실
감하게 되었다.[32]

　　1995년, 현상 공모를 통해 진행된 센다이 미디어테크는

[32]　Toyō Itō, *Tarzans in the Media Forest* (London: AA Publications), p. 185.

기존의 도서관이나 갤러리와 차별된, 전자 시대의 새로운 문화시설인 '미디어테크'라는 전대미문의 건축 타입을 모색하는 도전적인 프로젝트였다. 이토의 당선작은 물이 가득 담긴 수조 속의 해초를 모티프로 한, 투명 또는 반투명 유리로 된 표피와 7개의 얇은 슬래브, 그리고 13개의 대형 튜브로 구성된 단순한 구조물이다. 수평 구조체인 슬래브와 수직 구조체인 튜브의 반복으로 이루어진 단순한 구조물이라는 점에서 르 코르뷔지에가 제안한 모더니즘 건축의 원형이라 할 수 있는 도미노 하우스를 계승한다. 그러나 대량 생산을 위한 르 코르뷔지에의 획일적이고 균질적인 그리드는 생물학적 유비에 바탕을 둔 오가닉한 형태로 대치된다. 또한 도미노 하우스에서 규격화된 필로티가 일정한 간격으로 배치한 것과는 달리, 센다이 미디어테크는 형태와 크기가 제각각인 해초 모양 튜브가 무작위로 흩어져 있는 것이 특징적이다.

두께 5밀리미터의 얇은 강관(鋼管) 여러 개가 다발처럼 연결된 튜브는 건물의 하중을 지탱하는 역할 외에도, 엘리베이터와 계단, 냉난방 파이프과 환기구 및 채광창의 기능을 담당하며 사람과 빛, 공기, 물, 소리, 전기 등 각종 정보와 에너지를 끊임없이 수직 이동시킨다. 구조 공학자 사사키 무쓰로와의 협업으로 완성된 튜브 구조물은 외견상 불안정해 보이지만, 큰 충격에도 유연하게 견딜 수 있게끔 설계되었다. 2011년 동일본대지진 당시, 기둥 다발이 요동치며 건물 전체가 흔들렸지만 건물 자체는 거의 피해를 입지 않은 것으로 그 진가를 입증했다.

이토는 센다이 미디어테크에서 정보의 자유롭고 끊임없는 흐름을 특징으로 하는 전자 시대의 유동성(fluidity)을 건축적으로 담아내고자 했다. 해초의 모티브는 그 자체로 물의 움직임과 압력에 따라 형태와 위치가 시시각각 변화한다는 점에서

이토 도요, 센다이 미디어테크 외관, 센다이, 2000

이토 도요, 센다이 미디어테크 내부, 센다이, 2000

유동성을 표상한다. 이토는 '흐름'에 내재한 힘을 발견하고, 그 힘을 건축적으로 구현할 수 있다면 어떤 시대나 환경과도 융화할 수 있는 건물을 만들 수 있다고 강조했다.[33] 건물은 표피(skin)로 불리는 얇은 유리로 감싸여 낮에는 외부의 도시 공간을 반영하고 밤에는 조명이 켜진 건물의 내부를 드러낸다. 건물 자체의 고정된 실체감은 사라지고, 주위 환경과 내부 이용자의 움직임에 따라 지속적으로 변화하는 막이 존재할 뿐이다. 이토는 의복과 건축을 신체의 연장으로 본 마셜 매클루언의 레토릭을 가져와, 센다이 미디어테크를 전자 시대의 "미디어 수트", 즉 전자의 미묘한 흐름을 예민하게 감지하고, 이에 반응하며 상호작용하는 가볍고 얇은 피복으로 정의했다.[34]

　　　　이토는 센다이 미디어테크를 시작으로 서펜타인 파빌리온(2002), 오모테산도 토드 빌딩(2004), 타이중 국립가극원(2014), 모두를 위한 숲, 기후 미디어 코스모스(2015) 등에서 유클리드 기하학에 근거해 보편적이고 추상적인 형태를 추구한 모더니즘 건축언어에 대한 도전을 지속했다. 이들은 각각 해초(센다이 미디어테크), 나뭇가지(오모테산도 토드 빌딩), 복잡하게 얽혀 있는 동굴(타이중 국립가극원), 숲(모두를 위한 숲: 기후 미디어 코스모스) 등 자연의 형태와 구조를 모방한 유기적 형태를 도입했다는 점에서 한 세기 전 성행한 아르누보를 계승한다. 그러나 이토의 디자인이 보여주는 무작위적 자연미는 컴퓨터 기술의 연산능력에 기댄 알고리즘적 사고를 디자인과 시공과정에 도입함

[33]　Yuichi Suzuki, "From the Electric to Fusion," *2G 2 Toyo Ito, International Architecture Review* (Barcelona: Gustavo Gili, 1997), p. 21.

[34]　伊東豊雄,「ミデイアの森のターザンたち」,『GG (Spain)』(1995. 5).

이토 도요, 타이중 국립가극원, 타이중, 2014

으로써 실제로 구현되었다. 컴퓨터를 활용한 디자인(CAD)을 통해 모더니즘 건축의 표피와 구조, 공간이 갖는 관계들이 재설정되고, 이전과는 전혀 새로운 공간적 경험이 가능해진 것이다.[35]

✤

첨단기술과 신재료, 실험적인 공법을 적극 도입하며 끊임없이 새로운 디자인을 추구해온 이토의 행보는 2011년 3월 11일 동일본을 강타한 대재난으로 새로운 전기를 맞게 되었다. 견고한 철근 콘크리트 구조물이 한순간에 해일로 휩쓸어간 충격적인 장면은 과학기술을 통해 자연을 지배하고자 한 모더니즘의 패배를 선언한 결정적인 순간으로 여겨졌다. 3·11 이후 이토는 그동안 추구해왔던 최첨단의 화려한 하이테크의 건축 대신, 건축의 원점이라고 할 수 있는 '은신처'로 돌아갈 것을 주장했다. 그는 건축가의 임무란 자신의 에고가 표현된 '작품'을 만드는 것이 아니라, 사람들이 불 주위에 둘러앉아 비를 피하고 식사를 즐기는 공간을 조금 더 인간적이고, 조금 더 아름답고, 조금 더 편리하게 만드는 데에 있다고 강조했다.[36]

　　건축을 원점에서부터 재고하려는 그의 시도는 이토가 커미셔너를 맡았던 2012년 베니스 비엔날레을 통해 국제적인 호응을 받았다. 일본관 전시는 이와테현 리쿠젠타카에 세워진 파빌리온 타입의 작은 집회소 〈모두를 위한 집〉을 주제로 해서 재난

[35]　이토 건축에서 보이는 구조, 표피, 공간의 관계에 관한 논의로는 다음을 참조할 것. 장용순, 「이토 도요 건축에 나타난 구조/표피/공간 개념에 대한 연구」, 『대한건축학회논문집』 31: 12 (2015. 12): 111-120.

[36]　이토 도요, 『내일의 건축』 (안그라픽스, 2014), pp. 75-78.

이토 도요, 후지모토 소우, 이누이 구미코, 히라타 아키히사,
〈모두를 위한 집〉, 리쿠젠타카, 2012

이후 건축의 새로운 존재론에 대한 화두를 던졌다. 후지모토 소우, 이누이 구미코, 히라타 아키히사 등 젊은 건축가들과 함께 제작한 수많은 집회소 모형이 도호쿠 출신의 사진가 하타케야마 나오야가 촬영한 피해지역의 파노라마 사진을 배경으로 진열되었다. 집회소 건물은 지역 삼나무를 재활용해 건립한 단순한 목조 구조물이라는 점에서, 첨단을 자랑하는 이토의 작품세계와 멀리 떨어진 것처럼 보일 수 있다. 그러나 가볍고 유연하며 개방적인 주택을 만들고자 한 그의 오랜 고민의 연장선에 위치하는 것으로, 공동체의 출발점으로 기능하는 단순하고 소박하며 열린 건축의 가능성이 실험되었다. 비엔날레 심사위원들은 이 재난 프로젝트가 보여주는 "휴머니즘"에 깊은 관심을 보이며 최고상인 황금사자상을 수여했다.[37] 역설적이게도 건조 환경의 치명적인 파괴를 초래하며 건축가에게 깊은 무력감을 안겨주었던 대재난이 일본 건축이 국제무대에서 재도약하는 기회로 작동한 것이다.

[37]   David Basulto, "Venice Biennale 2012: Architecture. Possible here? Home-for-all / Japan Pavilion," *Archdaily* (August 2012), http://www.archdaily.com/268426/venice-biennale-2012-architecture-possible-here-home-for-all-japan-pavilion, 2020년 10월 8일 접속.

7장. 탈전후 건축의 쟁점과 주택 건축

탈전후의 도래

1990년대 들어 일본 사회는 대대적인 전환기를 맞았다. 1989년
일왕 히로히토의 죽음과 함께 길었던 '쇼와' 시대가 막을 내린 데
이어, 1990년대 들어 동구권이 몰락하면서 전후를 지탱하던 냉
전 체제가 해체되었다. 1990년대 초 정점에 달한 버블이 꺼지면
서 영원할 것 같았던 경제성장에도 제동이 걸렸고, 이어 '잃어버
린 20년'(최근에는 잃어버린 30년)으로 불리는 긴 불황이 시작되
었다. 불황을 타개하기 위해 단행된 각종 신자유주의적 구조 개
혁은 평생고용과 연공서열이라는 독특한 시스템에 기반을 둔 일
본주식회사(Japan Inc.)를 단시간에 붕괴시켰다. 그 결과, 국민
대다수가 자신을 중산층이라고 여겼던 '일억총중류' 의식이 사라
지고, 대신 극심한 양극화를 의미하는 '격차사회'가 도래했다.[1]
냉전 질서 아래에서 평화와 안정, 풍요를 누렸던 일본의 '전후' 패
러다임이 붕괴한 것이다. 히키코모리(은둔형 외톨이), 프리타(고
정된 직장 없이 필요할 때마다 임시 아르바이트를 하는 사람), 니
트족(일하지도 않고 일할 의욕도 없는 청년 무직자), 캥거루족(부

[1] 격차사회론의 쟁점에 관한 논의로는 다음을 참조할 것. 정진성, 「'격차사회론'의
시사점」, 『일본비평』 4 (2011. 2): 170-185.

모에게 경제적으로 의지하는 젊은이) 등 이 시기에 양산된 신조어들은 암울한 시대를 사는 젊은 세대의 상실감과 불안을 잘 보여준다.

1990년대 이후 건축 분야에서도 호황기에 유행했던 과시적이고 거대한 포스트모던 건축이 비판되고, 대신 기능성, 경제성, 친환경성, 로테크(lowtech), 공동체성 등의 가치가 새롭게 모색되었다. 이러한 탈전후 건축의 비전을 가장 잘 보여주는 분야가 바로 주택이다. 버블 붕괴 이후 건축계 전반이 침체한 와중에도 주택 설계만은 활기를 띠며 젊은 건축가들의 등용문 역할을 했다. 비록 전체 주거로 보면 미미한 비중을 차지하지만, 건축가가 설계한 주택은 대안적인 주거문화를 테스트하는 실험실을 자처하며 일본 건축을 대표하는 성공적인 브랜드로 자리 잡았다. 국내에는 「와타나베의 건물 탐방」(1989-)으로 알려진 주택 탐방 TV 프로그램이나 『카사 브루투스』(*Casa Brutus*, 1998-)처럼 주택과 인테리어를 소개하는 잡지가 등장한 것도 이 시기였다. 이들은 다양하고 개성 있는 주택을 원하는 중산층의 수요를 충족시키며, 주택을 하나의 패션 상품이자, '소확행'('소소하고 확실한 행복'을 줄인 신조어)을 선사하는 궁극의 DIY 프로젝트로 여겨지게 했다. 일본의 대표적인 생활용품 회사 무지(MUJI)는 디자이너 주택에 대한 수요가 증가하자 구마 겐고, 반 시게루(b. 1957), 난바 가즈히코(b. 1947) 등 유명 건축가들과 협업해 '편집 가능'(editable)한 원룸형 주택을 상품화하기도 했다. 1980년 '노 브랜드'(no brand)를 모토로 내걸고 설립된 무지는 거품을 뺀 간소하고 미니멀한 디자인과 합리성, 실용성, 친환경성에 방점을 둔 경영 철학으로 포스트 버블 사회의 감수성과 새로운 라이프 스타일을 제시했다.[2]

1990년대 이후 주택 설계에 특화한 건축가들은 단게 겐조처럼 기술 관료의 입장에서 도시에 전면 개입하는 것도, 안도 다다오처럼 도시를 등지고 '작품'을 만드는 데 몰두하는 것도 아닌 제3의 길을 택했다. 그것은 바로 주택을 통해 사람들의 일상에 개입하고, 커뮤니티를 직조하며, 탈전후의 일본 사회가 나아갈 방향을 제시하는 사회 디자인(social design)으로서의 길이다. 주거의 문제를 재검토한다는 것은 단순히 물리적인 주택만을 바꾸는 것이 아니라, 전후의 라이프 스타일과 가치관, 주택 정책과 경제 구조를 전면적으로 재고하는 것이다. 1990년대 이후 주택론의 쟁점은 전후 주택 시스템의 근본적인 개혁과 대안 모색으로 요약할 수 있다. 즉, 성장과 팽창의 시대에 성립된 주택 시스템을 폐기하고, 고령화와 인구 감소, 소자녀화, 핵가족의 해체, 도시의 과소화 등 저성장과 축소의 시기에 적합한 새로운 주택의 모델을 제안하는 것이다. 2000년대까지만 해도 주택에 대한 건축가들의 접근은 불황의 시기를 묵묵히 견디는 개인적이고 다소 유희적인 차원에서 이루어졌다면, 2011년의 대재난 이후부터 사회 개혁가로서의 건축가의 적극적인 역할이 강조되면서 주택이라는 소단위에서 시작해 일본 사회 전체를 개조하려는 경향이 강화되었다.

1990년대 이전의 주택론
: 전후 주택의 프로토타입에서 주택 예술론까지

주택이 건축계의 화두가 된 시기는 1990년대 이후가 처음은 아

[2]   Jasper Morrison et al., *MUJI* (New York: Rizzoli, 2010).

니다. 전후 재건기에 해당하는 1940년대 말부터 1950년대 초, 그리고 오일쇼크로 인한 한시적인 불황이 시작된 1970년대에도 주택이라는 장르는 일본 건축가들의 관심을 사로잡았다. 전쟁 직후 일본 사회는 420만 호에 달하는 극심한 주택 부족에 허덕이고 있었다. 이에 마에카와 구니오는 혁신적인 프리패브 공법을 도입해 약 1000호에 이르는 조립식 주택 프레모스(Premos) 시리즈를 생산하며 주택 문제 해결에 일조했다.[3] 그러나 건축가들의 주된 관심은 당장의 주택 공급보다는 전후의 주거문화를 모색하고 이에 적합한 주택의 새로운 프로토타입을 제시하는 데 있었다.

　　　1940년대 말, 전후 주거문화 정립에 이론적 토대가 될 주요 저작들이 연이어 출간되었다. 교토대학 교수이자 좌파 성향의 건축가 니시야마 우조의 『앞으로의 주거: 주 양식의 이야기』(1947)와 여성 최초의 근대건축가로 알려진 하마구치 미호(1915-1988)의 『일본 주택의 봉건성』(1949)이 대표적이다.[4] 니시야마의 『앞으로의 주거』는 "낡은 관념을 버리고 문명국의 인민에 어울리는 주택"을 건설하기 위해, 국민주거의 표준화와 주택 공영(公営)의 원칙, 고층 집합주택의 필요성 등을 강조했다. 니시야마는 1940년부터 서민들의 열악한 주거 실태에 대한 현장조사를 바탕으로 잠자는 곳과 식사 장소를 분리하는 침식분리(浸食分離)의 원칙과 부부와 자녀의 잠자리를 분리하는 격리취침(隔離就寝)의 원칙을 세웠고, 이를 전후의 주거문화에 도입했다. 한편 하마구치의 『일본 주택의 봉건성』은 일본의 전통 주택을 봉건적이

[3]　Premos 시리즈에 관해서는 Reynolds, *Maekawa Kunio and the Emergence of Japanese Modernist Architecture*, pp.142-149.

[4]　西山夘三, 『これからのすまい-住様式の話』(東京: 相模書房, 1947); 浜口ミホ, 『日本住宅の封建性』(東京: 相模書房, 1949).

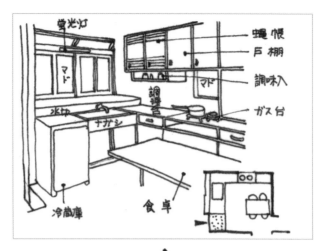

니시야마 우조,
서민주택의 전통 부엌(아래)에서
모던한 다이닝 키친(위)으로 변화,
1950년대 후반

고 가부장적인 가족제도의 물적 표상으로 보고, 주택의 차원에서 여성해방을 실현하고자 했다. 이를 위해 먼저 여성의 공간인 부엌을 현대화하고, 그 위치를 춥고 어두운 주택의 북쪽 구석에서 중심부로 옮길 것을 제안하는 한편, 권위적이고 위계적인 사회관계를 반영하는 장식 공간 도코노마(床の間, 일본 전통 가옥에서 장식을 위해 바닥을 조금 높게 올린 단)와 과시적인 현관을 없앨 것을 주장했다.

새로운 주거문화를 정립하려는 전후 건축계의 열망이 반영된 주택의 대표적인 예로 이케베 기요시(1920-1979)와 마스자와 마코토(1925-1990)의 초소형 주택을 들 수 있다. 도쿄대학 교수인 이케베의 입체최소한주거(1950)는 주택 설계의 표준화와 공업화를 목표로 그가 평생 지속한 주택 넘버 시리즈(총 no. 95까지 지속) 중 제3호에 해당한다.[5] 낭비 없이 콤팩트하고 합리적으로 주거 공간을 구성하는 데 방점을 둔 이 작업은 체계적으로 모듈을 도입한 14평 규모의 2층 목조 건물이다. 거실에 후키누케(吹き抜け, 층 사이에 천장이나 마루를 두지 않고 훤히 뚫어놓는 구조)를 두어 협소함을 완화하고, 별도의 현관 없이 대문을 열자마자 현대식 부엌과 식당, 거실이 통합된 입식 공간이 등장한다.

한편, 마스자와의 최소한주거(1952)는 주택금융금고가 주최한 융자 대상 현상 공모에 당선되어 완성된 마스자와 본인의 자택이다. 부지는 200평에 달하지만, 건물 면적은 고작 9평에 불과한 마스자와의 2층집은 '어디서나 누구나 지을 수 있는 집'을 표방했다.[6] 마스자와 주택은 여러 가지 면에서 이케베 주택과

[5] 難波和彦,『戰後モダニズム建築の極北-池辺陽試論』(東京: 彰国社, 1998).

[6] 増沢洵,「最小限住居の試作」,『新建築』(1952, 7): 310-316.

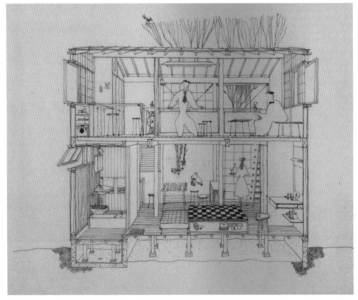

▪ 마스자와 마코토, 최소한주거, 입면, 1952

▫ 마스자와 마코토, 최소한주거, 드로잉, 1950

유사하다. 둘 다 과시적인 현관을 없앤 원룸형의 상자형 구조물로서 모듈 시스템과 현대적 주방, 수세식 화장실을 도입했다. 또한 후키누케를 두어 바람이 지나가는 공간을 확보하고 커다란 창문으로 채광을 극대화함으로써 협소한 공간이지만 개방감을 최대한 높였다.

 이케베와 마스자와의 최소주택은 그 이름에서 알 수 있듯이 모더니즘 건축이 추구한 '최소주거' 개념 속에서 생각해볼 수 있다.[7] 모더니즘 건축은 그 출발부터 산업적인 건축 재료와 규격화, 프리패브 등의 공법을 통해 소수 특권층을 위한 건축이 아니라 노동자와 저소득층을 위한 주택의 대량 보급을 사회적 소명으로 삼았다. 1929년 프랑크푸르트에서 개최된 CIAM 회의에서는 '최소주거'를 테제로 삼아 위생적이고 합리적인 근대주택의 최소한의 요건이 논의되었다. 모더니즘 건축의 최소주거 개념은 제2차 세계대전을 전후해 일본에도 도입되었는데, 사카쿠라 준조가 설계한 군대 막사용 프리패브 주택이 그 예이다.[8]

 주택의 크기는 전후 일본의 특수한 맥락 속에서도 대단히 중요한 쟁점이었다. 1946년 5월, 패전 직후의 물자 부족과 내핍생활에 대응하기 위해 임시건축제한령이 발효되어 신축 주택의 규모를 15평으로 제한(1947년 2월부터 18평으로 규제 완화)한 데 이어, 1950년 공표된 주택금융공단법은 자금 융자 대상의 주택을 9평에서 18평 사이로 제한했다. 이러한 법적, 제도적 제약

[7] 모더니즘 건축의 최소주거에 관한 역사적 논의로는 다음을 참조할 것. Karel Teige, *The Minimum Dwelling* (Cambridge, MA: The MIT Press, 1932).

[8] 마에카와 구니오의 프레모스에 관한 연구로는 다음을 참조할 것. Jonathan M. Reynolds, *Maekawa Kunio and the Emergence of Japanese Modernist Architecture*, pp. 142-149.

에 대응하기 위해 12평, 15평대의 초소형 평수가 국민주택 설계 공모 기준이 되었고, 그 결과 전전(戰前)과 비교해도 상당히 작은 규모의 주택이 등장하게 되었다.[9]

이케베와 마스자와의 주택은 발표되자마자 각종 건축 잡지에 소개되며 협소한 공간의 효율적인 활용과 주택 공법의 현대화, 나아가 전전과 차별된 새로운 가치관과 라이프 스타일의 구현이라는 관점에서 널리 각광받았다. 이케베는 전후의 새로운 주체로 부상한 여성 고객, 즉 주부들을 향해 자신의 입체최소한주거가 가사노동을 합리화하고 위생 조건을 향상시킴으로써 궁극적으로 "부인 해방"을 가능케 할 것이라고 강조했다.[10] 마스자와 역시 마당에서 세발자전거를 타는 아이와 남편과 손님을 위해 마실 것을 대접하는 주부를 등장시킨 드로잉을 통해 부부와 아이 중심의 단란한 미국식 핵가족 생활에 대한 당대의 소망에 부응했다. 이들 주택이 표방하는 '작음'은 서구 지향의 모더니즘, 즉 합리성과 경제성, 효율성에 더해, 민주주의와 남녀평등으로 대표되는 전후의 새로운 가치를 표방한다. 동시에 이는 비합리성, 낭비, 봉건성을 상징하는 과거의 큰 집, 즉 귀족이나 엘리트 사무라이 계층의 전통 주거인 신덴 즈쿠리(寢殿造)나 쇼인 즈쿠리(書院造)와의 차별을 의미한다. [11]

[9] 1946년부터 1949년까지 『신건축』에 게재된 주택 관련 특집 기사를 살펴보면 다음과 같다. 전후 일본주거 특집(1946, 1), 조립식 주택 관련 특집(1947, 5), 신주거 특집(1948, 1), 국민주택 공모 특집(1948, 11/12), 기타 소주택 관련 기사(1949년 3월, 4월, 6월호).

[10] 池辺陽, 「立体最小限住居の試み」, 『新建築』(1950, 7): 203-209.

[11] 신덴 즈쿠리는 헤이안 시대부터 발전한 귀족 계급의 고급 주택 양식이다. 쇼인 즈쿠리는 사무라이 계층의 주택 양식으로 장식장인 도코노마와 책상인 쇼인을 특징으로 한다.

전후 주택의 새로운 모델을 찾으려는 건축가들의 다양
한 시도는 51C로 불리는 프로토타입의 발명으로 수렴되었다.
1951년 건축설계감리협회(현 일본건축가협회)가 주최한 설계 공
모에서 도쿄대학의 요시타케 야스미(1916-2003) 교수 연구실이
51C를 공영주택을 위한 표준평면으로 제안해 당선된 것이다.[12]
12평대의 초소형 평면인 51C는 원룸형을 택한 이케베나 마스자
와의 최소한 주택과는 달리, 부부와 자식을 위해 두 개의 방을 마
련하고 이를 식사 및 부엌 공간과 분리함으로써 니시야마가 주장
한 '식침분리'와 '격리취침' 원칙을 반영했다. 51C는 이후 nLDK
시스템으로 발전해 전후 일본 주택의 규범으로 정착하게 된다.
1955년 설립된 일본주택공단이 nLDK 모델을 공공주택 단지 설
계에 표준평면으로 전격 도입한 데 이어, 세키스이(積水), 다이와
(大和) 같은 대형 건설회사가 주도한 단독주택 시장에도 널리 도
입되었다.

1950년대 후반 들어 전후 주택의 프로토타입이 완성되
고 일본주택공단이나 대형 건설회사가 규격화된 주택의 대량 생
산을 주도하면서 건축가들의 관심은 점차 주택 설계에서 멀어지
게 되었다. 1958년 『건축문화』에 발표된 '하타리야'의 소논문 「소
주택 만세」는 주택 설계가 건축가들을 사로잡던 한 시대가 지나
갔음을 알렸다.[13] '하타리야'는 당시 20대였던 이소자키 아라타
를 포함해 건축사학자 이토 데이지와 도시계획가 가와카미 히데
미쓰가 공동으로 사용한 필명이다. 반어적인 제목의 「소주택 만
세」는 주택 설계를 획일화된 nLDK 시스템의 변주라고 폄하하

[12] 51C의 성립과 사회적 함의에 대한 연구로는 다음을 참조할 것. 鈴木成文 外,
『「51C」家族を容れるハコの戰後と現在』(東京: 平凡社, 2004).

[13] ハタリヤ, 「小住宅設計ばんざい」, 『建築文化』(1958, 4): 9.

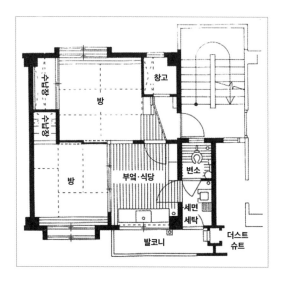

요시타케 야스미, 51C(전후 공영 주택 표준 플랜), 1951

고, 진정한 건축가라면 단독 주택 대신 대규모 공공 프로젝트로 방향을 돌려야 한다고 강조했다.

실제로 1960년대는 단게와 메타볼리즘으로 대표되는 대규모 공공건축의 시대였다. 그러나 주택건축에 대한 건축가들의 관심이 완전히 사그라진 것은 아니었다. 1960년대로 접어들면서 주택을 예술적 표현이나 사회비판의 매체로 삼는 새로운 경향이 등장하는데, 그 중심에 있던 인물이 바로 시노하라 가즈오(1925-2006)다. 1962년 『신건축』에 발표된 시노하라의 유명한 글 「주택은 예술이다」는 주택 설계에 새롭게 접근하자고 선언했다.[14] 이 글에서 시노하라는 기능성과 효율성만을 강조한 공장 건물과도 같은 건축에 대한 비판으로 '예술'로서의 주택 개념을 제시했다. 그는 전후 주택이 봉건적 생활 방식을 탈피한다는 미명 아래 전통 공간이 갖는 "울림"(響き)을 제거했다고 개탄하고, 무용(無用)하지만 의미와 상징으로 충만한 공간, 기술보다는 인간이 전면에 나서는 공간을 회복할 것을 강조했다.[15] 시노하라의 주장은 주택의 대량생산과 기능성, 경제성을 최대 과제로 삼은 모더니즘의 최소주거에 대한 비판이자, 메타볼리즘으로 대표되는 기술주의에 천착한 주류 건축과도 선을 긋는다.

시노하라가 일본의 전통 주택에 영감을 받아 설계한 일련의 개성 넘치는 소주택은 nLDK 평면의 지배를 받는 천편일률적인 주택 시장의 흐름과는 무관한, 예외적인 '예술작품'으로 높이 평가받았다. 시노하라 스스로도 유능한 건축 사진가와의 협

[14] 篠原一男,「住宅は芸術である」,『新建築』(1962, 5). 篠原一男,『住宅論』(東京: SD選書, 2012), pp. 79-85에 재수록.

[15] 篠原一男,「失われたのは空間の響きだ」,『国際建築』(1962, 10). 篠原一男,『住宅論』(東京: SD選書, 2012), pp. 107-125에 재수록.

시노하라 가즈오, 백의 집, 도쿄, 1966

업을 통해 자신의 주택을 예술적인 방식으로 유통시키는 데 열심이었다. 특히 『신건축』은 시노하라의 주택 작품을 독점적으로 소개했다. 이는 시노하라가 자신의 주택 사진을 잡지의 표지로 한다는 전제로만 출판을 허가했고, 『신건축』이 이 조건을 수용했기 때문이다.[16] 주택 예술론을 내세운 시노하라의 행보는 기능주의 일변도의 건축계에 큰 반향을 일으키며, '비합리적' 주택을 통해 주류 건축에 대한 비판을 시도한 이후 세대의 건축가들에게 지대한 영향을 끼쳤다.

이런 배경 속에서 1970년대 발표된 건축가들의 소주택들을 살펴볼 수 있다. 당시는 오일쇼크로 인한 건설 경기 침체 때문에 주택 설계 외에는 달리 건축가들에게 선택지가 없던 불황의 시기였다. 앞 장에서도 논의했듯이, 1970년대 주택은 도시적 맥락과 차단된 내향성과 폐쇄성을 중요한 특징으로 한다. 가뜩이나 협소한 콘크리트 주택 한복판에 빈 중정을 삽입한 안도 다다오의 출세작 스미요시 나가야(1976)나 특정한 기능 없이 텅 빈 미분화된 복도 공간을 강조한 이토 도요의 초기작 U HOUSE(1976) 등이 대표적인 예다. 이들은 기능주의와 합리주의, 효율성을 강조하기보다는 시노하라가 강조한 의미와 상징으로 충만한 공간을 추구했다. 이들에게 주택은 외부와 단절된 소우주이자, 상업화되고 관료화된 도시의 카오스에 저항하는 은신처로 상정되었다. 그러나 1980년대 들어 거품 경제의 호황 속에서 상업화되고 대형화된 포스트모던 건축이 위세를 떨치면서 소주택 실험은 그 활력을 잃게 되었다.

[16] 시노하라의 미디어 이용 전략에 관해서는 다음을 참조할 것. Thomas Daniell, *An Anatomy of Influence* (London: AA Publications, 2018), p. 32.

1990년대 이후의 주택론
: 핵가족 이후를 위한 주택

건축가들의 관심이 다시 주택 설계에 몰리기 시작한 것은 일본이
장기 불황의 시기에 접어든 1990년대부터였다. 건설 경기 침체
로 건축계의 인력과 재능이 소주택에 집중되었다는 점에서 상황
은 예술 소주택 붐이 일었던 1970년대와 유사한 듯 보인다. 그러
나 1990년대 이후 주택을 둘러싼 논의는 고령화와 인구감소, 소
자녀화 등 당시 일본에 불어닥친 급격한 사회적, 인구학적 변동에
의해 추동되었다는 점에서 과거와 달랐다. 1990년대는 사회학자
우에노 지즈코의 『근대가족의 성립과 종업』(1994)이나 오치아
이 에미코의 『21세기 가족에게』(1994) 등 문제작들이 잇달아 출
간되며 새로운 가족 문화에 대한 논의가 점화되던 시기였다.[17]

1992년 10월 『건축문화』가 기획한 '근(近)미래의 주택'
특집호는 핵가족 붕괴와 가족 형태의 다원화에 대응하기 위해 주
거 건축을 일신하려는 초기의 노력 가운데 하나다. 건축 전문 잡
지로는 이례적으로 가족제도와 주생활을 젠더적인 관점에서 분
석한 우에노 지즈코의 30쪽 분량의 소논문이 수록되었다.[18] 여
기서 우에노는 경제 불황과 인구변동, 여권신장과 테크놀로지의
발전 등 급격한 사회변동 속에서 가족 형태가 다원화될 것이라고
진단하고, 부부와 아이 중심의 핵가족을 위한 주택과 차별된 주
택의 모델을 제안할 것을 건축가들에게 촉구했다. 이에 응해, 이

[17]   上野千鶴子, 『近代家族の成立と終焉』(東京: 岩波書店, 1994); 落合惠美子,
『21世紀家族へ 家族の戰後体制の見かた·超えかた』東京: 有斐閣選書, 1994).

[18]   上野千鶴子, 「クリエイティブミズが住まいを変える-住 居の近未来像」, 『建築文化』
552 (1992, 10): 31-62.

토 도요, 구마 겐고(b. 1954), 세지마 가즈요(b. 1956)를 포함한 10인의 참여 건축가들이 기존의 규격화된 주택 평면으로 수렴되지 않는 다양한 주택을 제안했다.

전후 주택의 표준평면에 대한 공격은 1995년『건축잡지』가 주최하고 구마와 야마모토 리켄(b. 1945), 미야와키 마유미(b. 1936)가 참여한 대담에서도 계속되었다.[19] 참여자들은 전후 핵가족 체제의 이념형과 최근의 다원화되어 가는 가족의 현실 간의 괴리를 재확인하고, 'nLDK 이후'의 주택 형태를 모색하는 것을 주거 건축의 과제로 강조했다. 특히 야마모토는 1가구 1주택 보급을 위해 표준화된 주택을 대량 생산하는 데 역점을 둔 전후의 주택 시스템 자체에 비판의 화살을 돌렸다. 그는 1가구 1주택 체제가 사생활과 보안에 대한 지나친 강조로 주택의 밀실화와 공동체의 붕괴를 초래한다고 비판하고, 주택 건축에서의 공적 공간의 회복을 주장했다.

이러한 문제의식 속에서 건축가들은 다음의 세 가지 방향에서 전후 주택의 규범을 근본적으로 해체하고자 했다. 첫째, nLDK로 수렴되지 않는 주택 평면의 다양화, 둘째, 공유 공간의 확보를 통한 공동체성의 함양, 셋째, 도시를 향한 개방성 확보가 그것이다. SANAA, 야마모토 리켄, 아틀리에 바우와우의 작업은 서로 긴밀히 연결된 앞의 세 가지 쟁점을 잘 보여준다. 먼저, 세지마 가즈요와 니시자와 류에(b. 1966)가 설립한 SANAA는 주택 평면의 다양화라는 주제에 천착했다. 연장자인 세지마는 1981년부터 이토 도요 건축사무소에서 설계를 시작한 대표적인 '이토 스쿨'의 건축가이다. 그녀는 1987년 독립해 일련의 독창적

[19] 宮脇壇, 山本理顕, 隈研吾, 「nLDK以後」, 『建築雜誌』 (1995. 4): 26-28.

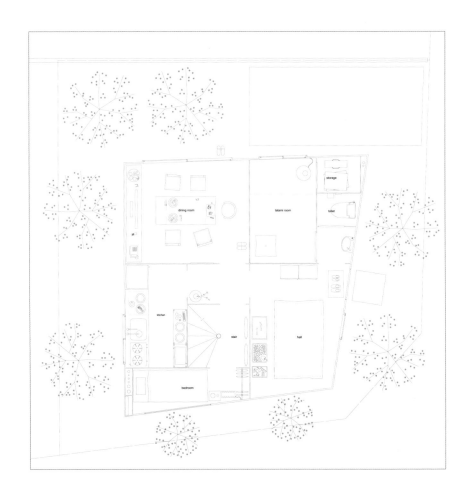

■□ 세지마 가즈요, 매화숲 집 평면도, 도쿄 교외 2003

□■ 세지마 가즈요, 매화숲 집 외관과 내부, 도쿄 교외, 2003

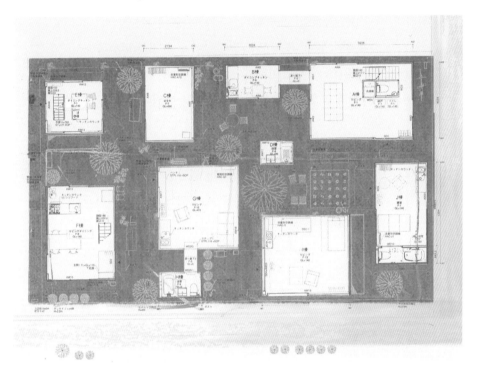

인 단독주택과 집합주택을 선보였고, 1995년부터는 니시자와와 함께 SANAA를 설립해 때로는 공동으로 때로는 독립적으로 활동하고 있다. SANAA의 주택은 기능주의에 근거해 엄밀하게 구획된 nLDK 평면을 해체하고, 초경량 철판과 가느다란 기둥, 투명/반투명/다공성 재질의 벽면을 도입해 방과 방, 주택과 도시, 공적 공간과 사적 공간의 '유연한 경계'를 구축하는 것을 특징으로 한다.

대표적인 예가 세지마가 설계한 매화숲 집(2003)이다. 통상적으로 nLDK의 대안이라면 방과 방, 방과 거실의 경계를 없앤 원룸 타입이 고려되지만, 매화숲 집은 그 반대의 방식을 택한다. 세지마는 1인 1실 기준으로 구획된 기존의 방을 침실 공간, 책상 공간, 화장 공간 등 사용자의 생활패턴에 맞게 가구 단위로 잘게 구획한다. 16밀미미터 두께의 초경량 철판을 내력벽으로 사용해 공간 손실을 막는 동시에, 두꺼운 벽이 만드는 견고한 경계를 무화시킨다. 또한 고정된 문 대신 다양한 크기로 여러 개의 개구부를 내서 방과 방, 방과 공용 공간을 시각적, 청각적인 측면에서 유기적으로 연결시킨다.

니시자와의 모리야마 하우스(2005) 역시 nLDK 평면을 해체하는 SANAA의 또 다른 접근을 보여준다. 모리야마 하우스는 독신자들이 공동 거주하는 일종의 하숙집이다. 니시자와는 상자 형태의 주택 안에 방과 거실, 부엌을 배열하는 대신, 각각의 주거 기능을 여러 개의 작은 볼륨의 건물로 나누어 배치한다. 건물을 여러 채로 분절함으로써 각각의 주거 공간의 독립성을 보장하는 한편, 건물과 직접 면한 외부 공간은 거주자들의 공용 공간으로 활용할 수 있다. 서로 다른 층수와 크기, 통일되지 않은 디자인으로 지어진 이 주택은 건물과 공터가 교차되며 특유의 시쿼스를 그리는 일본 도시 공간의 패턴을 반복한다.

SANAA가 표준화된 nLDK를 해체함으로써 다원화된 주거 양식에 대한 시대적 요구에 부응했다면, 야마모토 리켄은 주거 공간 내 공용 공간을 확보함으로써 주택의 밀실화를 극복하는 데 주안점을 두었다. 야마모토는 건축가로서는 드물게 일찍부터 주거론에 관심을 가져온 인물이다.[20] 도쿄예술대학에 제출한 석사 논문(1971년)에서는 거주자의 생활 패턴을 토대로 주택 내의 공적 공간과 사적 공간의 중첩과 분리를 분석했고, 이후 세계 각지의 다양한 군락에 대한 현지조사로 이름 높은 도쿄대학의 하라 히로시 연구실에서 박사과정을 수료했다. 하라 연구실에서의 경험을 통해 야마모토는 규격화를 통한 대량 생산을 특징으로 하는 근대주택으로 환원되지 않는 다양한 형태의 주거문화에 흥미를 갖게 되었다.

주택을 단순한 하드웨어가 아니라 가족의 삶을 결정하고 지배하는 '공간화된 가족 규범'으로 규정한다는 점에서 야마모토의 입장은 사회학자나 인류학자의 그것에 가깝다. 1993년, 『신건축』에 실린 대담 「무엇이 주거인가? 무엇이 가족인가?」에서 야마모토는 우에노 지즈코와 함께 1인 가구의 증가, 비혼화, 고령화사회의 도래 등 가족제도의 급격한 변화에 대응할 수 있는 대안적인 주거문화에 대해 논의했다.[21] 이들은 상호 돌봄과 의존에 근거한 일종의 유사 확대가족의 필요성을 지적했고, 확대가족으로서 기능할 공동체를 육성하기 위해 주택 내 '공용 공간'(communal space)을 확보할 것을 강조했다.

[20]   山本理顕, 『住居論』(東京: 住まいの図書館出版局, 1993). 야마모토 리켄의 주택론이 집대성된 이 책의 증보판 『新編住居論』(東京: 平凡社)이 2004년 출간되었다.

[21]   上野千鶴子, 山本利顕, 「住宅,そして家族とは」, 『新建築』(1993, 1).

야마모토의 호타쿠보 집합주택(1991)은 기존의 공적 공간과 사적 공간의 구분을 넘는 중간적 개념인 '공용 공간'을 도입한 공영주택이다.[22] 110가구로 이루어진 호타쿠보 집합주택에서 야마모토는 건물을 일괄적으로 남향으로 배치하는 기존의 방식 대신, 두 동을 서로 마주 보게 배치함으로써 동 사이의 외부 공간을 중정으로 확보했다. 중정은 각각의 주택에서는 직접 접근할 수 있지만 외부로부터 접근은 차단되어 주거 공동체 전용의 다목적 공용 공간으로 활용된다. 공용 공간에 대한 야마모토의 관심은 그가 국제공모를 통해 한국에 설계한 판교 하우징(2010)와 강남 하우징(2014)에서도 찾아볼 수 있다. 여기서 야마모토는 도시 공간과 주택 사이에 마을길과 데크, 사랑방과 개인 마당으로 이어지는 일련의 중간 지대를 확보하는 한편, 파격적으로 문을 유리로 만들어 주택의 개방성을 극대화하고, 이웃 간의 상호작용을 끌어내고자 했다. 투명 현관은 주민의 사생활 보호 문제로 논쟁의 대상이 되었고, 일부 주민들은 이를 불투명한 벽으로 교체하기도 했다. 야마모토가 제안한 대안적인 집합주택이 계급적 동질성에 기반한 거주민들의 '그들만을 위한 리그'를 넘어, 도시와의 건강한 관계를 확보하는 일은 앞으로의 중요한 과제로 남아 있다.

　　　야마모토가 '공용 공간'의 개념을 도입해 주거 공동체를 활성화하는 데 관심이 있었다면, 아틀리에 바우와우는 도시에 대한 주택의 개방성을 강조했다. 아틀리에 바우와우는 1992년

[22]　호타쿠보 집합주택 프로젝트는 구마모토 아트폴리스의 일환으로 진행되었다. 구마모토 아트폴리스는 창의적인 건축물을 통해 구마모토시를 문화예술의 중심지로 만들기 위한 지역 활성화 사업으로 1988년 이소자키 아라타가 초대 커미셔너를 맡은 이래 이토 도요와 안도 다다오 등 유명 건축가들이 참여하며 현재까지 이어지고 있다.

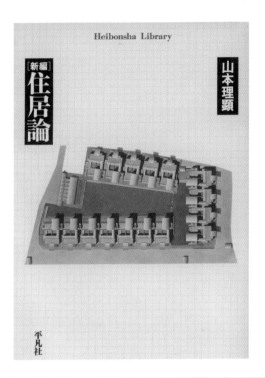

야마모토 리켄, 『주거론』

야마모토 리켄, 호타쿠보 집합주택, 구마모토, 1991

▌ 야마모토 리켄, 판교 하우징, 경기도, 2010

▌ 야마모토 리켄, 강남 하우징, 서울, 2014

부부 건축가 쓰카모토 요시하루(b. 1965)와 가이지마 모모요 (b. 1969)가 설립한 건축 사무소이다. 이들은 호황기인 1980년대에 학창 시절을 보내며 포스트모더니즘의 세례를 받았지만 정작 건축가로서의 활동을 시작한 후에는 불황으로 건물을 지을 기회를 갖기 어려웠던, 소위 '너무 늦게 태어난 세대'에 속한다.[23] 실제로 아틀리에 바우와우를 일약 국제 건축계의 스타로 올려놓은 것은 실제 건물 설계가 아니라, 『메이드 인 도쿄』(2001)와 『펫 아키텍처 가이드북』(2001)으로 대표되는 일본의 도시 공간에 대한 일종의 인류학적 조사 프로젝트이다.[24] 로버트 벤투리의 『라스 베이거스의 교훈』(1972), 버나드 루도프스키의 『건축가 없는 건축』(1964), 렘 콜하스의 『정신착란증의 뉴욕』(1978) 등의 저작에서 영감을 받은 이들의 책은 도쿄의 버내큘러한 도시환경을 재기발랄하게 포착하고, 이미 지어진 것들로 가득한 도시에 유희적으로 개입한다.[25] 아틀리에 바우와우는 협소한 의미의 물리적인 건축을 넘어, 지형, 경제, 역사, 문화, 커뮤니티의 삶이 중첩된 총체적 도시의 생태계를 드러내고, 이에 기반해 건축과 도시의 미래상을 그리는 데 주력했다.

　　도시적 맥락에 대한 아틀리에 바우와우의 관심은 이들

[23]　Tarō Igarashi, David Noble trans., *Contemporary Japanese Architects* (Tokyo: JPIC, 2008), p. 199.

[24]　貝島桃代, 黒田潤三, 塚本由晴, 『メイド・イン・トーキョー』(東京: 鹿島出版会, 2001); アトリエ・ワン, 『ペット・アーキテクチャー・ガイドブック』(東京: ワールドフォトプレス, 2001).

[25]　Robert Venturi, Denise Scott Brown, Steven Izenour, *Leaning from Las Vegas* (Cambridge, MA: The MIT Press, 1972); Bernard Rudofsky, *Architecture without Architects* (New York: MoMA Press, 1964); Rem Koolhaas, *Delirious New York* (New York: Oxford University, 1978).

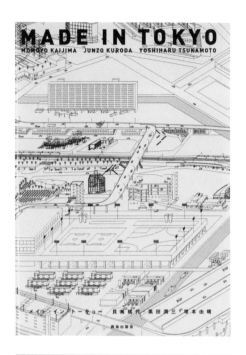

- 아틀리에 바우와우, 『메이드 인 도쿄』(2001) 표지

- 아틀리에 바우와우, 『펫 아키텍처 가이드북』(2001) 표지

의 주택 설계에도 중요한 영향을 끼쳤다. 아틀리에 바우와우는 주택을 독립적이고 자족적인 미적 대상이 아니라, 외부환경과 끊임없이 상호작용하는 유연한 유기체로 접근하고, 부지의 특수한 환경과 거주민의 다양한 요구를 반영한 실험적인 주택 디자인을 선보였다. 대표적인 예가 이들의 사무실 겸 주택인 하우스+아틀리에 바우와우(2007)이다. 자투리 부지에 들어선 이 지하 1층 지상 3층짜리 소주택은 nLDK로 평면을 구획하는 대신, 열린 평면을 도입하고 수직 동선을 세심하게 고려해 각 층을 유기적으로 연결했다. 외부환경을 고려해 창의 배치와 벽면의 경사를 조정하고, 친환경 자연 냉방 개념으로 건물 옆에 우물을 파고 물이 벽면을 따라 흐르게끔 설계했다. 또한 사적인 주택에 업무 공간을 도입해 외부인이 자유롭게 드나들 수 있게 함으로써 도시에 대해 열린 태도를 견지했다. 2002년 독일에서 개최된 아틀리에 바우와우의 건축전시《Small is OK》의 제목은 주어진 조건을 감내하며 불황의 시기를 자유롭게 유영하는 태도, 즉 1990년대 이후의 주택론의 주요한 정서를 잘 대변한다.

3·11 이후의 주택론
: 사회 디자인으로서의 건축

2011년 3월 11일, 도호쿠 지방을 강타한 지진과 쓰나미, 원전사고로 인해 주택에 관한 논의는 새로운 전기를 맞게 된다. 견고한 콘크리트 건물이 종잇장처럼 구겨지고 수많은 주택이 흔적도 없이 파도에 쓸려간 대재난의 충격 앞에서 건축가들은 우선순위를 전면적으로 재편할 수밖에 없었다. "앞으로 어디서 살 것인가?"를 주제로 개최된 2011년 일본 건축학회 특별 심포지엄은 재난 이후 일본 건축계의 화두를 대변한다.[26] 자기표현에 집착하는 건축가의 근대적 에고가 부정되었고, 소위 '부티크 디자인'이라고 불리는 상품으로서의 건축, 권력의 얼굴로서 기능하는 권위주의적인 기념비 건축, 예술로서의 건축이 비판의 대상이 되었다. 대신 평범한 사람들의 일상이 영위되는 주거의 문제에 건축가들의 관심이 재집중되었다.

'포스트 3·11 건축'을 주제로 열린 앞서 언급한 심포지엄에서 기조연설을 맡은 원로 건축가 하라 히로시는 1950년대 일본 지성계에 큰 영향을 끼친 프랑스 실존주의 철학자 장 폴 사르트르의 참여문학론 테제 「문학이란 무엇인가?」(1948)를 인용하며 "건축은 무엇을 할 수 있는가?"라는 근본적인 질문을 던졌다.[27] 그의 질문은 건축이 재난 복구에 어떻게 개입할 것인가에 관한 실천적 차원의 고민을 넘어, 건축의 존재론과 사회적 역할, 앞으로의 방향에 대한 근본적인 성찰을 촉구했다. 즉, 3·11은 그동안 사회와 유리된 예술품 또는 상품으로서의 건축이라는 울타리에 안주하던 건축가들에게 사회적 역할과 책임을 일깨운 중요한 계기로 작동한 것이다.

3·11 직후 건축계의 대응은 즉각적이고 적극적이었다. 재난 발발 불과 이틀 후부터 일본 건축학회가 재해조사부흥지원본부를 설치해 건조 환경의 피해 상황에 대한 전수 조사에 착수했다. 3월 말에는 이토 도요, 구마 겐고, 세지마 가즈요, 야마모

[26]　日本建築学会, 『われわれは明日どこに住むか-3·11後の建築·まち』(東京: 彰国社, 2011).

[27]　TOTOギャラリー+ 間 編, 『3·11ゼロ地点から考える』(東京: TOTO出版, 2012), pp. 88-104.

토 리켄, 나이토 히로시(b. 1950) 등 국제적으로 잘 알려진 유명 건축가들이 '기신노카이'(歸心會)를 결성하고 모금과 자원봉사를 통해 가설주택 단지에 집회소를 제공하는 〈모두를 위한 집〉 프로젝트를 개시했다.[28] 4월 초에는 인터넷 기반의 자원봉사 단체 아키에드(Archi+Aid)가 설립되어 피해 지역과 건축가들을 연결하고, 각종 토론회, 출판, 전시 등을 조직했다.[29] 1990년대부터 유엔 난민기구 자문 역할을 맡으며 각종 구호 건축을 설계해온 반 시게루는 이재민의 사생활 보호를 위해 대피소에 설치할 종이 칸막이 시스템 PPS 4(Paper Partition System)를 제공했고, 메타볼리스트 에쿠안 겐지가 설립한 GK 디자인그룹은 전통적인 종이접기 오리가미 원리를 도입해 신속한 설치와 이동성을 극대화한 이동식 셸터 QS72를 생산했다. 원로 건축가 이소자키 아라타는 인도계 영국 미술가 애니시 커푸어와 함께 공기막 구조물로 된 이동식 콘서트 홀 〈아크 노바〉를 만들어 해안가에 넓게 퍼진 피해지를 돌며 위문 공연을 개최했다. 그러나 이러한 열의와 헌신에도 불구하고 대다수 건축가는 정부 차원에서 진행된 공식적인 피해 복구와 부흥 사업에서 사실상 배제되었다. 재난 복구는 건축가가 아닌 정부와 건설업자들의 몫이었다. 건축가라는 존재가 자기표현에만 집착하고 정부 방침에 사사건건 반대만 하는 불필요하고 불편한 존재로 여겨졌기 때문이다.

그럼에도 불구하고, 피해지에서의 자원봉사 경험은 건축가들에게 주거의 문제를 다양한 층위에서 비판적으로 재고하

[28] 기신노카이의 입장과 활동에 대해서는 다음을 참조할 것. 이토 도요, 『내일의 건축』, 이정환 옮김 (안그라픽스, 2014), pp. 30-40.

[29] 아키에드 공식 홈페이지 http://archiaid.org; 아키에드의 활동은 『建築ノート』 no. 9 (2013) 특집호에 자세히 다뤄졌다.

GK 디자인그룹, 간이 재난 쉼터 QS72(Quick Space 72h)

는 계기를 마련해주었다. 건축가들의 활동이 집중된 분야는 응급 가설주택의 열악한 주거환경을 개선하는 일이었다. 응급가설주 택이란 임시 대피소나 피난소에서 옮겨 온 이재민들이 한시적(원 칙적으로는 2년 3개월 이내) 거주할 수 있도록 지어진 최소 주거 (1인당 최대 29.7제곱미터)를 의미한다. 재난 직후 정부는 총 7만 2290채의 가설주택이 필요하다고 발표했고, 재난구조법에 근거 해 5만 2500채가 신축되고, 부족분은 기존 주택을 임대하는 방 식으로 충당했다.[30] 가설주택 건설의 핵심은 이재민에게 신속하 고 효율적으로 주택을 제공하는 것이다. 이를 위해 '프리패브 건 축협회'(プレハブ建築協会)가 각 지자체와 협약을 맺어 규격화된 철제 가설주택을 대량 제공하는 것을 원칙으로 했다.[31]

그러나 프리패브 건축협회가 일괄 제공한 가설주택은 기능적인 부분은 물론, 획일적이고 삭막한 주거환경으로 인해 비 판의 대상이 되었다. 무엇보다도 nLDK 모델을 획일적으로 채택 한 규격화된 평면은 거주민의 서로 다른 요구와 필요, 지역적 특 수성을 반영하지 못했다. 가족 규모에 따라 주택의 크기는 달라 질 수 있지만, 고령자와 장애인을 위한 고려는 평면 설계에 전혀 반영되지 않았다.[32] 더욱 심각한 것은 재난으로 트라우마를 입

[30] 임시가설주택의 생산과 제공에 관한 종합적인 연구로 다음을 참조할 것. 大水敏 弘,『実証, 仮設住宅: 東日本大震災の現場から』(東京: 学芸出版社, 2013).

[31] 프리패브 건축협회는 1963년 일본 건축의 공업화를 기치로 통산성과 건설성 산하의 기구로 설치되었다. 재난 이후 가설주택의 공급은 프리패브 건축협회의 내부 조직인 규격건축부회에서 각 지자체와 협약을 맺고 일괄적으로 담당한다.

[32] 도호쿠 지방에 건립된 가설주택에 입주한 세대 가운데 65세 이상 노인 구성원이 있는 경우는 60퍼센트, 장애인 구성원이 있는 경우가 15퍼센트였다. Yasutaka Ueda and Rajib Shaw, "Issues and Challenges in Temporary Housing in Post-3·11 Kesennuma" in *Community Practices for Disaster Risk Reduction in Japan* edited by Rajib Shaw (Springer Japan, 2014): 209-226.

은 거주민의 고립감과 소외감을 가중시키는 비좁고 폐쇄적인 주거환경이었다. 실제로 1995년 고베 대지진 이후 가설주택에서 고독사가 다수 발생하면서, 가설주택의 고립성과 폐쇄성은 심각한 사회문제로까지 부상했다. 이에 기존 공동체를 우선으로 고려하고, 50세대 이상의 가설주택 단지에 집회소 설치를 의무화하는 등 가설주택의 입지 및 입거 방식에 변화를 주기도 했다. 몇 가지 보완점이 제시되기는 했지만 큰 실효를 거두지는 못했다.

가설주택은 결코 예외적인 돌연변이가 아니라, 효율성과 경제성의 원리를 전면에 내세운 근대건축의 산물이자, 전후 일본 주택 정책의 축소판이다. 따라서 가설주택에 대한 비판적 개입은 단순히 이재민의 주거환경을 개선하는 인도적인 차원의 활동을 넘어, 전후 주택 시스템 전반을 근본적으로 재고하려는 시도로 볼 수 있다. 특히 도호쿠 피해지가 일본의 다른 지역보다 고령화와 인구감소, 도시의 과소화 등의 문제가 훨씬 심각한 곳이라는 점을 고려하면, 가설주택에 대한 비판적 개입은 일본 주택의 미래를 모색하는 실험으로까지 확장된다.

야마모토가 제안한 가마이시시 가설주택 단지를 예로 들어 보자. 기신노카이의 멤버이기도 한 야마모토는 〈모두를 위한 집〉의 일환으로 가설주택단지에 버섯 모양의 집회소를 설계했다. 낮에는 공동체의 찻집으로, 밤에는 주점으로 계획된 이 파빌리온은 조명을 투과하는 소재를 사용함으로써, 특히 야간에 공동체를 밝히는 강력한 이미지성을 갖는다. 그러나 야마모토는 공동체의 건축적 상징으로서 작동하는 집회소 건립에서 한 걸음 더 나아가, 주민들의 상호교류를 진작하고 고립을 방지하기 위해 포괄적인 단지 설계를 제안했다. 야마모토의 제안은 다음과 같다. 1) 주동을 일괄적으로 남향으로 하는 것이 아니라 출입구를 마

가설주택 단지, 미야기현

주 보게 함으로써 가운데를 공유 공간으로 활용한다, 2) 마주 보는 출구를 반투명 유리로 처리해 채광과 개방성을 극대화한다, 3) 주민들이 운영하는 작은 가게나 공방을 단지 내에 포함시킨다, 4) 노인과 어린이를 위한 케어존과 편의점 시설을 결부시킨 공유 공간을 제공한다, 5) 전체 공동체와 연결된 자족적인 에너지 시스템을 구축한다. 이 제안은 시의 주택과장에게 전달되었고, 이 중 일부가 실제로 채택되어 가설주택 단지의 새로운 전형을 제공했다. 야마모토의 대안적인 가설주택 단지는 그가 2000년대 후반부터 요코하마대학 연구팀(YGA)과 함께 발전시킨 지역사회권 구상에 크게 빚지고 있다. 지역사회권이란 500명의 개인이 기본 단위를 이루는 확장된 형태의 거주 공동체로서 공유 공간의 확대, 주택 임대, 노약자를 배려한 편의시설, 지역 내 일자리 확보, 에너지 자립 등을 특징으로 한 미래 주거의 종합적인 청사진이다.[33] 지역사회권 개념은 3·11 이후 비상한 재조명을 받으며 대안적인 가설주택 단지설계의 지침서 역할을 했다.

커뮤티니 케어형 가설주택의 대표적인 예로 도쿄대학 오쓰키 도시오 교수팀이 동 대학 고령사회종합연구소와 함께 제안한 헤이타시의 가설주택을 들 수 있다.[34] 여기서는 산지에서 공급된 목재로 주택을 건립하고 단지 내에 집회소의 기능을 강화한 서포트 센터를 설치해 의료, 간병, 육아, 교육 등의 서비스를 전담하게 함으로써 마을 단위로 노약자를 배려하고 돌보는 자족적인 시스템을 구축한다. 단지는 케어 존과 일반 존으로 구분하

[33]   야마모토 리켄 외, 『마음을 연결하는 집』, 이정환 옮김 (안그라픽스, 2014).

[34]   오쓰키 도시오, 「커뮤니티 케어형 가설주택의 제안·실현·운영」, 『한국주거학회』 (2012. 4): 1-25.

고, 케어 존은 휠체어나 유모차의 이동 및 자동차 진입의 편의를 도모한 배리어프리(barrier free, 교통약자들이 이동하는 데 방해가 되는 것들을 없앤 디자인) 공간으로 설계하는 한편, 주동을 마주보게 배치하고 사이 통로는 공동체를 위한 공용 공간으로 활용한다. 이 가설주택 단지는 가설주택으로서의 쓰임이 다한 후에는 개호(介護)시설을 포함한 고령자 전용의 케어타운으로 전환될 수 있게끔 설계되었다.

3·11 이후 일본 건축가들의 대응은 박애적인 휴머니즘의 발로로서 국내외적으로 높이 평가되었다. 그러나 일각에서는 건축가들이 지나치게 미시적인 부분에 치중한 나머지 국토 부흥과 재건에 대한 강력한 비전을 제시하지 못했다는 비판을 제기하기도 했다.[35] 가설주택의 평면을 변경하고, 작은 집회소를 세우고, 단지 내 건물의 배치를 바꾸는 식의 대응이 얼마나 효과가 있는가에 대한 회의가 제기된 것이다. 이러한 불만은 전후 부흥에 앞장섰던 단게나 메타볼리즘의 도시적 스케일의 건축에 대한 향수를 불러일으킨 원인 중 하나가 되기도 했다.

그러나 주거 개조를 위한 건축가들의 활동을 결코 지엽적이거나 부수적인 행위로 치부할 수는 없다. "어디서 살 것인가?"의 문제는 "어떻게 살 것인가"의 문제이기 때문이다. 사람들의 일상이 이루어지는 주택에 개입하고, 주택과 사회의 관계의 근본적인 변화를 모색하는 것은 국가 통치에 대한 문제로 확장되

[35] 이러한 비판을 제기한 측은 주로 정부 각 부처와 긴밀히 협력하며 재건을 이끌던 단게 겐조나 메타볼리즘을 연구한 건축사학자들이다. Hajime Yatsuka, "The Social Ambition of the Architecture and the Rising Nation," in *Tange Kenzō, Architecture for the World*, eds. Seng Kuan and Yukio Lippt (Zürich: Lars Müller, 2012), p. 60; 豊川斎赫, 『群像としての丹下研究室−戰後日本建築・都市史のメインストリーム』東京: ソフトカバー, 2012), p. 336.

오쓰키 도시오+도쿄대 고령사회종합연구소, 이와테현 헤이타 가설주택(위)과 배치도

며 일본을 변혁하는 문제로 귀결된다. 전후 일본 주택 정책의 핵심인 1가구 1주택 체제를 보더라도 이는 단순한 주택 정책을 넘어 전후 경기 호황과 사회 전반의 보수화를 가져온 국가 운영 시스템으로 기능한 것을 알 수 있다. 평생 고용과 장기주택융자 제도를 통해 주택을 소유하는 전후 주택 정책은 일본의 경제성장을 지탱하는 버팀목이자, 변혁보다는 안정성을 중시하는 보수적인 소시민을 양산하는 통치의 근간으로 작동했다. 따라서 1가구 1주택 체제에 대한 도전은 다른 주생활에 관한 구상인 동시에, 자본주의와 사회주의 시스템으로 환원되지 않는 대안적인 사회 시스템의 모색으로까지 확장된다.

개별 건물의 설계자를 넘어 일본 사회의 다양한 소프트웨어적인 문제에까지 개입하는 생활 개조자이자 사회 개혁가로서의 건축가의 역할은 이토가 3·11 부흥에 참여한 경험을 토대로 쓴 『'건축'으로 일본을 바꿔라』의 제목에서 선언적으로 나타난다.[36] 단게나 메타볼리즘이 기술관료의 입장에서 성장과 팽창의 시기를 위한 도시 인프라를 제안하는 하드웨어의 설계자였다면, 보다 젊은 세대의 건축가들은 불황과 긴축의 시기를 위해 대안적인 삶의 모델을 제안하는 소프트웨어 설계자를 자처했다. 이들은 선배 세대의 특징인 톱다운 방식으로 진행되는 하이테크의 기념비 건축이나 대규모 도시계획 대신, 로테크나 적정기술을 활용해 보텀업 방식으로 소규모 주거 건축이나 커뮤니티 디자인을 추구함으로써 일본이 처한 위기를 극복하고자 했다.

[36]   伊東豊雄, 『「建築」で日本を変える』(東京: 集英社新書, 2016).

주택으로 일본을 바꾸다

주택을 통해 위기에 처한 일본을 개조한다는 구상은 2011년 출범한 '하우스 비전'을 통해 지속적으로 실험되었다. 디자이너 하라 겐야(b. 1958)가 주도한 하우스 비전은 건축가와 디자이너, 건설회사가 공동으로 활동하는 무대로서, 3·11이 가속화한 주택에 대한 논의를 전시와 워크숍, 출판 등 다양한 방식으로 지속적으로 발전시키는 데 중요한 역할을 했다.[37] 이토 도요, 구마 겐고, 야마모토 리켄, 아틀리에 바우와우, 후지모토 소우 등 다양한 세대의 참여 건축가들은 주택을 단순한 건물이 아니라 과학기술과 에너지, 라이프 스타일, 경제, 산업이 교차하는 지점으로 파악하고, 주택을 매개로 미래사회의 쟁점을 풀어냈다. 무지(MUJI)의 예술 감독이기도 한 하라 겐야는 하우스 비전 개막식에서 일본을 비극적인 재난 국가가 아니라 고령화, 저성장, 인구감소, 재난 등 전지구적인 문제를 다른 나라보다 먼저 경험한 성숙 국가로 묘사했다.[38] 그는 고령화나 인구감소, 재해를 단순한 재앙이 아니라 새로운 기회로 파악하고, 성숙 사회에 맞는 상품과 기술, 산업을 선도적으로 발굴함으로써 인류의 미래 주거를 제시하고자 했다. 하우스 비전은 일본뿐 아니라 중국과 동남아시아 각국을 포함한 범아시아 건축 네트워크를 표방하며 "거대한 아시아의 시대"를 내세웠다.[39] 아시아의 고유한 문화를 토대로 서양과 차별된 독자적인 주거를 함께 고민해보자는 구상이다. 물론 그 주도권

[37]　하우스 비전 홈페이지, http://house-vision.jp/참조, 2020년 10월 1일 접속.

[38]　原研哉 HOUSE VISION 実行委員会, 『House Vision: 新しい常識で家をつくろう』(東京: 平凡社, 2012), pp.12-13.

[39]　같은 책, p. 232.

은 성숙 사회를 한 발 앞서 맞이한 일본에게 있다. 주택을 통해 일본 사회를 개혁한다는 주장이 일본의 선진적인 주택을 통해 상시적인 위기에 처한 세계를 구한다는 주장으로 확장된 것이다.

실제로 일본 건축가들은 '주택의 미래'라는 아젠다를 선점함으로써 최근 국제무대에서 그 위상과 영향력을 제고하는 데 주력하는 듯 보인다. 대표적인 예가 2016년 베니스 비엔날레에서 특별 언급상을 받은 일본관 전시《엔: 관계의 기술》(En: Art of Nexus)이다. 1975년 이후 출생한 건축가들의 주택 디자인 12점을 선보인 이 전시는 3·11 이후 강조된 유대와 연대의 정서 '기즈나'(絆)의 맥락 속에서 주택을 통한 공동체 활성화와 지역 재생의 방안을 모색했다. 전시의 하이라이트는 온 디자인 파트너스(ON design partners)의 니시다 오사무(b. 1976)와 나카가와 에리카(b. 1983)가 설계한 요코하마 아파트(2007)다. 독신인 젊은 예술가 네 명이 함께 거주하는 요코하마 아파트는 필로티 위에 올린 2층을 사적인 주거 공간으로 확보하고, 개방된 1층 중정은 다목적의 공유 공간으로 활용해 주민 간의 친교를 구축하는 데 중점을 두었다. 이 흰색의 이 단순한 목조 주택에서 첨단의 건축공법이나 새로운 건축적 아이디어를 기대할 수는 없을 것이다. 그러나 건축가들의 야심은 단순히 물리적인 구조물을 만드는 것을 넘어, 불황과 청년 실업, 사회적 불평등 등의 다양한 문제와 맞서 미래의 생존을 도모할 수 있는 사회적 네트워크를 직조하는 것으로 확장되었다. 전시는 주택을 대안적인 가족 문화와 관계 맺음, 삶의 양식에 대한 모색이자, 신자유주의의 발흥에 대한 젊은 세대 건축가들의 "미시적인 항거"로서 내세우고 있다.[40]

[40] 佐藤嘉幸,「新自由主義へのミクロな抵抗」,『En[縁]:アート·オブ·ネクサス』
(Tokyo: Toto Publishers, 2016), pp. 146-147.

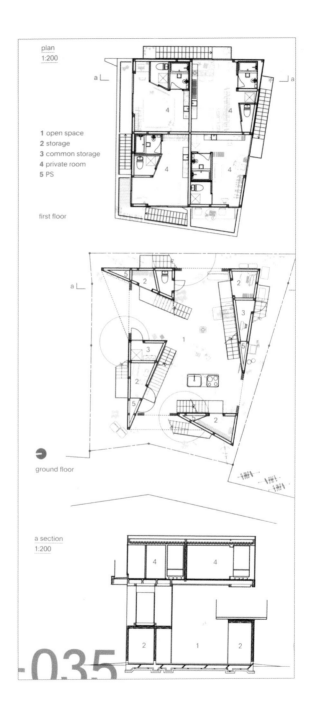

plan
1:200

a

a

1 open space
2 storage
3 common storage
4 private room
5 PS

first floor

ground floor

a section
1:200

:035

■□ 온 디자인 파트너스, 요코하마 아파트, 가나가와, 2007

□■ 온 디자인 파트너스, 요코하마 아파트 평면도, 가나가와, 2007

8장.   다시, 일본

2020 도쿄올림픽 유감

2020년 여름 개최 예정이었던 도쿄 올림픽은 전 세계를 휩쓴 유행병 코로나19로 인해 무산되었다. 성공적인 전후 재건을 세계에 알렸던 1964년 도쿄 올림픽의 재연을 꿈꿨지만, 아이러니하게도 결국 전쟁으로 무산된 1940년 도쿄 올림픽의 전철을 밟게 된 것이다. 2012년, 3·11 후의 혼란 속에서 집권한 아베 신조 정권은 올림픽에 사활을 걸었다. 도쿄 올림픽을 일본 재도약의 원년으로 삼는다는 '2020년, 일본 다시 태어나는 해'는 아베 정권의 모든 정책에 중요하게 작용했다. 올림픽을 계기로 일본이 다시 전쟁 가능 국가가 될 수 있도록 평화헌법을 개정하는 논의마저 탄력을 받았다. 일본 정부가 코로나 확산을 은폐하는 무리수를 두면서까지 올림픽 개최를 강행하고자 한 것은 놀라운 일이 아니다.

일본 사회의 전면적 쇄신과 새 출발에 대한 요구가 본격화된 것은 2011년 도호쿠 지방을 강타한 대재난으로 거슬러 올라간다. 2011년 3월 11일, 일본 도호쿠 지방 해안을 강타한 대지진과 이로 인한 쓰나미는 이와테현, 미야기현, 후쿠시마현 등 약 500킬로미터에 이르는 광대한 해안가를 휩쓸었다. 지진과 쓰나미로 인한 물리적 파괴보다 더욱 심각한 것은 후쿠시마현에 위치한 원자력 발전소 전원공급이 중단되면서 발생한 방사능 유출 사고였다. 정부와 도쿄전력의 부실 대응 탓에 유례없는 피해를 낸 방사능 사고는 3·11이 단순한 자연재해가 아니라 일본 사회의 구조적 모순과 부조리를 드러낸 인재임을 여실히 보여주며 3·11은 '제2의 패전'으로 여겨졌다. 2011년 3월 11일, 일왕 아키히토는 재위 23년 만에 처음으로 NHK를 통해 비디오 영상으로 대국민 메시지를 발표했다. 많은 이가 아키히토의 이례적인 TV 출현에서 그의 부친 히로히토가 1945년 8월 15일 역시 NHK 라디오 방송을 통해 '종전조서'(終戰詔書)를 발표하며 무조건 항복을 선언했던 역사적 순간을 떠올렸을 것이다.

전쟁과 재해의 유비 속에서 '전후'가 다시 호출되었다.[1] 2011년 8월 15일에 개최된 제2차 세계대전 전몰자 추도식에서 당시 총리였던 간 나오토는 "국민 한 사람 한 사람의 노력을 통해 전후의 폐허에서 다시 일어난" 역사적 경험을 환기하며, "우리는 재해 지역과 일본을 반드시 힘차게 재생시킬 것"이라고 강조했다.[2] 간 총리에게 '전후'가 폐허를 딛고 부흥을 달성한 국난 극복의 레토릭으로 사용되었다면, 도쿄대학 정치학과 교수 미쿠리야 다카시에게 '전후'란 패전에서 비롯된 치욕적인 체제이자, 부정되고 극복되어야 할 대상으로 논의되었다. 동일본대진재부흥구상회의 의장 대리를 역임하기도 한 미쿠리야는 3·11을 기점으로 길었던 '전후'가 드디어 종료하고 마침내 이를 대체할 '재후'가 도래했다고 선언하며, 정치, 산업, 에너지, 외교, 환경 등 사회 전 분야를 망라한 "신질서"의 창조를 촉구했다.[3]

[1] 3·11 이후의 전후론에 대한 논의로는 다음을 참조할 것. 권혁태, 『일본 전후의 붕괴』(제이앤씨, 2013), pp. 195-201; 요시미 순야, 『포스트 전후 사회』(어문학사, 2013).

[2] 권혁태, 『일본 전후의 붕괴』, p. 196에서 재인용.

2020년 도쿄올림픽은 일본의 신질서를 창출하려는 시도의 정점에 위치한다. 올림픽은 공식적으로 3·11의 재난으로부터의 부흥올림픽을 표방했다. 2013년 아베 총리는 올림픽 유치를 위한 IOC 총회 연설에서 방사능 오염을 우려하는 국제사회를 향해 후쿠시마와 관련된 "상황은 통제"되고 있으며, 후쿠시마 사태가 올림픽 개최지인 도쿄에 아무런 악영향을 끼치지 못한다고 단언했다.[4] 이 연설로 국제사회의 불안을 불식시켰을지는 모르겠지만, '국익'이라는 이름으로 피해 지역을 타자화하는 정권의 극단적인 도쿄 중심주의가 여과 없이 드러났다. 여전히 그 피해 규모조차 가늠할 수 없는 방사능의 위험에 노출된 피해지의 실상은 외면된 채, 과거 히로시마가 그랬던 것처럼 후쿠시마도 일본 부흥의 상징이 되었다. 올림픽 성화 봉송의 출발지로 후쿠시마가 선정되었고, 개최지 도쿄에서 약 300킬로미터 떨어진 후쿠시마 시에서 소프트볼과 야구 경기를 몇 차례 개최하기로 했다.

'어게인 1964'를 구호로 내세운 2020년 도쿄 올림픽은 일본의 오랜 불황 탈출과 재도약의 신호탄이 될 것으로 기대되었다. 1964년 올림픽을 위해 신칸센과 수도 고속도로가 건설되며 고도 성장의 원동력이 되었듯이, '세계 제1 도시 도쿄'를 슬로건으로 내걸고 수립된 도쿄도 장기비전(2016년 수립)에 따라 2020년 올림픽의 성공적 개최와 도쿄의 지속가능한 개발을 위해 도시 인프라 재정비가 추진되었다. 올림픽 시설이나 호텔 등 숙박시설의 대대적인 신축과 재건축이 이루어졌고, 노인과 장애인 등 사회적 약

---

[3] 御厨貴, 『「戦後」が終わり、「災後」が始まる』(東京: 千倉書房, 2011).

[4] https://www.kantei.go.jp/jp/96_abe/statement/2013/0907ioc_presentation.html; 올림픽 유치와 원전사고에 관한 논의로는 다음을 참조할 것. 모쓰타니 모토가즈, 『후쿠시마 원전사고, 그후』, 배관문 옮김 (제이앤씨, 2019), pp. 50-54.

자를 위해 배리어프리 개념을 도입한 차세대 교통망이 구축되었다. 그러나 올림픽 개최 여부가 미궁으로 빠지면서 무리한 사회기반시설 투자는 국가 경제의 발판이 아니라, 오히려 사회적 부담이 될 가능성이 높아졌다. 올림픽의 연기 또는 취소로 인한 천문학적인 경제 손실이 예측되는 가운데 파국의 전조마저 감지된다.

신국립경기장 논란

2020년 도쿄 올림픽을 대표하는 상징적인 건물은 단연 구마 겐고가 설계한 신국립경기장(2019)이다. 코로나 사태로 인해 올림픽이 연기되기 전까지만 해도 2020년은 구마의 해인 듯 보였다. 올림픽 개최에 발맞추어 도쿄국립근대미술관은 구마의 회고전을 개최할 예정이었다.[5] 전시 소개에는 구마에게 세계적인 건축가이자 "도쿄의 미래를 보여줄 수 있는 건축가"라는 수식어가 붙었다. 단게가 설계한 요요기 올림픽 경기장(1964)에 매료되어 건축가가 되기로 결심했던 소년 구마가 반세기 후 올림픽 주경기장을 설계하게 되었다는 스토리는 큰 화제를 불러일으켰다. 단게와 구마의 올림픽 경기장을 비교하는 건축전《메이드 인 도쿄: 건축과 삶, 1964/2020》이 개최되어 올림픽에 대한 기대감을 높이기도 했다.[6]

[5] 2020년 7월 개막 예정이었던 구마 겐고 전시는 올림픽 연기와 함께 1년 연기되었다. https://www.momat.go.jp/english/ge/topics/am20200527/

[6] 아틀리에 바우와우가 기획한《Made in Tokyo: Architecture and Living 1964/2020》은 뉴욕 재팬 소사이어티에서 2019년 11월부터 2020년 1월까지 개최되었다.

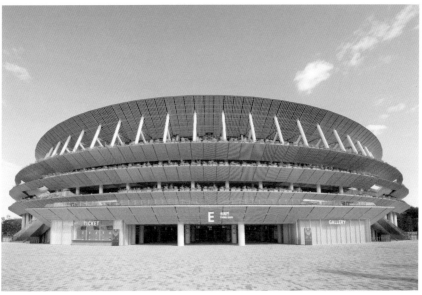

단게 겐조, 요요기 경기장, 도쿄, 1964

구마 겐고, 신국립경기장, 도쿄, 2019

전후 일본 건축의 걸작으로 추앙받는 단게의 요요기 올림픽 경기장이 그랬던 것처럼 구마의 신국립경기장도 일본의 국가적 자부심을 드높이는 흠 없는 건축적 상징이어야 했다. 그러나 신국립경기장은 설계 과정에서부터 논란의 대상이 되었다. 신국립경기장의 최초 설계자는 구마가 아니라 이라크 출신의 세계적인 여성 건축가 자하 하디드(1950-2016)였다. 2012년 11월, 국제공모를 통해 선정된 하디드의 당선안은 혁신적인 개폐식 돔을 포함해 그녀 특유의 역동적이고 미래주의적인 디자인으로 국제 건축계의 관심을 집중시키며 도쿄 올림픽에 대한 관심을 견인했다. 그러나 예산보다 대폭 증가한 천문학적 공사비와 늘어진 공사 일정으로 인해 끊임없이 잡음이 이어졌다. 건축주인 일본스포츠협회의 잦은 수정 요구가 이어지면서 하디드의 디자인은 변경을 겪게 되었고, 그 과정에서 '자전거 헬멧'에서부터 '변기', '코끼리', '거북이' 등 다양한 별명으로 불리며 비하되었다.

일본 건축계는 하디드의 신국립경기장 디자인을 반기지 않았다. 2013년 6월, 메타볼리즘 그룹의 전 멤버이자 건축계의 원로 마키 후미히코가 「신국립경기장 안을 신궁 외연의 역사적 문맥에서 고려해야」라는 글을 발표한 것이 반대 여론의 도화선이 되었다. 마키의 글에 고무되어 그해 10월, 건축계의 주요 인사들이 참석한 가운데 신국립경기장에 대한 공개 심포지엄이 개최되었다.[7] 심포지엄에 참석한 많은 관련자들이 하디드 안의 압도적인 스케일에 위화감을 표했다. 이들은 하디드의 초대형 구조물이 도쿄의 도시적 맥락을 고려하지 않았다고 비판하고, 건물이 들어설 역사유적인 메이지 신궁 외연의 주변 경관을 해치지 않도

[7]   槇文彦, 大野秀敏, 『新国立競技場,何が問題か』 (東京: 平凡社, 2014).

록 그 규모를 축소해야 한다고 입을 모았다.

2015년 7년, 이례적으로 아베 총리가 직접 나서 신국립 경기장 설계를 백지화했다. 이미 하디드가 2년 이상 작업했음에도 불구하고, 설계가 중간에 비정상적으로 변경된 데에는 비용 증가라는 명목상의 이유 외에도 외국인이 국가의 상징을 설계하는 것에 대한 건축계, 나아가 일본 사회 전체의 반감이 적지 않게 작용한 것으로 보인다. 하디드는 인터뷰를 통해 문제의 본질이 자신의 디자인에 있는 것이 아니라, 외국인이 일본의 상징물을 짓는 것을 용납하지 못하는 일본 건축계의 배타성에 있다고 성토했다.[8]

2015년 12월, 총공사비 상한을 1550억으로 제한한 재공모가 진행되었다. 건물의 규모가 대폭 축소되었을 뿐 아니라, 비용이 많이 드는 개폐식 지붕이 무산되었고, 에어컨 설비도 포기되었다. 재선정 과정은 국제공모였음에도 불구하고, 일본어로만 안을 제출할 것을 요구하는 등 외국인 배제의 폐쇄성을 드러낸 데다 건설회사와의 협동 공모가 단서로 붙었다. 결국 이토와 구마 두 팀만이 재공모에 참가하게 되었고, 하디드는 협업할 건설회사를 찾지 못해 불참했다. 낙심한 하디드는 새로운 당선작이 자신의 디자인을 표절했다고 주장하며 법적 대응을 준비하던 중 2016년 65세를 일기로 심장마비로 유명을 달리했다.

일본 건축가로서는 예외적으로 하디드를 지지했던 이소자키는 애도문을 통해 공개적으로 조의를 표했다. 애도문에서 이소자키는 "다시 전쟁을 준비하는 이 나라 정부가 하디드의 이미

[8] 2013년 10월 자하와 인터넷 기반의 웹진 dezeen과의 인터뷰. https://www.dezeen.com/2013/10/10/japanese-architects-rally-against-zaha-hadids-2020-olympic-stadium, 2018년 11월 18일 접속.

자하 하디드, 신국립경기장, 2012

지를 올림픽 유치에 이용했으면서도, 프로젝트 제어에 실패한 채 정교하게 조작된 세론의 배외주의에 기대어 폐안(廢案)"했다고 분개했다.[9] 그는 하디드의 죽음을 "건축이 암살된 사건"이라고 통탄하며, "이문화"와 "여성"이라는 "이중의 숙명"을 안은 하디드의 존재가 국제 건축계에 기여한 바를 기렸다.[10]

구마 겐고의 작은 건축

결국 최종 선정된 것은 '나무와 풀'을 콘셉트로 친환경성과 전통미를 강조한 구마의 디자인이다. 경기장 설계를 둘러싼 논란을 불식시키기라도 하듯, 구마는 기민하게 "건축가 구마 겐고의 각오"라는 부제를 붙여 자신의 디자인에 정당성을 부여하는 책자를 발표했다.[11] 이 책에서 그는 일본의 목조 건축을 "위대한 평범"이라고 칭송하고, 시대의 흐름인 목조 건축을 현대화함으로써 "일본의 성숙을 표현"하겠다고 주장했다.[12] 구마의 신국립경기장을 둘러싼 언설에 일본 전통이 전면에 등장한 점은, 반세기 전 단계의 요요기 경기장이 최신의 서스펜션 지붕 시스템을 도입한 최첨단 현대식 모더니즘 건물임을 강조한 것과 대조적이다. 건축사학자 이가라시 다로는 도쿄 올림픽 주경기장을 둘러싼 논란과 구마의 당선안의 핵심을 '일본회귀'(日本回帰)에의 열망으로 읽어냈다.[13]

[9]   礒崎新, 『瓦礫の未来』(東京:青土社, 2019), pp. 16-17.

[10]   같은 곳.

[11]   隈研吾, 茂木健一郎, 『なぜぼくが新国立競技場をつくるのか』(東京: 日経BP社, 2017).

[12]   같은 책, pp. 39-60.

[13]   五十嵐太郎, 『日本建築入門: 近代と伝統』(東京: 筑摩書房, 2016), p. 17.

신국립경기장에서 구마가 가장 강조한 것은 '작음'의 가치였다. 그는 "적절한 크기를 찾는 일이 주위 환경과 조화를 위해 중요"하다고 강조하며, 하디드의 디자인과의 차별성을 강조했다.[14] 하디드와 구마의 디자인을 비교해보면, 문제가 된 건설비가 절반 가까이 줄고 건물 높이도 70미터에서 49.2미터로 파격적으로 낮아졌다. 비록 구마의 디자인 역시 8만 명 규모의 수용인원을 자랑하는 거대 구조물이지만, 건물을 휴먼 스케일의 부분들로 분절하고, 이에 더해 따뜻하고 연약한 나무와 풀이라는 자연 재료를 마감재로 적극적으로 도입함으로써 이 초대형 구조물을 '작은 건축'으로 탈바꿈시킬 수 있었다.

구마에게 '작은 건축'은 절대적인 크기가 작은 건축이 아니라, 인간이 편하게 느끼고 쉽게 다룰 수 있는 단위의 부재를 '쌓기', '의존하기', '엮기', '부풀리기' 등의 방법을 통해 복원 가능한 방식으로 축조한 건축을 의미한다.[15] 전통 목구조 공법은 '작은 건축'을 위한 적정기술의 중요한 모델로 여겨졌다. 구마는 전통적인 목조 건축이야말로 불가역적인 철근 콘크리트의 서구 모더니즘 건물과는 달리, 유연하고 복원 가능하며 주위와 상생하는 생태적이고 미래지향적인 작은 건축의 예로 치켜세웠다.

'작은 건축'은 규모와 양의 경제에 충실해온 전후 모더니즘 건축에 대한 비판으로 그간 구마가 개진해온 '약한 건축', '자연스러운 건축', '삼저주의'(작고 낮고 느린), '연결하는 건축' 등 일련의 개념의 연장선에서 논의할 수 있다.[16] 구마의 모더니즘 비

[14] 구마와 인터넷 기반의 웹진 designboom의 2018년 7월 5일 자 인터뷰. https://www.designboom.com/architecture/kengo-kuma-interview-07-05-2018, 2020년 10월 11일 접속.

[15] 限硏吾, 『小さな建築』(東京: 岩波書店, 2013).

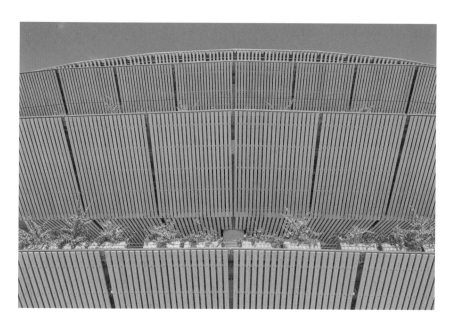

구마 겐고, 신국립경기장 세부, 도쿄, 2019

판은 3·11을 계기로 보다 통렬해졌다. 2013년 발표한 저서 『작은 건축』에서 그는 3·11을 강하고, 합리적이며, 큰 건축을 지향한 전후 일본 건축에 대해 "하늘이 내린 벌"이라고 정의했다.[17] 3·11을 배금주의로 물든 일본에 내려진 천벌이라고 표현한 전(前) 도쿄도지사 이시하라 신타로의 표현을 연상시키는 구마의 진단은 단순히 물리적 복구가 아니라, 일본 건축문화 전반의 총체적 쇄신을 촉구하는 것으로 나아갔다.

　　　3·11은 과학기술 낙관론에 근거한 모더니즘에 대한 근본적인 회의와 함께 일본의 전통과 정체성에 대한 관심을 불러일으켰다. 미래주의적 하이테크 디자인으로 잘 알려진 이토 조차도 3·11 직후 다음과 같이 전통 목조 건축에 대한 예찬론을 펼쳤다.

　　　　일본의 근대화 이전 우리는 우리를 자연의 일부로 생각했고, 건축도 자연의 일부였다. 우리는 인간과 건축, 환경을 하나의 상호 연결된 시스템으로 보았다. 예를 들어 전통 일본 목조 건물은 깊은 처마로 덮인 넓은 툇마루 공간을 두고 건물의 입구는 도마(土間)라고 부르는 흙바닥을 통해 자연스럽게 외부와 연결되게끔 설계되었다. 이러한 기법은 내부와 외부 공간을 연결한다.[18]

---

[16]　구마의 건축론은 한국어로도 다수 번역되었다. 구마 겐고, 『약한 건축』, (디자인하우스, 2009); 구마 겐고, 『자연스러운 건축』, (안그라픽스, 2010); 구마 겐고·미우라 아쓰시, 『삼저주의』(안그라픽스, 2012).

[17]　限研吾, 『小さな建築』, p. 203.

[18]　Itō Toyo interviewed by Julian Rose, "The Building After," *Art forum* 52: 1 (September 2013).

목조 주택의 특징인 개방적인 툇마루와 흙바닥은 근대주택의 폐쇄성과 고립성을 극복할 수 있는 대안으로 여겨졌다. 또한 목조 건물의 가구식 구조는 그 자체가 모듈 시스템과 프리패브 방식을 채택하기 때문에 신속하고 효율적으로 가설주택을 건립하는 데 용이하다. 실제로 3·11 직후 가설주택 공급 부족분 8000개를 지역 목공소에서 목재로 만들어 충당했는데, 이들은 온·습도 관리의 기능적인 측면뿐 아니라 자연 친화적이고 인간적인 주거환경이라는 점에서 호평을 받았다.

사실 목재가 일본 건축가들에게 널리 환영받은 것은 그리 오래된 일은 아니다. 역사적으로 목재는 내연성과 내구성의 문제 때문에 근대건축에서 오랫동안 회피되었다. 1959년, 일본열도를 강타한 이세만 태풍으로 목조 건물들이 큰 피해를 입자, 일본 건축협회는 목재를 건축자재로 사용하는 것을 전면 금지하는 성명을 발표하기까지 했다. 1990년대 들어서야 난연 목재 개발이 건축계의 중요한 이슈로 부상하고, 각종 법령이 정비되면서 환경 친화적인 건축 자재로서 목재의 가치가 복권된 것이다. 구마는 일본의 목조 전통을 현대화하는 기획에 몰두했던 대표적인 건축가로, 철과 나무를 동시에 이용한 신국립경기장은 이러한 노력의 연장선에 놓여 있다.

구마는 단순히 목조 건축의 현대적 의의를 주장하는 것을 넘어, 서구 모더니즘 건축과의 비교를 통해 그 우월성을 강조하는 데 열심이었다. 그는 진정한 모더니즘이란 거대한 단일 구조물을 만드는 것이 아니라, 건축과 자연, 인간 사이의 경계를 설정하고, 이들의 관계를 직조하는 것이라고 정의했다.[19] 이런 의미

[19] 隈研吾, 『境界: 世界を変える日本の空間操作術』(東京: 淡交社, 2010), pp. 6-18.

에서 일본 건축이야말로 성숙한 모더니즘의 면모를 가졌으며, 따라서 세계 건축은 "일본화"되어야 하고, 실제로 그렇게 되는 중이라고 주장했다.[20] 그는 일본 전통의 우수성을 확인하는 데 그치지 않고, 아시아로 눈을 돌렸다. 즉, 서구의 크고 강한 건축에 대한 대안으로서, 일본뿐 아니라 중국과 한국을 포괄한 동양의 목조 전통을 강조한 것이다. 구마의 범아시아주의에는 은연중에 일본 중심주의가 자리한다. 일본이 아시아의 변경에 위치하기 때문에 중심부 문화의 정수를 응축해서 보존한다는 식의 발언이 그러하다.[21] 이런 태도는 한 세기도 훨씬 전, 일본미술의 지도자이자 사상가 오카쿠라 덴신(1862-1913)이 일본을 인도와 중국 문화의 정수가 남아 있는 '동양 문명의 박물관'으로 치켜세운 것을 떠올리게 한다.[22]

　　　전쟁 시기 일본의 '근대초극론'을 연상시키는 구마의 주장은 단게나 메타볼리즘이 '일본적이면서 동시에 모던한'을 구호로 내세운 것과 대조적이다. 일본 건축가들이 전통으로부터 영감을 구한 것은 결코 새로운 일은 아니지만, 전통의 배타적인 우월성에 대한 강조는 21세기 들어 강화된 일본 사회의 배외적 민족주의 정서와 같이 간다. 구마의 언설에서 찾아볼 수 있는 서구 문명 비판과 범아시아주의, 일본적 가치의 재평가에서 아베 정권이 내세운 '아름다운 나라', '강한 일본'의 구호를 떠올리기란 어렵지 않다. 그러나 이들의 호방한 구호 뒤에는 문화대국으로서의 자신

[20]　같은 책.

[21]　구마 겐고, 『연결하는 건축』, p. 193.

[22]　Karatani Kojin, "Japan As Museum: Okakura Tenshin and Ernest Fenollosa" in *Japanese art after 1945: Scream Against the Sky*, edited by Alexandra Munroe (New York: H.N. Abrams, 1994), pp. 33-40.

감보다는 세계화의 물결이 초래한 위협, 장기화된 불황과 빈번한 재난으로 인한 위기감이 자리한다. '작고' '약한' 일본의 목조 건축이 결국 '크고' '강한' 서구 모더니즘 건축을 능가하고 대체할 것이라는 구마의 주장에서 국내외적 위기 속에서 위축된 일본 건축의 입지를 강화하려는 절박함마저 감지된다.

✽

다시, '일본'이 건축의 전면에 등장한 것이다. 메이지 시기 정부가 앞장서 서구의 근대건축을 도입한 이래, 일본 건축에서 국민국가는 특별한 위상을 갖는다. 제2차 세계대전 이후 건축의 지상과제는 폐허가 된 국가의 재건과 번영이었다. 또 군국주의, 제국주의 과거와는 다른 전후의 새로운 가치를 건축적으로 모색하는 것이었다. 건축이 국가로부터 거리를 획득한 것은 상업자본이 일정 정도 축적된 1970년대에 들어서나 가능해졌다. 대중 소비사회가 도래하고 세계화가 가속화되면서 국민국가의 존재는 점점 희미해졌고, 건축은 국적 없는 소비의 바다를 떠다녔다. 그러나 1990년대 들어, 일본의 풍요와 평화를 가능케 했던 '전후' 체제가 급속히 붕괴하면서 건축은 새로운 과제를 떠맡게 된다. 한편에서는 일본 사회의 모순에 맞서 대안적인 사회를 디자인하는 건축의 적극적인 역할이 강조되었지만, 다른 한편에서는 파국의 불안을 해소하기 위한 다소 쉬운 선택지로 '일본'이라는 추상적이고 허구적인 존재가 재소환되었다. 일본 건축이 과거 전쟁의 폐허를 딛고 일어섰던 것처럼, 세계화의 위협과 경제 불황, 인구 위기, 환경 문제 등 현재 당면한 위기를 극복할 수 있을까? 비슷한 난제를 떠안은 한국 건축의 미래를 모색하기 위해서도 일본 건축의 선택에 관심을

계속 기울이게 된다. 이는 일본 건축에 관한 새로운 이야기의 시
작이 될 것이다.

참고문헌.

강병기, 『삶의 문화와 도시』 (보성각, 1993).

고영란, 『전후라는 이데올로기』, 김미정 옮김 (현실문화, 2013).

구마 겐고, 『약한 건축』, 임태희 옮김 (디자인하우스, 2009).

_____, 『자연스러운 건축』, 임태희 옮김 (안그라픽스, 2010).

_____ · 미우라 아쓰시, 『삼저주의』, 이정환 옮김 (안그라픽스, 2012).

_____ 『연결하는 건축』, 이정환 옮김 (안그라픽스, 2013).

_____ , 『작은 건축』, 민경욱 옮김 (안그라픽스, 2015).

권혁태, 『일본의 불안을 읽는다』 (교양인, 2010).

_____ , 『일본 전후의 붕괴』 (제이앤씨, 2013).

김기수, 「1940年代 日本建築에 나타난 "日本的 表現"에 관한 考察」,
　　　『大韓建築學會論文集計劃系』 14/6 (1998, 6).

나미가타 츠요시, 『월경의 아방가르드』, 최호영, 나카지마 켄지 옮김 (서울대학교
　　　출판문화원, 2013).

나카무라 마사노리, 『일본 전후사 1945-2005』, 유재연·이종욱 옮김 (논형,
　　　2006).

노마 필드, 「어쩐지: 분위기로서의 포스트모더니즘」, H. D. 하루투니언, 마사오
　　　미요시 엮음, 『포스트모더니즘과 일본』 (시각과언어, 1996).

다나카 야스오, 『어쩐지, 크리스털』, 황동문 옮김 (안암문화사, 1991).

도요카와 사이카쿠, 「1950년대 일본 건축과 모던아트의 협동: 단게 겐조가 세
　　　그룹에서 펼친 활동을 중심으로」, 최재혁 옮김, 『한국근현대미술사학』
　　　34 (2017, 12).

박규태, 「이세 신궁 식년천궁과 천황제 이데올로기: 새로운 신화 만들기」,
　　　『日本思想』 26 (2014).

박소현, 「일본에서의 추상미술과 전통담론: 한국적 추상미술 논의를 위한 시론」,
　　　『미술사학보』 35 (2010).

박정현 외, 『국가 아방가르드의 유령』 (프로파간다, 2018).

마스다 히로야, 『지방소멸』, 김정환 옮김 (와이즈베리, 2015).

모쓰타니 모토가즈, 『후쿠시마 원전사고, 그 후』, 배관문 옮김 (제이앤씨, 2019).

손정목, 「교통수단의 고속화와 국토 공간의 재편성」, 『도시문제』 (1968, 3).

안도 다다오, 『나 건축가 안도 다다오』, 이규원 옮김 (안그라픽스, 2009).

_____, 『안도 다다오가 말하는 집의 의미와 설계』, 송태욱 옮김 (미메시스, 2011).

안창모, 「전후 한국 현대건축에 미친 미국과 일본 건축의 영향: 미국에서 연수한 김정수와 일본에서 유학한 김수근을 중심으로」, 『한국산학기술학회논문지』 (2011, 12).

야마모토 리켄 외, 『마음을 연결하는 집』, 이정환 옮김 (안그라픽스, 2014).

야마자키 료, 『커뮤니티 디자인』, 민경욱 옮김 (안그래픽스, 2012).

오카모토 다로, 『오늘의 예술』, 김영주 옮김 (눌와, 2005).

오쓰키 도시오, 「커뮤니티 케어형 가설주택의 제안, 실현, 운영」, 염철호 옮김, 『한국주거학회』 (2012, 4).

요시미 순야, 『포스트 전후 사회』, 최종길 옮김 (어문학사, 2013).

이가라시 다로, 『3·11 동일본대지진 이후의 건축전: 일본의 건축가들은 대지진 직후 어떻게 대응했는가』 (일본국제교류기금, 2012).

_____, 「일본의 포스트버블 시대 미술계로 침공한 건축」, 최재혁 옮김, 『한국근현대미술 사학』 34 (2017, 12).

이누이 쿠미코·야마자키 료, 『작은 마을 디자인하기』 (디자인하우스, 2014).

이소자키 아라타, 「국가와 도시, 그리고 양식에 대해」, H.D. 하루투니언, 마사오 미요시 엮음, 『포스트모더니즘과 일본』, 곽동훈 외 옮김 (시각과언어, 1996).

이토 도요, 『내일의 건축』, 이정환 옮김 (안그라픽스, 2014).

장용순, 「이토 도요 건축에 나타난 구조/표피/공간 개념에 대한 연구」, 『대한건축학회논문집』 31:12 (2015, 12).

정인하, 「여의도 도시계획에 관한 연구」, 『대한건축학회 논문집』 12: 2 (1996, 2).

정진성, 「'격차사회론'의 시사점」, 『일본비평』 4 (2011, 2).

조현정, 「일본 '전후' 건축의 성립, 단게 겐조의 히로시마 평화공원(1949-1954)」, 권행가 외, 『시대의 눈』 (학고재, 2011).

_____, 「오사카 만국박람회: 소프트 환경으로서의 건축」, 『근현대미술사학』 23 (2012, 7).

_____, 「에쿠안 겐지의 일본 도시락의 미학」, 『미술사학』 (2013, 8).

_____, 「전후 일본 예술의 종합 담론: 건축가 단게 겐조와 미술가 오카모토 다로, 이노쿠마 겐이치로의 협업을 중심으로」, 『미술사학보』 43 (2014, 12).

_____, 「도쿄계획, 1960: 단게 겐조의 기술관료 유토피아」, 『서양미술사학회

논문집』(2014, 8)

_____, 「여의도 마스터플랜, 자동차 시대의 도시와 미래주의 서사」,

　　　　『아키토피아의 실험』(도서출판 마티, 2015).

_____, 「동일본대지진 이후의 일본 건축: 응급구호건축에서 미래주거의 모델로」,

　　　　『미술사학』32 (2016, 8).

_____, 「이소자키 아라타, 반건축에서 사이버네틱스 환경으로」,

　　　　『근현대미술사학』34 (2017, 12).

_____, 「일본의 소주택과 '작음'의 담론: 전후에서 탈전후 건축으로」,『일본비평』

　　　　(2019, 2).

조관자 엮음,『탈전후 일본의 사상과 감성』(박문사, 2017).

한홍구·서경식·다카하시 데쓰야,『후쿠시마 이후의 삶: 역사, 철학, 예술로 3·11

　　　　이후를 성찰 하다』(반비, 2013).

[일문]

加納久朗,「三界に住いあり」,『中央公論』(1958, 3).

香川県立ミュージアム.『丹下健三: 伝統と創造−瀬戸内から世界へ』(東京: 美術出版社,

　　　　2013).

貝島桃代, 黒田潤三, 塚本由晴,『メイド·イン·トーキョー』(東京: 鹿島出版会, 2001).

川添登 編,『Metabolism 1960: 都市への提言 The Proposal for a New Urbanism』

　　　　(東京: 美術出版社, 1960).

_____,『建築の滅亡』(東京:現代思潮社, 1960).

_____,「大東京最後の日」,『建築文化』(1961. 1).

_____,「伊勢文化論」,『伊勢』(東京: 朝日新聞社, 1962).

_____,『建築1: 川添登評論集第1巻』(東京: 産業能率短期大学出版部, 1976).

_____, 大高正人 編,『メタボリズムとメタボリスト』(東京: 美術出版社, 2005).

康炳基,「自動車交通量と市街地容積率の相関」(東京大学 碩士論文, 1960).

_____,「巨大都市の人口移動と通勤流動の構造解析及び予測に関する研究」(東京大学 博

　　　　士論文, 1970).

ギャラリ一間,『日本の現代住宅 1985-2005』(東京: TOTO出版, 2005).

小松佐京·谷甲州,「あとがき」,『日本沈没 第二部』(東京: 小学館, 2006).

越沢明,『大災害と復旧復興計画』(東京: 岩波, 2012).

黒川紀章,『ホモ·モーベンス-都市と人間の未来』(東京: 中公新書, 1969).

隈研吾,『境界: 世界を変える日本の空間操作術』(東京: 淡交社, 2010).

_____,『小さな建築』(東京: 岩波書店, 2013).

_____, 茂木健一郎,『なぜぼくが新国立競技場をつくるのか』(東京: 日経BP社, 2017).

北沢憲明,『反復する岡本太郎』(東京:水声社, 2012).

金壽根, 磯崎新,「アジアの建築と文化」in *Kim Swoo Geun* (Tokyo: Gallery Ma, 1993).

中真己,『現代建築家の思想 : 丹下健三序論』(東京: 近代建築社, 1970).

中原祐介,「芸術の環境化, 環境の芸術化」,『美術手帳』(1967, 6).

難波和彦,『戦後モダニズム建築の極北-池辺陽試論』(東京: 彰国社, 1998)

岸田日出刀,「広島平和記念公園および記念館競技設計当選図案審査評」,『建築雑誌』(1949, 12).

_____,「広島の日」,『緑』(東京: 相模書房, 1958).

西山夘三,『これからのすまい-住様式の話』(東京: 相模書房, 1947).

_____,「Home City: Future Image of City」,『近代建築』(1961, 3).

_____,「地域空間における建築的創造の課題」,『新建築』(1965, 12).

_____,「特集 失われた昭和10年代を読んで」,『国際建築』(1985, 3).

日本建築学会,『われわれは明日どこに住むか-3・11後の建築まち』(東京: 彰国社, 2011).

田中角栄,『日本列島改造論』(東京: 日刊工業新聞社, 1972).

ダニエル・ベル,岡田直之 訳,『イデオロギーの終焉 : 1950年代における政治思想の涸渇について』(東京: 東京創元新社, 1969).

ダニエル・ベル,『脱工業社会の到来 : 社会予測の一つの試み』内田忠夫 訳 (東京: 産業と社会, 1975).

神谷宏治,「香川県庁舎について」,『新建築』(1959, 1).

丹下健三,「ル・コルビュジエ論への序説として」,『現代建築』(1939. 12).

_____,「大東亜共栄圏における会員の要望」,『建築雑誌』(1942. 9).

_____,「建設をめぐる諸問題」,『建築雑誌』(1948, 1)

_____,「建築 彫刻 絵画の統一について」,『新建築』(1949, 9)

_____,「建築, 絵画, 彫刻: 技術主義から人間の建築へ」,『東京大学学生新聞』(1949年6月8日).

_____,「広島平和記念公園および記念館競技設計当選図案」,『建築雑誌』(1949, 10).

_____,「広島計画 1946-1953」,『新建築』(1954, 1).

_____,「近代建築の創造と日本建築の伝統」,『新建築』(1956, 6).

_____,「都庁舎の経験」,『新建築』(1958, 6).

_____,『都市の地域構造と建築形態』(東京大学 博士論文, 1959).

_____,「新しい都市をまとめて」,『週刊朝日』(1960年4月5日).

_____, 「建築の減亡に事寄せて」, 『近代建築』 (1961, 1).

_____, 「東京計画-1960: その構造改革の提案」, 『新建築』 (1961, 3).

_____, 川添登, 渡辺義雄, 『伊勢: 日本建築の原型』 (東京: 朝日新聞, 1962).

_____, 『日本列島の将来像』 (東京: 講談社, 1966).

_____, 川添登, 「日本万国博覧会のもたらすもの」, 『新建築』 (1970, 5).

_____, 「コンペの時代」, 『建築雑誌』 (1985, 1).

東野芳明, 松井茂, 伊村靖子 編, 『虚像の時代』 (東京: 書房新社, 2013).

都市デザイン研究体 編, 『日本の都市空間』 (東京: 彰国社, 1968).

豊川斎赫, 『群像としての丹下研究室-戦後日本建築・都市史のメインストリーム-
　　　　　(東京:ソフ トカバー, 2012).

_____, 『丹下健三とKenzō TANGE』 (東京: オーム, 2013).

_____, 『TANGE BY TANGE 1949-1959/丹下健三が見た丹下健三』
　　　　　(東京:TOTO出版, 2015).

_____, 『丹下健三--戦後日本の構想者』 (東京: 岩波新書, 2016).

東京国立近代美術館, 『新日本の家1945年以降の建築と暮らし』 (東京: 新建築社, 2017).

東京都庭園美術館, 『建築の記憶-写真と建築の近現代』 (東京:東京都庭園美術館, 2008).

丸山真男, 「近代日本の知識人」, 『後衛の位置から: 現代政治の思想と行動』 (東京: 未来社,
　　　　　1982).

マーシャル・マクルーハン, 高儀進 訳, 『グーテンベルクの銀河系』 (東京: 竹内書店,
　　　　　1968).

_____, 後藤和彦, 高儀進 訳, 『人間拡張の原理: メデイアの理解』 (東京: 竹内書店,
　　　　　1967).

_____, 南博 訳, 『メデイアはマッサージである』 (東京: 河出書房新社, 1968).

前川国男, 坂倉準三, 吉田五十八, 丹下健三, 「国際性, 風土性, 国民性: 現代建
築の造形をめぐて」, 『國際建築』 (1953, 3).

松葉一清, 『日本のポスト・モダニズム』 (東京: 三省堂, 1984).

_____, 『ポスト・モダンの座標』 (東京: 鹿島出版会 1987).

槇文彦, 「平和な時代の野武士たち」, 『新建築』 (1979, 10).

_____, 大野秀敏, 『新国立競技場,何が問題か』 (東京: 平凡社, 2014).

増沢洵, 「最小限住居の試作」, 『新建築』 (1952, 7).

宮脇壇, 山本理顕, 隈研吾, 「nLDK以後」, 『建築雑誌』 (1995, 4).

三浦展,藤村龍二, 『311後の建築と社会デザイン』 (東京: 平凡社, 2011).

御厨貴, 『「戦後」が終わり, 「災後」が始まる』 (東京: 千倉書房, 2011).

森美術館, 『建築の日本展 その遺伝子のもたらすもの』 (東京:建築資料研究社, 2018).

水戸芸術館, 『日本の夏-1960-64』 (東京: 水戸芸術館, 1997).

『別冊 新建築 日本現代建築家シリーズ12: 伊東豊雄』(東京: 新建築社, 1988).

椹木野衣, 『日本・現代・美術』(東京: 新潮社, 1998).

_____, 『黒い陽太と赤いカニ─ 岡本太郎と日本』(東京: 中央公論新社, 2003).

_____, 『戦争と万博』(東京:美術出版社, 2005).

佐藤嘉幸, 「新自由主義へのミクロな抵抗」, 『En [縁]:アート・オブ・ネクサス』(Tokyo: Toto Publishers, 2016).

鈴木成文 外, 『「51C」家族を容れるハコの戦後と現在』(東京: 平凡社, 2004).

新建築社,金沢21世紀美術館, 『新建築2014年11月別冊 ジャパン・アーキテクツ1945-2010』(東京:新建築社, 2014).

篠原一男, 「住宅設計の主体性」, 『建築』(1964, 4).

_____, 「住宅は芸術である」, 『新建築』(1962, 5).

_____, 「失われたのは空間の響きだ」, 『国際建築』(1962, 10).

_____, 『住宅論』(東京: SD選書, 2012).

白井晟一, 「縄文的なるもの─江川氏旧韮山館について」, 『新建築』(1956, 8).

「新制作派協…会 建築部を創立」, 『新建築』(1949, 2).

月尾嘉男, 『装置としての都市』(東京: SD選書, 1981).

浅田孝, 武谷三男, 「原爆時代と建築」, 『新建築』(1955, 8).

_____, 「機械時代と建築の進路」, 『建築雑誌』(1956, 3).

_____, 「Konrad Wachsmann」, 『近代建築』(1960, 12).

浅田彰, 磯崎新, 「アイロニーの終焉」, 『現代思想』(2020, 3).

アトリエ・ワン, 『ペット・アーキテクチャー・ガイドブック』(東京: ワールドフォトプレス, 2001).

東浩紀, 『福島第一原発 観光地化計画』(東京: Genron, 2013).

山崎良, 『コミュニテイデザイン』(東京: 学芸出版社, 2011).

山崎挙行, 「閉鎖された14回ミラノ・トリエンナーレ」, 『建築文化』(1968, 8).

山本理顕, 『住居論』(東京: 住まいの図書館出版局, 1993).

_____, 『新編住居論』(東京: 平凡社, 2004).

_____, 『RIKEN YAMAMOTO 山本理顕の建築』(東京: TOTO出版, 2012).

_____, 『地域社会圏主義』(東京:LIXIL出版, 2013).

栄久庵憲司, 『モノと日本人』(東京: 東京書籍, 1994).

岡本太郎, 「縄文土器論」. 『Mizue』(1952, 2).

_____, 丹下健三, 勅使河原蒼風, 安部広房, 糸川英夫, 石川允, 「ぼくらの都市計画」, 『総合』(1957, 6).

_____, 「純粋芸術と建築の結合」, 『新建築』(1958, 6).

_____, 『日本再発見 - 芸術風土記』, (東京: 新潮社, 1958).

_____,『忘れられた日本-沖縄文化論』, (東京: 中央公論社, 1961).

大谷幸夫,「戦時モダニズム建築の軌跡, 丹下健三の時代 01」,『新建築』(1998, 1).

大谷省吾,「岡本太郎なんてケトバシてやれ」,『岡本太郎展』(東京: 東京近代国立美術館, 2011).

大月敏雄,『集合住宅の時間』(東京: 王国社, 2006).

落合惠美子,『21世紀家族へ 家族の戦後体制の見かた·超えかた』(東京: 有斐閣選書, 1994).

大水敏弘,『実証, 仮設住宅: 東日本大震災の現場から』(東京: 学芸出版社, 2013).

上野千鶴子,「クリエイティブミズが住まいを変える-住居の近未来像」,『建築文化』(1992, 10).

_____, 山本利顕,「住宅, そして家族とは」,『新建築』(1993, 1).

_____,『近代家族の成立と終焉』(東京: 岩波書店, 1994).

_____,『家族を容れるハコ 家族を超えるハコ』(東京: 平凡社, 2002).

五十嵐太郎,「九坪ハウス考」,『10+1』no. 30 (2003).

_____,『3.11/After 記憶と再生へのプロセス』(東京:メデイア·デザイン研究所, 2012).

_____, 山崎亮,『3.11以後の建築: 社會と建築 新しい關係』(東京: 学芸出版社, 2014).

_____,『日本建築入門: 近代と伝統』(東京: ちくま新書, 2016).

_____,『日本の建築家はなぜ世界で愛されるのか』(東京: PHP新書, 2017).

_____,『モダニズム崩壊後の建築 -1968年以降の転回と思想』(東京: 青土社, 2018).

井上章一,『アート·キッチュ·ジャパネスク: 大東亜のポストモダン』(東京: 成都社, 1987).

_____,『戦時下日本の建築家: アート·キッチュ·ジャパネスク』(東京: 朝日新聞社, 1995).

磯崎新,「孵化過程」,『美術手帳』(1962, 4).

_____,「都市破壊業KK」,『新建築』(1962, 9).

_____,「都市デザインの方法」,『建築文化』(1963, 12).

_____,「サモンピンクのエンバイロンメント」,『建築』(1967, 4).

_____,「見えない都市」,『展望』(1967, 11).

_____,「年代記的ノート」,『空間へ』(東京:美術出版社, 1971).

_____,「見えない都市」,『空間へ』(東京: 美術出版社, 1971).

_____,『建築の解体』(東京: 美術出版社, 1975).

_____,『NEO DADA JAPAN 1958-1998: Arata Isozaki and the Artists of "White House"』(大分市教育委員会, 1998).

_____,「メタボリズムと関係を聞かれぬので」,『10+1』13 (Spring 1998).

_____, 『瓦礫の未来』(東京: 青土社, 2019).

石丸紀興, 『世界平和記念聖堂』(東京: 相模書房, 1988).

伊東豊雄, 「菊竹清訓氏へ問う, われらの狂氣を生きのびる道を教えよう」, 『建築文化』
     (1975, 10).

_____, 「アルミはアルミ以上でもなくアルミ以下でもないことを認める眼」,
     『アルフア-N』, (1985, 7).

_____, 「記憶の中の つの都市」, 『別冊 新建築 日本現代建築家シリーズ12 伊東豊雄』
     (東京:新建築社, 1988).

_____, 「消費の海に浸らずして新しい建築はない」, 『新建築』(1989, 11).

_____, 「ミデイアの森のターザンたち」, 『GG (Spain)』(May 1995).

_____, 「虚構都市にみる家の解体の再生」(1988), 『透層する建築』(東京: 清土社,
     2000).

_____, 『透層する建築』(東京: 清土社, 2000).

_____, 『伊東豊雄読本』(東京: ADAエデイタトーキョー, 2010).

_____, 『風の変様体: 建築クロニクル』(東京: 青土社, 2012).

_____ 外, 『未来の住人のために (OURS TEXT 001)』(東京: nobody編集部,
     2012).

_____, 「ここに, 建築は, 可能か」, 『新建築』(2013, 3).

_____, 『伊東豊雄の建築 2002-2014』(東京: TOTO出版, 2014).

_____, 『「建築」で日本を変える』(東京: 集英社新書, 2016).

吉村益信, 「お祭広場か管理広場か 官僚的偏執の犠牲」, 『朝日新聞』(1970. 8. 11.).

池辺陽, 「立体最小限住居の試み」, 『新建築』(1950, 7).

TOTOギャラリー+間 編, 『3.11ゼロ地点から考える』(東京: TOTO出版, 2012).

林周二, 『流通革命−製品・経路および消費者』(東京: 中央公論社, 1962).

原研哉 HOUSE VISION 実行委員会, 『House Vision: 新しい常識で家をつくろう』
     (東京: 平凡社, 2012).

_____, 『House Vision 2013 Tokyo Exhibition』(東京: 美術出版社, 2013).

_____, 『House Vision 2 2016 Tokyo Exhibition』(東京: 美術出版社, 2016).

_____, 『House Vision 2 Co-Dividual 分かれてつながる/離れてあつまる』(東京:
     美術出版社, 2016).

浜口ミホ, 『日本住宅の封建性』(東京: 相模書房, 1949).

浜口隆一, 『ヒューマニズムの建築 日本近代建築の反省と展望』(東京: 雄鶏社, 1947).

針生一浪, 「文化の廃虚としての万博」, 『KEN』1 (1970, 7).

八束はじめ, 「テキストの戦略とポストモダニズム」, 『現代の建築家: 磯崎新 2 1976-
     1984』(東京: 鹿島出版会, 1984).

_____, 吉松秀樹,『メタボリズム-1960年代 日本の建築アヴァンギャルド』(東京: INAX publisher, 1997).

_____,『思想としての日本近代建築』(東京: 岩波書店, 2005).

_____,『メタボリズム・ネクサス』(東京: オーム社, 2011).

_____,『ル・コルビュジエ 生政治としてのユルバニスム』(東京: 青土社, 2013).

林雄二郎,『情報化社会 : ハードな社会からソフトな社会へ』(東京: 講談社, 1969).

ハタリヤ,「小住宅設計ばんざい」,『建築文化』(1958, 4).

服部一晃,『妹島和世論:マキシマル・アーキテクチャーI』(東京: NTT出版, 2017).

布野修司,「国家とポストモダニズム建築」,『建築文化』(1984, 5).

二川幸夫, 伊藤 ていじ,『日本の民家』(1959) (東京: A. D. A. Edita, 1980).

平井敏晴,『岡本太郎が愛した韓国』(東京: 河出書房新社, 2004).

布野修司,『戦後建築の終焉-世紀末建築論ノート』(東京: れんが書房新社, 1995).

藤森照信,『日本の近代建築 下 大正・昭和篇』(東京: 岩波新書, 1993).

_____, 丹下健三,『丹下健三』(東京: 新建築社, 2002).

藤村龍至 外,『ニッポンのジレンマ:僕らの日本改造論』(東京: 朝日新聞出版, 2013).

_____,『批判的工学主義の建築:ソーシャル・アーキテクチャをめざして』(東京: NTT出版, 2014).

21世紀の研究会,『21世紀の日本:その国土と国民生活の未来像』(東京: 新建築, 1971).

[영문]

Allinson, Gary D. "The Structure and Transformation of Conservative Rule." in *Postwar Japan as History*, edited by Andrew Gordon. Berkeley, CA: University of California Press, 1993.

Asada Akira and Arata Isozaki. "From Molar Metabolism to Molecular Metabolism." in *Anyhow*. edited by Cynthia C. Davidson. Cambridge, MA, The MIT Press, 1998.

Atelier Bow-Wow. *The Architectures of Atelier Bow-Wow: Behaviorology*. New York: Rizzoli, 2010.

Banham, Reyner. *Urban Features of Recent Past*. Thames & Hudson Ltd; First U. S. Edition edition, 1976.

_____. *Theory and Design in the First Machine Age*. Cambridge, MA: The MIT Press, 1980.

_____, Hiroyuki Suzuki and Katsuhiro Kobayashi. *Contemporary Architecture of Japan, 1958-84*. New York: Rizzoli, 1985.

Basulto, David. "Venice Biennale 2012: Architecture. Possible here? Home-forall/Japan Pavilion." *Archdaily* (August 2012).

Bognar, Botond. *Beyond the Bubble*, London: Phaidon, 2009.

Boyd, Robin. *New Directions in Japanese Architecture*. New York: George Braziller, 1968.

Brott, Simone. *Architecture for a Free Subjectivity: Deleuze and Guattari at the Horizon of the Real*. New York: Ashgate, 2011.

Buchanan, Colin. *Traffic in Towns*. London: Routledge, 2015.

Buntrock, Dana. *Materials and Meaning in Contemporary Japanese Architecture: Tradition and Today*. London: Routledge, 2010.

Calichman, Richard, ed. *Overcoming Modernity: Cultural Identity in Wartime Japan*. New York: Colombia University Press, 2008.

Charlesworth, Esther. *Humanitarian Architecture*. London: Routledge, 2014.

Cho Hyunjung. "Expo '70: A Model City of Information Society." *Review of Japanese Culture and Society*, XXII (December 2011)

_____. "Hiroshima Peace Memorial Park and the Making of Japanese Postwar Architecture." *The Journal of Architectural Education* 66: 1 (December 2012)

_____. "Tange Kenzō's Tokyo Plan, 1960: A Plan for Urban Mobility." *Architectural Research Quarterly* 22: 2 (June 2018)

_____. "Isozaki Arata: the Architect as Artist." *Architectural Research Quarterly* 24:3 (September 2020)

_____ and Shin Chunghoon. "Metabolism and Cold War Architecture." *Journal of Architecture* (October 2014)

Colquhoun, Alan. *Essays in Architectural Criticism: Modern Architecture and Historical Change*. Cambridge, MA: The MIT Press, 1981.

Crowley, David and Jane Pavitt. *Cold War Modern: Design 1945-1970*. London, V & A Publishing, 2008.

Daniell, Thomas. *After the Crash: Architecture in Post-Bubble Japan*. Princeton: Princeton Architectural Press (2008/9/2008)

_____. *An Anatomy of Influence*. London: AA Publications, 2018.

Debord, Guy. "The Geopolitics of Hibernation." in *The Situationists and the City*. ed. and trans. Tom McDonough. London: Verso, 2010.

Doak, Kevin Michael. *Dreams of Difference: The Japanese Romantic School*

and the Crisis of Modernity. Berkeley, CA: University of California
　　　Press, 1994.

Dower, John W. "The Bombed: Hiroshimas and Nagasakis in Japanese
　　　Memory." Diplomatic History 19: 2 (Spring 1995)

_____, "Three Narratives of Our Humanity." in History Wars: the Enola Gay
　　　and Other Battles for the American Past, edited by Edward Tabor
　　　Linenthal and Tom Engelhardt. New York: Henri Holt, 1996.

Flores, Urushima Andrea Yuri. "Genesis and Culmination of Uzō
　　　Nishiyama's Proposal of a 'Model Core of a Future City' for the
　　　Expo '70 Site (1960-1973)." Planning Perspectives 22 (October
　　　2007): 406-8.

Frampton, Kenneth. "Towards a Critical Regionalism: Six Points for
　　　an Architecture of Resistance" The Anti-Aesthetics: Essays on
　　　Postmodern Culture edited by Hal Foster (Port Townsend: Bay
　　　Press, 1983)

_____, ed. A New Wave of Japanese Architecture. New York: The Institute for
　　　Architecture and Urban Studies, 1989.

Fujioka. M, "Appraisal of Japan's Plan to Double Income." Staff Papers 10: 1
　　　(March 1963)

Furuhata Yuriko. "Multimedia Environments and Security Operations:
　　　Expo '70 as a Laboratory of Governance." Greyroom 54 (Winter
　　　2014)

_____. "Architecture as Atmospheric Media: Tange Lab and Cybernetics."
　　　in Media Theory in Japan, edited by Marc Steinberg and Zahlten
　　　Alexander. Durham: Duke University Press, 2017.

Gadanho, Pedro ed. A Japanese Constellation: Toyo Ito, SANAA, and Beyond.
　　　New York: Museum of Modern Art, 2016.

Gardner, William O. "The 1970 Osaka Expo and/ as Science Fiction." Review
　　　of Japanese Culture and Society XXIII (December 2011)

Gluck, Carol. "The "Long Postwar": Japan and Germany in Common and in
　　　Contrast." in Legacies and Ambiguities, edited by Ernestine Schlant
　　　and Thomas Rimer. Washington, D.C. and Baltimore: The
　　　Woodrow Wilson Center Press and Johns Hopkins University
　　　Press, 1991.

Gordon, Andrew. Postwar Japan as History. Berkeley CA.: University of

California Press, 1993.

Gottmann, Jean. *Megalopolis: The Urbanized Northeastern Seaboard of the United States.* Cambridge, MA: MIT Press, 1964.

Hamaguchi Ryūichi. "Postwar Japan." *Architectural Forum* (January 1953)

Hanes, Jeffrey E. "From Megalopolis to Megaroporisu." *Journal of Urban History* 19: 2 (February 1993)

Havens, Thomas R. H. *Fire Across the Sea: The Vietnam War and Japan 1965-1975.* Princeton: Princeton University Press, 1987.

_____. *Radicals and Realists in the Japanese Nonverbal Arts.* Honolulu: University of Hawai'i Press, 2006.

Hein, Carola. "Visionary Plans and Planners: Japanese Traditions and Western Influences." in *Japanese Capitals in Historical Perspective: Place, Power, and Memory in Kyoto, Edo, and Tokyo.* London: Routledge, 2003.

Herbert, Gilbert. *The Dream of Factory-Made House.* Cambridge, MA: The MIT Press, 1984.

Huxtable, Ada Louis. "Architecture View:The Japanese New Wave." *The New York Times* (January 14, 1979)

Huyssen, Andreas. *Twilight Memories: Marking Time in a Culture of Amnesia.* New York: Psychology Press, 1995.

Igarashi, Yoshikuni. *Bodies of Memory.* Princeton: Princeton University Press, 2000.

Igarashi Tarō. David Noble trans., *Contemporary Japanese Architects.* Tokyo: JPIC, 2008.

Isozaki Arata. *The Island Aesthetic: Polemics.* New York: Wiley, 1996.

_____. "Requiem for the Real Tange Kenzō." *Japan Echo* (August 2005)

_____. *Japan-ness in Architecture.* Cambridge MA: The MIT Press, 2006.

_____. "City Demolition Inc." *South Atlantic Quarterly* 106: 4 (Fall 2007)

_____. "Ruins." in *Arata Isozaki edited by Ken Tadashi Oshima.* London: Phaidon, 2009.

_____ and Thomas Daniell. "Arata Isozaki in Conversation with Thomas Daniell." AA *Files 68* (2014, 7)

Itō Toyo. "Shinjuku Simulated City," *Japan Architect* (Summer 1991): 50.

_____ et. al. *Toyo Ito.* London: Phaidon, 2009

_____. *Tarzans in the Media Forest.* London: AA Publications, 2011.

_____ and Julian Rose, "The Building After." *Art forum* 52:1 (September, 2013)

Ivy, Marilyn. "Formations of Mass Culture." in *Postwar Japan as History*, edited by Andrew Gordon. Berkeley, CA: University of California Press, 1993.

Jameson, Frederic "Introduction to Arata Isozaki's "City Demolition Inc." in *South Atlantic Quarterly* 106: 4 (Fall 2007)

Japan Society of Futurology ed., *Challenges from the Future*, 1. Tokyo: Kōdansha, 1970.

Jencks, Charles. *The Language of Postmodern Architecture*. New York: Rizzoli, 1977.

_____. "Pluralism of Japanese Architecture." in *Late-modern Architecture and Other Essays*. New York: Rizzoli, 1980.

_____. "Toyo Ito: Stealth Fighter for a Richer Post-moderism." in *Toyo Ito*. New York: John Wiley and Sons, 1995.

Kawazoe Noboru, ed. *Metabolism 1960: Proposals for a New Urbanism*. Tokyo: Bijutsu Shuppansha, 1960.

_____. "The City of the Future." *Zodiac*, 9 (1962)

_____. "A New Tokyo: In, On, or Above the Sea?" *This is Japan*, 9 (1962)

_____. interviewed with Hiroshi Naito, *INAX REPORT*, no. 175 (July 2008)

Kazumichi Katayama. "The Japanese as an Asia Pacific Population." in *Multicultural Japan*, edited by Donald Denoon et al. Cambridge: Cambridge University Press, 1996.

Kestenbaum, Jacqueline Eve. *Modernism and Tradition in Japanese Architectural Ideology, 1931-1955*. PhD. diss. Columbia University, 1996.

Kitayama Koh and Yoshiharu Tsukamoto, Ryue Nishizawa, eds. *Tokyo Metabolizing*. Tokyo:Toto Press, 2010.

Kikuchi Makoto. "Expo' 70: Urban Infrastructure in Information Society." in *Metabolism: The City of the Future*. Tokyo: Mori Art Museum, 2013.

Kikutake Kiyonori. "The General Concept of a Multi-Channel Environment." in *Challenges from the Future*, vol. 2. Tokyo: Kōdansha, 1970.

Kojiro, Yuichiro. "Movement in the Principal Structure." *Japan Architect*

(August 1961)

Koolhaas, Rem. *Delirious New York*. New York: Oxford University, 1978.

_____ and Hans Ulrich Obrist. *Project Japan: Metabolism Talks*. Cologne:
Taschen, 2011.

Kojin Karatani. "Japan As Museum: Okakura Tenshin and Ernest
Fenollosa." in *Japanese art after 1945: Scream Against the Sky*, edited
by Alexandra Munroe. New York: H.N. Abrams, 1994.

Koschmann, Victor. "Intellectuals and Politics." in *Postwar Japan as History*,
edited by Andrew Gordon. Berkeley, MA.: California University
Press, 1993.

Kuan Seng, "Land as Architectural Idea in Modern Japan." in
Architecturalizing Asia: Mapping a Continent Through History, edited
by Vimalin Rujivacharakul, H. Hazel Hahn, Ken Tadashi Oshima.
Honolulu: University of Hawai'i Press, 2013.

Kuan, Seng and Yukio Lippit eds. *Kenzō Tange: Architecture for the World*.
Zürich: Lars Muller Publisher, 2012.

Kultermann, Udo ed. *Kenzō Tange 1946-1969: Architecture and Urban Design*.
London: Pall Mall Press, 1970.

Kuma Kengo. "Tokyo 'Cool' has swayed Japan for too long." *Financial Times*,
April 5, 2011

Kuroda Raiji. "A Flash of Neo Dada: Cheerful Destroyers in Tokyo(1993)."
Review of Japanese Culture and Society (December 2005)

Kurokawa Kishō. *New Wave Japanese Architecture*. New York: Wiley, 2009.

_____. "Homo-Movense and Metabolism in the Multi-Channel Society." in
Challenges from the Future, vol. 1. Tokyo: Kōdansha, 1970.

Lichtman, Sarah A. "Do-it-Yourself Security: Safety, Gender and the Home
Fallout Shelter in Cold War America." *Journal of Design History*
19:1 (2006)

Lin Zhongjie. *Kenzō Tange and the Metabolist Movement: Urban Utopias of
Modern Japan*. London: Routledge, 2010.

_____. "From Megastructure to Megalopolis: Formation and
Transformation of Mega-Projects in Tokyo Bay." *Journal of Urban
Design* 12: 1 (February 2007)

Lynch, Kevin. *The Image of the City*. Cambridge MA: The MIT Press, 1960.

Maki Fumihiko. *Investigations in Collective Form*. Saint Louis: Washington

University, 1964.

_____. *Nurturing Dreams: Collected Essays on Architecture and the City.*
Cambridge MA: The MIT Press, 2012.

Mcluhan, Marshall. "The Invisible Environment: The Future of an Erosion."
Perspecta 11(1967)

Morris-Suzuki, Tessa. *Beyond Computopia: Information, Automation and
Democracy in Japan.* London: Routledge, 1988.

Morrison, Jasper. et al., *MUJI.* New York: Rizzoli, 2010.

Mumford, Lewis. "Utopia, The City, and The Machine." *Daedalus* 94: 2
(Spring 1965)

Munroe, Alexandre, ed. *Japanese Art after 1945: Scream Against the Sky.*
Edited by Alexandra Munroe. New York, Abrams, 1994.

Nakamori Yasufumi. *Katsura: Picturing Modernism in Japanese Architecture
Photographed by Ishimoto Yasuhiro.* New Haven: Yale University
Press, 2010.

Nuijsink, Cathelijne. *How To Make a Japanese House.* Rotterdam: nai010
publishers, 2012.

Obrist, Hans Ulrich. "Coversation with Kazuo Shinohara." *Quaderns* 265.

Ockman, Joan, ed. *Architecture Culture 1943-1968: A Documentary Anthology.*
New York: Rizzoli, 1993.

Okamoto Tarō. "On Jōmon Ceramics." in *Art in Translation.* trans. by
Jonathan M. Reynolds 1:1 (2009)

Orr, James J. *The Victim as Hero.* Honolulu: University of Hawai'i Press,
2001.

Oshima, Ken Tadashi. "Postulating the potential of prefab: the case of
Japan." in *Home Delivery: Fabricating the Modern Dwelling.* New
York: MoMA, 2008.

_____. *Arata Isozaki.* London: Phaidon, 2009.

_____. *International Architecture in Interwar Japan: Constructing Kokusai
Kenchiku.* Seattle: Washington University Press, 2010.

Pernice, Raffaele. "The Transformation of Tokyo during the 1950s and
Early 1960s: Projects Between City Planning and Urban Utopia."
Journal of Asian Architecture and Building Engineering (November
2006)

_____. "The Issue of Tokyo Bay's Reclaimed Lands as the Origin of Urban

Utopias in Modern Japanese Architecture." *Architectural Institute of Japan* (March 2007)

Reynolds, Jonathan M. "Bunriha and the Problem of '"Tradition" for Modernist Architecturein Japan 1920-1928." in *Japan's Competing Modernities: Issues in Culture and Democracy, 1900-1930*, edited by. Sharon A. Minichiello. Honolulu: Hawai'i University Press, 1998.

_____. *Maekawa Kunio and the Emergence of Japanese Modernist Architecture.* Berkeley, CA: University of California Press, 2001.

_____. "Ise Shrine and a Modernist Construction of Japanese Tradition." *The Art Bulletin* 83: 2 (June 2001)

_____. *Allegories of Time and Space: Japanese Identity In Photography and Architecture.* Honolulu: University of Hawai'i Press, 2015.

Ross, Michael Franklin. *Beyond Metabolism: The New Japanese Architecture.* Architectural record books, 1978.

Rudofsky, Bernard. *Architecture without Architects.* New York: MoMA Press, 1964.

Samuels, Richard J. *3·11 Disaster and Change in Japan.* Ithaca: Cornell University Press, 2013.

Sert, José Luis, Fernand Léger, Sigfried Giedion. "Nine Points on Monumentality." in *Architecture Culture 1943-1968: A Documentary Anthology*, edited by Joan Ockman. New York: Rozzoli, 1993.

Shinkenchiku-sha and the National Museum of Modern Art in Tokyo eds., *The Japanese House: Architecture and Life After 1945.* Tokyo: Shinkenchiku-sha, 2017.

Stewart, David B. *The Making of a Modern Japanese Architecture: 1868 To the Present.* Tokyo: Kodansha USA, 1988.

Suzuki Yuichi. "From the Electric to Fusion." in *2G 2 Toyo Ito, International Architecture Review.* Barcelona: Gustavo Gili, 1997.

Taki Koji. "Fragment and Noise: The Architectural Idea of Kazuo Shinohara and Toyo Ito." in *Japanese Architecture 34.* London: Architectural Design, 1988.

Tange Kenzō et al. *Katsura: Tradition and Creation in Japanese Architecture.* New Haven: Yale University Press, 1960.

_____, *Noboru Kawazoe, and Yoshio Watanabe. Ise: Prototype of Japanese Architecture*, trans by Eric Klestadt and John Bester. Cambridge,

MA: The MIT Press, 1965.

_____. "A Eulogy to Michelangelo: A Preliminary Study of Le Corbusier."
in *Art in Translation* 4: 4 (2012)

Teasley, Sarah. "Tange Kenzō and Industrial Design in Postwar Japan." in
Kenzō Tange: Architecture for the World, edited by Seug Kuan and
Yukio Lippit. Zürich: Lars Müler Publishers, 2012.

Teige, Karel. *The Minimum Dwelling.* Cambridge MA: The MIT Press, 1932.

Tomii, Reiko. "Concerning the Institution of Art: Conceptualism in Japan."
in *Global Conceptualism: Points of Origin 1950-1980s.* New York:
Queens Museum of Art, 1999.

Tōno Yoshiaki. "Neo-Dada et Anti-art." in *Japon des Avant-gardes 1910-1970,*
exh. cat. Paris: Centre George Pompidou, 1986.Turnbull, Jesse. *Ito
Toyo, Forces of Nature.* New York: Princeton Architectural Press,
2012.

Turnbull, Jesse. Ito Toyo, Forces of Nature. New York: Princeton
Architectural Press, 2012.

Ueda Yasutaka and Rajib Shaw. "Issues and Challenges in Temporary
Housing in Post-3.11 Kesennuma." in *Community Practices for
Disaster Risk Reduction in Japan,* edited by Rajib Shaw. Tokyo:
Springer, 2014.

Vanderbilt, Tom. *Survival City: Adventures Among the Ruins of Atomic
America.* New York: Princeton Architectural Press, 2002.

Venturi, Robert, Denise Scott Brown, Steven Izenour. *Leaning from Las
Vegas.* Cambridge MA: The MIT Press, 1972.

Wendelken, Cherie. "Aesthetics and Reconstruction: Japanese Architectural
Culture in the 1950s." in *Rebuilding Urban Japan After 1945,*
edited by Carola Hein and Jeffry M. Diefendorf. New York,
Palgrave Macmillan, 2002.

_____. "Putting Metabolism Back in Place. The Making of a Radically
Decontextualized. Architecture in Japan." in *Anxious Modernisms:
Experimentation in Postwar Architectural Culture,* edited by Sarah
Williams Goldhagen and Réjean Legault. Cambridge MA: The
MIT Press, 2000.

Wiener, Nobert. *Cybernetics: Or Control and Communication in the Animal and
the Machine.* New York: J. Wiley, 1948.

Wigley, Mark. "Network Fever." *Grey Room* (Summer 2001)

Winther-Tamaki, Bert. "To Put on a Big Face: The Globalist Stance
    of Okamoto Tarō's Tower of the Sun for the Japan World
    Exposition." *Review of Japanese Culture and Society* (December
    2011)

Yatsuka Hajime. "Architecture in the Urban Desert." *Oppositions* 23 (Winter
    1981)

_____. "The 1960 Tokyo Bay Project of Kenzō Tange." in *Cities in Transition,*
    edited by Arie Graafland and Deborah Hauptmann. Rotterdam:
    nai101 Publisher, 2001.

_____. "The Structure of This Exhibition: The Metabolism Nexus' Role
    in Overcoming Modernity." in *Metabolism: The City of the Future.*
    Tokyo: Mori Art Museum, 2011.

_____. "The Social Ambition of the Architecture and the Rising Nation."
    in *Tange Kenzō, Architecture for the World, edited by Seng Kuan and
    Yukio Lippit.* Zürich: Lars Müller, 2012.

Yoneyama Lisa. *Hiroshima Traces: Time, Space, and the Dialectics of Memory.*
    Berkeley, CA: University of California Press, 1999.

Yoshimi Shunya. "Made in Japan: The Cultural Politics of Home
    Electrification in Postwar Japan." *Media, Culture and Society* 21
    (Summer 1999)

Zenno Yasushi. "Finding Mononoke at Ise Shrine: KenzōTange's Search for
    Proto-Japanese Architecture." *Round 01 Jewels: Selected Writings
    on Modern Architecture from Asia,* edited by Yasushi Zenno and
    Jagan Shah, Osaka: Acetate 010, 2006.

도판 저작권.

본문에 도판을 싣도록 허락해주신 모든 분께 감사드립니다.
대부분의 도판은 출간 전에 안전하게 허락받았습니다.
출처 불명 등의 사유로 저작권을 미처 확인받지 못한 도판에 대해서는
이후 연락이 닿는 대로 적절한 조치를 취하겠습니다.

Architecture / 121(위): @Wikimedia commons, 121 (아래) ©GK Design
Group Inc. Courtesy of GK Design Group Inc / 125: ©GK Design Group
Inc. Courtesy of GK Design Group Inc / 127: ©Wikimedia commons /
137: 川添登 編, 『Metabolism 1960: 都市への提言 The Proposal for a New
Urbanism』(東京 :美術出版社, 1960) / 141: ©Wikimedia commons /
151: ©Wikimedia commons / 159: ©Uzo Nishiyama Memorial Library,
Courtesy of Uzo Nishiyama Memorial Library / 161: 21世紀の研究会,
『21世紀の日本:その国土と国民生活の未来像』(東京: 新建築社, 1971) /
162: ©Arata Isozaki & Associates, Courtesy of Arata Isozaki & Associates /
165: ©조현정 / 168, 169: ©Arata Isozaki & Associates, Courtesy of Arata
Isozaki & Associates / 174: ©Tomio Ohashi / 176: ©Tomio Ohashi /
185: ©Takeo Ishimatsu, Courtesy of Arata Isozaki & Associates /
188: ©Comtemporary Art Center, Art Tower Mito, Courtesy of
Comtemporary Art Center, Art Tower Mito / 190: ©Arata Isozaki &
Associates, Courtesy of Arata Isozaki & Associates / 195: @2021 The
Museum of Modern Art, New York/Scala, Florence, Courtesy of The
Museum of Modern Art, New York/Scala, Florence / 196: ©ZKM | Center
for Art and Media Karlsruhe, Coutersy of ZKM | Center for Art and Media
Karlsruhe / 196: 『新建築』(1955, 4) / 200: ©Echelle-1, Courtesy of Arata
Isozaki & Associates / 206: ©Kochi Prefecture, Ishimoto Yasuhiro Photo
Center, 1974, Courtesy of Arata Isozaki & Associates / 206: ©Wikimedia
commons / 214: ©Wikimedia commons / 217: ©Wikimedia commons /
217: ©Kochi Prefecture, Ishimoto Yasuhiro Photo Center, 1983, Courtesy
of Arata Isozaki & Associates / 219: ©조현정 / 229: Courtesy of Toyo Ito &
Associates / 234, 236: ©Yutaka Suzuki, Coutersy of Yutaka Suzuki /
240, 241: ©Toyo Ito & Associates, Courtesy of Toyo Ito & Associates /
242: ©Wikimedia commons / 245: ©Toyo Ito & Associates, Courtesy of
Toyo Ito & Associates / 248: ©Naoya Hatakeyama, Courtesy of Naoya
Hatakeyama / 251: ©Wikimedia commons / 253, 255, 261, 262: ©Toyo
Ito & Associates, Courtesy of Toyo Ito & Associates / 264: ©Wikimedia
commons / 266: ©조현정 / 276: ©Uzo Nishiyama Memorial Library,
Courtesy of Uzo Nishiyama Memorial Library / 278: ©Masuzawa Architect
& Associate / 282: 鈴木成文 外,『「51C」家族を容れるハコの戦後と現在』(東京: 平
凡社, 2004) / 284: ©Shin-ichi Okuyama Architects Studio, Department of
Architecture and Building Engineering, Tokyo Institute of Technology /

찾아보기.

362

조현정 지음

카이스트 인문사회과학부 교수. 서울대학교 고고미술사학과를 졸업하고 미국 남캘리포니아대학(University of Southern California)에서 일본 건축사에 관한 논문으로 박사학위를 받았다. 『국가 아방가르드의 유령』, 『김중업 다이얼로그』, 『파빌리온: 도시에 감정을 채우다』, 『아키토피아의 실험』, 『시대의 눈』(이상 공저)을 썼고, 『1900년 이후의 미술사』(공역)를 번역했다. Architectural Research Quarterly, Journal of Architecture, Journal of Architectural Education 등 다수의 학술지에 논문을 발표했다.

전후 일본 건축

: 패전과 고도성장, 버블과 재난에 일본 건축은 어떻게 대응했을까

조현정 지음

초판 1쇄 발행 2021년 3월 12일
초판 3쇄 발행 2024년 10월 1일

ISBN 979-11-90853-10-1 (93540)

발행처	도서출판 마티
출판등록	2005년 4월 13일
등록번호	제2005-22호
발행인	정희경
편집장	박정현
편집	서성진
마케팅	주소은
디자인	조정은

주소	서울시 마포구 잔다리로 101, 2층 (04003)
전화	02. 333. 3110
이메일	matibook@naver.com
홈페이지	matibooks.com
인스타그램	instagram.com/matibooks
트위터	twitter.com/matibook
페이스북	facebook.com/matibooks

이 저서는 2017년 대한민국 교육부와 한국연구재단의 지원을 받아 수행된 연구임
(NRF-2017S1A5A8021146)